dtv
premium

D1530078

Ausführliche Informationen
über unsere Autoren und Bücher
finden Sie auf unserer Website
www.dtv.de

Dorothea Ebert · Michael Proksch

# Und plötzlich waren wir Verbrecher

## Geschichte einer Republikflucht

Herausgegeben von Ina-Maria Martens

Mit 27 s/w-Abbildungen

Deutscher Taschenbuch Verlag

Originalausgabe 2010
2. Auflage 2010
Deutscher Taschenbuch Verlag GmbH & Co. KG,
München
© 2010 Deutscher Taschenbuch Verlag GmbH & Co. KG,
München
© der Texte von Reiner Kunze (S. 11, 17, 86, 158):
S. Fischer Verlag GmbH, Frankfurt/Main
© des Textes von Wolf Biermann (S. 136):
1972 by Wolf Biermann
Umschlagkonzept: Balk & Brumshagen
Umschlaggestaltung: Lisa Helm unter Verwendung von
Privatfotos aus dem Besitz der Autoren (von links: Gerd Hortsch,
Mathias Ebert, Dorothea Ebert, Michael Proksch)
Satz: dtv/Bernd Schumacher
Gesetzt aus der LinoLetter 9,25/12 pt
Druck und Bindung: CPI – Ebner & Spiegel, Ulm
Gedruckt auf säurefreiem, chlorfrei gebleichtem Papier
Printed in Germany · ISBN 978-3-423-24799-3

# Inhalt

# Michael Proksch

## Panzer in Dresden

Es war im Frühjahr 1983, als wir eines Nachts von dröhnendem Lärm geweckt wurden. Mein Freund Gerd und ich rannten auf die Straße und sahen Panzer durch die engen Gassen der Dresdner Neustadt fahren. Offensichtlich eine Übung der ganz in der Nähe stationierten sowjetischen Streitkräfte. Der höllische Krach, der durch die engen Straßenfluchten noch verstärkt wurde und an den alten fünfstöckigen Häusern widerhallte, ging durch Mark und Bein. Durch das Aufheulen der Motoren und das Gerassel der Panzerketten entstand wieder dieses Gefühl von Ohnmacht. Wir wussten, dass in den Wäldern um Dresden Hunderte russische Panzer standen. Jeder Aufstand oder jeder Versuch, das herrschende System zu verändern, war sinnlos, solange sie da waren, solange das sowjetische Militär als letzte Instanz hinter dem Staatssicherheitsdienst stand, der das gesamte öffentliche Leben kontrollierte. Die Härte, mit der die Sowjetführung während des »Prager Frühlings« jedes Ausscheren bestraft hatte, war in unserem Bewusstsein verankert. Die mitten durch die Stadt fahrenden Panzer bestätigten wieder die über die Jahre gereifte Erkenntnis: Nur durch Flucht würde ein selbstbestimmtes Leben möglich sein.

Ich war 24, Musikstudent, und lebte seit zwei Jahren in einer Wohngemeinschaft mit meiner Schwester Dorothea und meinem Freund Gerd. Die Bezeichnung WG kannte man damals noch nicht. Dorothea hatte illegal in einem Hinterhaus der Louisenstraße 48 eine leer stehende Wohnung bezogen, um ungestört Geige zu üben. Sie absolvierte gerade die Meisterklasse. Gerd und ich kamen später dazu, da auch die Nachbarwohnung leer stand. Wir waren nicht die Einzigen, die sich ein solches Quartier besorgt hatten. Die Behörden tolerierten das stillschweigend, denn dadurch wurde der Verfall der Häuser zumindest aufgehalten. In der Neustadt, dem nicht zerbombten Teil Dresdens, gab es viele völlig heruntergekommene »Abrisshäuser«. Zum dringend erforderlichen Reparieren des Daches fehlte das Geld und die oberen feuchten Wohnungen in diesen Häusern konnten nicht mehr vermietet werden. Seit 40 Jahren war nichts renoviert worden. Es gab kein Bad, aber alte rußende Kachelöfen und eine kleine Außentoilette ohne Waschbecken für je drei Mietparteien einer Etage. Im Winter mussten wir darauf achten, dass das Wasser im WC nicht einfror. Da es die zum Beheizen notwendige Kohle nur auf Zuteilung gab, waren wir in der kalten Jahreszeit gezwungen, uns auf anderem Wege Kohlen zu »organisieren«. Organisieren war allgegenwärtig im DDR-Alltag und stand für aufwendiges, halb illegales Beschaffen von Dingen, die man nicht normal kaufen konnte. Zum Glück lag direkt hinter uns das Nordbad, das mit Kohlen beheizt wurde. Wie damals üblich, lagerte einfach ein großer Berg Kohlen in der Nähe der Heizkessel. So luden Gerd und ich einmal in der Woche, heimlich nach Mitternacht, einen großen alten Jutesack voll und schleppten ihn die fünf Stockwerke hoch. Das war zwar anstrengend, aber auch billiger und hatte zudem den Reiz des Unerlaubten.

Ein schlechtes Gewissen hatten wir kaum dabei. Wenige scherten sich um sogenanntes Volkseigentum, mit dem generell unachtsam umgegangen wurde. Keiner fühlte sich z.B. verantwortlich, wie viel Energie überall durch alte, undichte oder kaputte Fenster verschwendet wurde.

Gerd war durch seine Kindheit in einem Heim bereits gewöhnt, sich im Leben durchzuboxen. Von seinen markanten Gesichtszügen, den dunklen Haaren und einem untersetzt athletischen Körperbau ging etwas Radikales aus. Dabei wirkte er trotz einer gewissen Kantigkeit durch seine Eloquenz immer charmant. Unsere enge Freundschaft begann beim Militärdienst, wo wir feststellten, dass wir dieselbe systemkritische Haltung teilten. Viel hatten wir auf gemeinsamen Tramptouren durch Polen erlebt. Ich mochte seine eruptive, kompromisslose Art, seine Wahrhaftigkeit und Begeisterungsfähigkeit. Auch Dorothea fühlte sich hingezogen. Immer gab es einen regen künstlerischen Austausch in unserer »Louise«, wie wir unseren illegalen Unterschlupf nannten.

### Regentropfen-Metronom

In der DDR gab es keinen freien Wohnungsmarkt. Die staatlichen Behörden teilten zu. Wer eine eigene Wohnung haben wollte, musste heiraten und Kinder bekommen. Im Gegensatz zu vielen Gleichaltrigen, die noch gezwungen waren, bei ihren Eltern zu wohnen, waren wir Herr in den eigenen vier Wänden. Dieses Gefühl von Unabhängigkeit entschädigte für den Zustand unseres neuen Zuhauses. Klar war das provisorische Waschen mit dem kalten Wasser aus dem Küchenhahn im Winter nicht angenehm. Auch das morgendliche Aufwachen in den ausgekühlten Räumen, das Asche-Wegtragen und die Versuche, mit möglichst wenig Kohlenanzünder die schlechte Braunkohle zum Brennen zu bringen, waren enervierend. Aber wir hatten eine Zuflucht, in der wir künstlerisch arbeiten konnten. Wenn es regnete, stellten wir unter das kaputte Dach alte, noch von meinen Großeltern stammende Zinkwannen, in die das durchsickernde Wasser tropfen konnte. Dabei entstand ein ziemlich lautes, regelmäßiges Tropfgeräusch. »Wenigstens brauchst du beim Geigeüben kein Metronom mehr«, sagte ich zu meiner Schwester, der das Geräusch auf die Nerven ging. »Keine gute Idee«, erwiderte sie und ließ mich warten, bis ich bei stärker werdendem Regen ein deutliches Accelerando erkennen konnte.

Nach und nach versuchten wir es uns wohnlicher zu machen. In die wegen der durchbrechenden Dielen und angeschimmelten Wände nicht mehr benutzbare Küche stellten Gerd und ich eine große Wanne, bastelten eine provisorische Halterung für einen Duschvorhang und schlossen einen Schlauch mit Duschkopf an den Wasserhahn. So konnten wir uns – wenn auch mit kaltem Wasser – jederzeit duschen. Dann kam uns die Idee, beide nebeneinanderliegende Wohnungen durch einen Wanddurchbruch zu verbinden. Ein herrliches Gefühl, in einem Land, das Tradition im Mauerbau hatte, einfach mit dem Bleistift eine Tür auf die verschlissene Tapete zu malen und mit Hammer und Meißel, dem Symbol aus der DDR-Fahne, Ziegel für Ziegel herauszuschlagen, bis eine Tür entstanden war. Wir machten Witze darüber, dass wir es bei etwaiger Verfolgung wie das tapfere Schneiderlein, das die Wildsau abhängt, halten könnten: zur einen Wohnungstür rein, zur anderen raus und beide schnell abschließen. In der nun entstandenen Vierzimmerwohnung wuchsen wir noch enger zusammen. Durch Gerd, der an der Kunstakademie Malerei studierte, konnten Dorothea und ich miterleben, wie Bilder entstanden, verbessert oder verworfen wurden. Wir nahmen an seinem Schaffensprozess teil, wie auch er durch unser Musizieren weitere Einblicke in die Musik bekam. Zwischendurch traf man sich beim gemeinsamen Mittagessen, dessen Vorbereitung wir Jungs, ohne darüber zu reflektieren, meistens Dorothea überließen. Wir diskutierten über Erlebtes, suchten Parallelen zwischen den Künsten und tauschten Bücher aus, die uns begeistert hatten. Gerade dem Lesen kam eine wichtige Rolle zu; stillte es doch die Neugier auf eine Welt, die uns durch das generelle Reiseverbot in das »kapitalistische Ausland« verschlossen blieb. So zogen wir wenigstens im Geiste mit J. D. Salinger oder Jack Kerouac durch das Amerika der Beat-Generation.

Natürlich gab es im Zusammenleben auch immer wieder Spannungen, kleine Eifersüchteleien oder versteckte Eitelkeiten, aber das Grundverständnis füreinander stimmte und schweißte uns nach Auseinandersetzungen wieder zusammen. Jeder hatte seinen eigenen Bereich, in dem er sich zurückziehen konnte. Telefon und Fernsehen gab es nicht. Materieller Besitz spielte keine Rolle und konnte deshalb auch keine Verführung ausüben. Weil ich davon ausging, dass ich sowieso nie ein Auto haben würde, hatte ich mich nicht einmal zur Fahrschule angemeldet. Lange Abende verbrachte ich damit, zu üben oder in mein Tagebuch zu schreiben, ich

las oder verfasste Briefe, analysierte Werke der Klavierlite-
ratur oder hörte die neuen Soundkompositionen von Pink
Floyd. Gerd im Zimmer nebenan malte wie ein Besessener
und Dorotheas Geigenspiel im Hintergrund ermahnte mich
zur Disziplin, da ich leicht ablenkbar war.

Das waren – auch in der Erinnerung – schöne Zeiten.
Dennoch gelang es uns immer weniger, die Realität auszublenden: die ideologischen Auseinandersetzungen an der
Hochschule und die viele vergeudete
Zeit auf politischen Pflichtveranstaltungen. Ständig wurde uns Lebens-      Dialektik
zeit gestohlen, die wir anders nutzen   Unwissende damit ihr
wollten. Doch wer weiter studieren      unwissend bleibt
wollte, konnte sich all den Schulun-
gen nicht entziehen.                     werden wir euch
                                         schulen.
Mit der Zeit reagierte ich immer
empfindlicher auf all die Bevormun-              *Reiner Kunze*
dungen. Mich interessierte einfach
die politische Ökonomie des Sozi-
alismus nicht, oder was die SED auf irgendeinem Plenum
beschlossen hatte. Mir war alles Reden über die marxis-
tisch-leninistische Weltanschauung, zu der ich mich immer
wieder bekennen sollte, zuwider, da ich mir die Welt nicht
anschauen durfte. Ich wurde wütend, wenn ich für das FDJ-
Lehrjahr einen Vortrag über die KPdSU (Kommunistische
Partei der Sowjetunion) ausarbeiten sollte und in dieser
Zeit nicht Klavier üben konnte. Dabei kamen auch noch die
Gedanken hoch, dass Stalin den Großteil der Intelligenz seines Landes nach Sibirien verbannt hatte. Mich wurmte die
Tatsache, mehr Unterrichtseinheiten in den sogenannten
Gewi- (gesellschaftswissenschaftlichen) Fächern zu haben,
als bei meinem Hauptfachlehrer Professor Hörig. Wie auf
Kohlen saß ich manchmal in den langen Vorlesungen über
den historischen Materialismus oder über die Lehren aus
der Geschichte der Arbeiterbewegung. Gerd ging es an der
Hochschule für Bildende Künste ähnlich. Die ständige er-
zwungene »Rotlichtbestrahlung«, wie der Volksmund all jene
politischen Pflichtveranstaltungen bezeichnete, war einfach

zum Davonlaufen. Viel zu lebenshungrig waren wir, um auf die Dauer all die Einschränkungen ertragen zu wollen.

## Ungeladene Gäste

In der Dresdner Neustadt lebten viele Künstler. Sie wurden zusammen mit den Intellektuellen besonders kritisch beobachtet, sodass die Dichte von Stasizuträgern ziemlich hoch war. Wenn wir ein größeres Fest feierten, beehrte uns immer jemand, der nicht eingeladen war. Solche ungebetenen Gäste wegzuschicken konnte sich keiner leisten, weil sonst der Verdacht, dass etwas Staatsfeindliches stattfand, nur bestärkt wurde. Überall lauerte die Gefahr, denunziert zu werden. Misstrauen und Angst waren im Alltag präsent.

Man gewöhnte sich daran, dass Briefe etwa eine Woche später kamen und offensichtlich geöffnet worden waren. Aber dennoch blieb das Grundgefühl des Misstrauens: vor allem im Umgang mit Bekannten, Kommilitonen oder Freunden. Selbst wenn »nur« jeder Zehnte der Stasi zutrug, so blieben die Auswirkungen doch beträchtlich. Nur in manchen Fällen wusste man, wer Zuträger war. Aber die Vermutungen, die aufkamen, vergifteten die Atmosphäre zwischen den Menschen.

Die Bespitzelung verschärfte sich, nachdem wir eine Seminargruppe von Kunststudenten aus Braunschweig in unsere »Louise« eingeladen und die ganze Nacht gefeiert hatten. Der Austausch mit Bundesbürgern wurde nach außen hin zwar ermöglicht, in Wirklichkeit aber weitestgehend unterbunden. Man versuchte, alle Begegnungen möglichst unter Kontrolle zu halten. Das Programm solcher Reisegruppen war immer genau festgelegt und mehrere Stasi-Leute waren mit Kontrolle und Abschirmung beauftragt. Als nach einer Führung durch die Ateliers der Hochschule für Bildende Künste alle Studenten in ein spießiges Restaurant geschleust werden sollten, wo ein abgetrennter Gastraum vor zufällig entstehenden Begegnungen mit der Bevölkerung schützte, machte Gerd den Vorschlag, gemeinsam zu uns zu fahren. Die zuständigen Organisatoren intervenierten heftig, aber Gerd blieb dabei und die Braunschweiger sahen keinen Grund, sich Anweisungen zu fügen, die für sie unverständlich waren. Sie setzten sich einfach zu Fuß vom offiziellen Abendprogramm ab und eine halbe Stunde später saßen fast vierzig Leute lebendig schwatzend auf dem Fußboden unserer Zimmer. Das war großartig, denn wir sehnten uns nach Gedankenaustausch mit jungen Menschen, die in einer vollkommen anderen, für uns unerreichbaren Welt lebten; wir waren hungrig nach Informationen über das Leben jenseits des Eisernen Vorhanges.

Nach jener Nacht standen öfters mal unscheinbare graue Herren vor unserem Haus. Wahrscheinlich hatte die Stasi die »Louise« nun als Widerstandsnest identifiziert und ihr einen Operationsnamen gegeben, unter dem alle Fakten gesammelt und die zu uns kommenden Personen observiert wurden. Sobald man genügend Informationen über die Verbindungen innerhalb der Künstlerkreise in der Neustadt herausgezogen hatte, würde wahrscheinlich der Befehl kommen, die Wohnung zu räumen. Zwar versuchten wir unsere Witze zu machen, aber wir hatten doch Angst, und die legte sich wie ein dunkler Schleier über unser Lebensgefühl. Viele beklemmende Erfahrungen hatten sich im Laufe der letzten Jahre angehäuft.

Wenn ich etwa meine Freundin Claudia in Plauen besuchte, wurde ich dort am Bahnhof gleich beim Aussteigen aus dem Zug erst einmal festgenommen und gründlich untersucht. Plauen lag 20 Kilometer von der Staatsgrenze der DDR entfernt und man wollte Republikflüchtige bereits hier abfangen. Welche Demütigung jedes Mal, wenn ich eine ausgiebige Leibesvisitation von groben Polizisten über mich ergehen lassen musste. Danach wurde umständlich überprüft, ob Claudia wirklich in Plauen gemeldet war. Erst dann durfte ich weiter. Selbst wenn ich mit meinem Moped im Erzgebirge unterwegs war, wurde ich regelmäßig von der Polizei angehalten, obwohl hier nur die Grenze zum »sozialistischen Bruderland« ČSSR in der Nähe war. Ich konnte mich mit solchen Erlebnissen einfach schwer abfinden. Auch wehrte ich mich instinktiv dagegen, immer mehr abzustumpfen.

## Mut oder Anpassung

»Die Wahrnehmung beginnt, wenn die Eindrücke sich ändern, daher die Notwendigkeit einer Reise«, schrieb André Gide in seiner Erzählung ›Paludes‹. Wer andere Kulturen und andere menschliche Umgangsformen kennenlernt, nimmt die Wirklichkeit im eigenen Land bewusster wahr. Wer wie meine Schwester bei ihrer Konzertreise nach Paris erlebt hatte, wie locker und ungezwungen die Menschen sich dort bewegten; wer durch die Atmosphäre des Pariser Straßenlebens mit seiner Lebendigkeit und Möglichkeit zur Meinungsäußerung beschwingt wurde, wer die unzensierten künstlerischen Darbietungen genießen durfte und dann zurückkommt in dieses muffige, steife, bespitzelte Dresdner Stadtleben, den zieht es nur noch weg. Unvorstellbar, sich mit der Gitarre auf den Marktplatz einer ostdeutschen Stadt zu setzen, um ein paar Lieder zu singen. Bereits nach der ersten Strophe wäre man wegen öffentlicher Ruhestörung abgeführt worden, falls man sich überhaupt dazu herabgelassen hätte, irgendwelche Begründungen zu liefern. Durch die fehlende Trennung von Legislative und Exekutive brauchte die Stasi oft nicht einmal selber einzugreifen. Die Polizei bekam einfach den Befehl, eine unliebsame Person X zu verhaften und es bedurfte dafür keines richterlichen Beschlusses.

Das öffentliche Leben wirkte verkrampft und ausgetrocknet. Wenig Lebendiges, Spontanes, Sprühendes gab es, dafür viel Kleinmut. Ein einziges Mal, bei den Weltjugendfestspielen 1973 in Ostberlin, hatte ich den Ansatz von Freizügigkeit erlebt. Die Spontaneität und Lebendigkeit vieler Jugendlicher, gerade aus Frankreich und Lateinamerika, riss auch uns aus dem Osten mit und ließ uns die Bespitzelung vergessen. Mit der Wahrnehmung eines DDR-Bürgers hätte sich sonst keiner wirklich frei fühlen können. Zu präsent waren jene älteren Herren, die sich – krampfhaft jugendlich gekleidet – wie zufällig unter Gruppen auf den Plätzen mischten. Aber sie hatten Anweisungen nicht einzugreifen. Man wollte nach außen hin Offenheit demonstrieren. Ein Hauch von Freiheit lag in der Luft. Es wurde tatsächlich auf offener Straße musiziert, getanzt und gesungen. Umso lähmender das Erwachen nach der Abreise der Gäste. Wieder dominierte das übliche Polizeiaufgebot alle öffentlichen Plätze in Berlin. Es gab mehr Grün von Uniformen als von Bäumen. Kaum hatte ich in der Sommerhitze die Beine im Springbrunnen baumeln lassen, wurde ich von heraneilenden Staatsdienern gemaßregelt. Zwei Tage vorher hatten es alle so gemacht: eines von vielen Beispielen für die Verlogenheit eines Systems, welches von Grund auf lust- und lebensfeindlich war.

Obwohl ich immer den Drang verspürte, mich noch aktiver gegen den Staat zu stellen, musste ich mir doch eingestehen, dass mir die Radikalität und vielleicht auch der Mut fehlten, um dauerhaften Widerstand zu leisten. Zu klar sah ich nach meinen bisherigen Konfrontationen die Folgen voraus. Zu stark war die Angst, mir mein ganzes Leben zu verbauen und als Hilfsarbeiter zu enden. In Anpassung aufgewachsen, hatte ich schon zu viele bittere Pillen der Selbstverleugnung geschluckt. Die DDR-Führung hatte es geschafft, sich den Großteil eines Volks untertan zu machen. 98 Prozent der Wahlberechtigten stimmten in den 70er-Jahren mit »Ja« für die Regierung. Sie musste gar nicht mehr groß die Wahlergebnisse frisieren. Man gab seine Stimme öffentlich ab. Wenn einer bei den »freien Wahlen« mit »Nein« stimmen und etwas durchstreichen wollte, dann musste er in die Wahlkabine gehen und konnte sofort registriert werden. Diese Wahlkabinen waren meist im Hintergrund der Wahlräume aufgestellt. Da ging keiner hin, auch ich nicht. Wir alle falteten, nach Feststellung der Personalien, brav das erhaltene Papier zusammen und steckten es in die Wahlurne. Es ging sogar so weit, dass Bürger intern nach dem Zeitpunkt ihres Wahlganges beurteilt wurden. Die ganz Beflissenen erschienen daher sofort nach der Öffnung der Wahllokale. Wer erst am Mittag kam, wurde bereits als politisch nicht ganz so zuverlässig eingestuft. Und am frühen Nachmittag schwärmten dann die sogenannten Wahlschleppdienste aus: Parteihörige Helfer besuchten alle, die auf den Listen noch kein Häkchen hatten – mit der sehr freundlich und zuvorkommend formulierten, aber eindeutigen Aufforderung, doch bitte nicht zu vergessen sein »Bekenntnis zu Sozialismus und Frieden« abzugeben und am besten gleich mitzukommen. Manchmal wurden dazu auch die sogenannten »Hausvertrauensleute« eingesetzt, die es in jedem Mehrfamilienhaus gab. Als ich das Wahllokal verließ und nach Hause trottete, fühlte ich mich wie ein Verräter. Auch ich war ein Mitläufer und kein bisschen anders, selbst wenn ich im Verborgenen systemkritische Gedanken hegte. Ich haderte mit mir und bekam mein schlechtes Gewissen kaum los, auch wenn ich bei nüchterner Einschätzung meiner Situation keine andere Möglichkeit hatte. Für politische Veränderungen im Inneren gab es Ende der 70er-Jahre nicht die geringste Chance, sie lagen jenseits alles Vorstellbaren. Quer durch alle Gesellschaftsschichten hatte die Stasi ihre Zuträger. Der unterschiedlichsten Methoden bediente sie sich dabei. Ein Geisteswissenschaftler etwa, der auf der Leipziger Buchmesse ein in der DDR nicht verlegtes Fachbuch mitgehen ließ – die Vertreter bundesdeutscher Verlage schauten bewusst weg –, hatte die Wahl, wegen Schädigung des Ansehens der DDR ins Gefängnis zu wandern oder eben seine Kollegen an der Uni zu bespitzeln. Bei der Auswahl von über einhundert Bewerbern für einen der begehrten acht Studienplätze für Malerei und Grafik in Dresden pickte sich die Stasi einen heraus und teilte ihm mit, dass er leider nicht in die Auswahl komme, es sei denn, er wäre bereit, ab und zu diskret an einen Führungsoffizier Informationen über Kommilitonen zu übermitteln. Keiner würde dies bemerken. Vielleicht dachte derjenige in seiner Not sogar, er könne einfach belanglose Dinge weitergeben und würde damit niemandem schaden. Darin sollte er sich aber getäuscht haben, denn es gab noch andere IMs, inoffizielle Mitarbeiter der Stasi, die den gleichen Personenkreis überwachten und bei abweichenden Aussagen wäre er zur Rechenschaft gezogen worden.

In unserer »Louise« diskutierten wir viel über solche Themen. Immer größer wurde unser Freundes- und Bekanntenkreis. Neben den Kommilitonen meiner Schwester lernte ich durch Gerd auch viele Kunststudenten kennen. Für die meisten hatte das künstlerische Schaffen etwas Existenzielles. Dadurch entstand eine große Intensität. Kunst war auch eine Ausdrucksform zur Bewältigung der Ängste, zur Verarbeitung des ideologischen Drucks mit all den Anfeindungen und Zurechtweisungen, denen Künstler in der DDR ausgesetzt waren. Manche Maler oder Bildhauer tauchten während des kreativen Prozesses eher ab in eine innere Welt, wo nur das Schaffen von Schönheit, das Ringen um Wahrheit zählt, und blendeten so all das Belastende einfach aus. Andere schauten sehr genau auf alle Missstände und stellten diese schonungslos dar – auch wenn ihre Bilder nie in einer öffentlichen Ausstellung zu sehen sein würden. Da gerade Künstler auf Grund ihrer ausgeprägten Individualität schwerer zu manipulieren sind, misstraute der Staat ihnen grundsätzlich und versuchte jede freiheitliche Regung zu unterdrücken. Man mischte sich in unglaublicher Weise ein und versuchte noch bis in die 70er-Jahre vorzugeben, welche Sujets zu verarbeiten seien: beispielsweise »Porträts der sich heldenhaft in der Produktion bewährenden sozialistischen Werktätigen«. Auch in der formalen Umsetzung sei eine Abgrenzung von der »dekadent westlichen Malerei« lobenswert.

Anfang der 80er-Jahre waren diese strengen Vorgaben nicht mehr zu halten und viele Künstler versuchten jenseits des »sozialistischen Realismus« mit ihrer Malerei der Gesellschaft einen Spiegel vorzuhalten. Schwieriger war es für junge Schriftsteller. So wurden Gedichte auf der

**Das Ende der Kunst**

Du darfst nicht,
sagte die eule
zum auerhahn,
du darfst nicht die
sonne besingen
Die sonne ist nicht
wichtig

Der auerhahn nahm
die sonne aus
seinem gedicht

Du bist ein künstler,
sagte die eule
zum auerhahn

Und es war
schön finster.

*Reiner Kunze*

Schreibmaschine mit fünf Durchschlägen abgeschrieben
und verteilt, da Veröffentlichungen durch die strenge Zensur unmöglich waren. Auch Liedermacher brachten immer
kritischere Texte zur Aufführung und erreichten ein größeres Publikum.

Viele inspirierende Gespräche hatten wir mit dem vor
Ideen nur so sprudelnden Dieter Beckert, dem Erfinder des
»brachialromantischen Kabaretts«, der später mit Jürgen
B. Wolff das Duo Sonnenschirm gründete. Ihm gelang es,
mit seinen Liedtexten immer wieder anzuregen, zu hinterfragen und zu berühren. In seinen Konzerten fanden sich
viele Gleichgesinnte zusammen, wodurch eine Atmosphäre der Zusammengehörigkeit entstand. Gerade hatte er bei
der »Hammer-Rehwü« (kein Schreibfehler) mitgewirkt.
Einem Team von Textern und Musikern war es gelungen,
Kritisches so hinter unverfänglichen Worten zu verstecken, dass die Aufführungen immerhin über eineinhalb
Jahre möglich waren. Tief beeindruckt habe ich mir die
»Hammer-Rehwü« auch noch ein zweites Mal angeschaut.
Sie gehörte für mich zu den genialsten Spiegelungen der
DDR-Gesellschaft, war deprimierend und aufmunternd,
unterhaltsam und tragisch, kämpferisch und resigniert
zugleich. Auch die musikalische Umsetzung in der ganzen
Bandbreite vom Choral bis zur Punkmusik traf den Nerv
der Zeit in all ihren Widersprüchen. Bleib erschütterbar,
doch widersteh! Einer von vielen Gedanken, die mir immer
wieder durch den Sinn gingen.

Auch andere Liedermacher verfeinerten die Kunst, das
System mit verdeckten Anspielungen, die doch jeder verstand, bloßzustellen. In vielen künstlerischen Äußerungen
spielte die Zuspitzung des Ost-West-Konfliktes und die
Militarisierung des öffentlichen Lebens eine zunehmende
Rolle. Jeder, der mit wachen Augen durch die Wirklichkeit
ging, beschäftigte sich damit. Den Menschen wurde immer
wieder eingebläut, »den Sozialismus stärken, heißt den Frieden sichern«. Gleichzeitig nützte man jede Gelegenheit, um
durch Lügen und Verzerrung der Tatsachen gegen den »imperialistischen Feind« zu hetzen.

## Aufrüstung

Die Sowjetunion war 1980 dabei, moderne Mittelstrecken-raketen zu stationieren, die auf Westeuropa gerichtet waren, stritt es aber offiziell ab. Sollten die angestrebten Verhandlungen in Genf scheitern, würden beide Teile Deutschlands mit SS20 bzw. Pershing bestückt, sodass auf Knopfdruck atomare Sprengköpfe innerhalb von wenigen Minuten über deutschen Städten explodieren könnten.

Für mich waren die Erinnerungen an das Militärlager, das alle Studenten nach dem zweiten Semester über sich ergehen lassen mussten, noch recht frisch. Neben dem üblichen Ausbildungspro-gramm zeigte man uns mehrmals Pro-pagandafilme, die eindeutig einen An-griffskrieg verherrlichten. Hier wurde mir zum ersten Mal ganz klar, dass die Militärführung des Warschauer Paktes offensichtlich überzeugt war, den Wes-ten durch ihre Überlegenheit an kon-ventionellen Waffen überrollen zu kön-nen, denn rein technologisch hielt ihre Rüstungsindustrie mit der NATO nicht mehr mit. Inzwischen hat sich bestätigt, dass damals reale Pläne für einen An-griffskrieg vorlagen.

Seit jenem Militärlager war ich von der über uns schwebenden Kriegsge-fahr beunruhigt. Ich erlebte, wie die Militarisierung des öffentlichen Lebens weiter vorangetrieben wurde; fühlte mich schuldig und eigentlich verpflich-tet, nicht mehr mitzumachen. 1978 wurde »Wehrerziehung« als obligatorisches Fach in allen Schulen eingeführt, 1982 ein neues Wehrdienstgesetz verabschiedet, dessen vollständigen Wortlaut man kaum zu lesen bekam. Danach konnten alle

Wir lernen marschie-ren, still stehen, Be-fehle bedingungslos ausführen, in Schüt-zenkette angreifen und was sonst noch zum Sterben nötig sein wird. Der Mot. Schütze (Infante-rist) im modernen Gefecht hat eine durchschnittliche Lebensdauer von zwei Minuten. Ihm bleibt gerade noch Zeit, das befohlene Hurra zu schreien. … Was haben wir aus Tausenden von Jahren Geschichte gelernt?

*Aus einem Brief*
*von Michael Proksch*
*an seine Eltern*

Männer bis zum Alter von 45 Jahren alle zwei Jahre für drei Monate als Reservisten eingezogen werden. Somit bestand die Möglichkeit, unliebsame Personen regelmäßig während des nun gesetzlich verankerten Reservistendienstes zu drillen. Auch Frauen wurden zu Wehrdienstübungen verpflichtet. In Betrieben verstärkte man die »Kampftruppen«, Kinderferienlager wurden im Winter zu militärischen Camps umfunktioniert, an Hochschulen sollten Räume eingerichtet werden, in denen Schutzanzüge gegen ABC-Waffen gelagert und im Ernstfall ausgegeben werden konnten. Viele spürten wie ich die drohende Gefahr eines atomaren Schlagabtausches. Aber während sich im Westen Hunderttausende auf den Straßen versammelten, um ihrer Sorge Ausdruck zu verleihen und gegen die Aufrüstung zu protestieren, wurde in der DDR schon der kleinste Ansatz einer freien Meinungsäußerung eisern unterdrückt. Alle, die noch nicht resigniert oder abgestumpft waren, litten darunter. Hätte man wenigstens seine Ängste offen mitteilen können!

Gerd hatte vergleichbare Erlebnisse und wir redeten viel miteinander. Würden nicht spätere Generationen uns einmal vorwerfen, Mitläufer gewesen zu sein; das System zwar durchschaut, aber nichts dagegen unternommen zu haben? Der Vergleich zum Dritten Reich lag hier wieder nahe. Gerd entschied sich, in der ihm eigenen Radikalität, endgültig auszusteigen und warf in einem symbolischen Akt seinen Wehrdienstausweis von der Brücke in die Elbe. Danach drohte ihm, bei der bereits im nächsten Studienjahr auf alle Studenten zukommenden Einberufung zum Reservistendienst, sofort eine Gefängnisstrafe. Nur durch Flucht konnte er sich dem entziehen.

In dieser Zeit war auch mein Freund Mathias öfters bei uns in der »Louise«. Wir kannten uns seit der gemeinsamen Zeit im Studentenwohnheim. Durch ihn hatte ich die frühen Alben von Genesis und andere eher experimentelle Rockmusik kennengelernt. Unser Gedankenaustausch war immer sehr anregend. Er wollte auf selbst gebauten Synthesizern eine eigene musikalische Sprache entwickeln. Gerade hatte er ein Orgelstück komponiert, bei dem die Themen der beiden deutschen Nationalhymnen miteinander verwoben wurden. Bei einem unserer Feste hatte er auch Dorothea kennengelernt und die beiden wurden ein Paar.

So kam es bei einem seiner Besuche zu einem Gespräch mit Gerd, bei dem er eher beiläufig erwähnte, dass er in der Schlosserwerkstatt seines Vaters heimlich eine Leiter zum Überwinden der Mauer geschmiedet hatte. Dies war das Signal für Gerd, und er erzählte Mathias später unter vier Augen, dass er vorhabe, bald »abzuhauen«, wie wir damals zu sagen pflegten. Gerade vorher hatte Dorothea mit Mathias über ihre Absicht gesprochen, den beengenden Verhältnissen den Rücken zu kehren. Alle drei einigten sich, es im August zu versuchen. Kurz danach weihten sie auch mich ein. Obwohl der Gedanke seit einiger Zeit fest in meinem Kopf verankert war, hatte die plötzliche Konkretheit doch etwas Bedrohliches. Ich bat mir Bedenkzeit aus und versuchte in alle Richtungen vorauszudenken. Was würde mit meinen Eltern passieren? Wie viel Unglück käme auf sie zu? Gerd hatte es da leichter. Er war im Waisenhaus aufgewachsen und ohne familiäre Anbindung, er musste auf niemanden Rücksicht nehmen.

Abgesehen vom schlechten Gewissen meinen Eltern und meiner älteren Schwester gegenüber wurde mir auch die Endgültigkeit einer solchen Entscheidung bewusst. Nach einer Flucht würde es auf Lebenszeit unmöglich sein, nach Dresden zurückzukommen. Was bedeutete es wirklich, alles hinter sich zu lassen? Nie wieder würde ich mein kleines, geliebtes Holzhäuschen im Erzgebirge sehen. Nie wieder die Bilder von Rembrandt und Vermeer in der Gemäldegalerie sehen; nie mehr mit Kumpeln auf den Elbwiesen Fußball spielen. Das alles mit Konsequenz zu Ende zu denken, verursachte mir einen starken Druck auf den Magen. Ich brauchte Zeit, bevor ich eine Entscheidung traf.

### Ambivalenz

In den nun folgenden Tagen kämpften viele widersprüchliche Gedanken in meinem Kopf: Einerseits die Angst, an der Grenze erschossen zu werden oder jahrelang im Gefängnis eingesperrt zu sein, andererseits die Verlockung, der Unterdrückung und Bespitzelung für immer zu entkommen. Auf der einen Seite das Wissen, vollkommen allein, ohne Hilfe aus dem Familien- und Freundeskreis in einer mir unbekannten Welt zurechtkommen zu müssen, auf der anderen der Gedanke, nicht mehr hinter Mauern eingesperrt zu sein und die Vielfalt Europas auf Reisen persönlich kennenlernen zu können. Vor allem dieser Ausblick half mir gegen die lähmenden Befürchtungen. Ich malte mir aus, wie ich das Licht und die Farben der Landschaft bei Arles, so wie ich sie von Vincent van Goghs Bildern kannte, in mich aufsaugen würde; stellte mir vor, wie ich durch das Labyrinth der Kathedrale von Chartres schreite, oder meinen vom Bergsteigen erhitzten Körper in einem Gebirgsbach abkühle. Schließlich willigte ich ein.

Nach außen hin musste unser Leben – darin waren wir uns einig – während der ganzen Vorbereitung auf die Flucht möglichst normal weitergehen. Innerlich aber kreiste alles um den Gedanken: Wie und wo können wir es am besten schaffen? An Informationen heranzukommen war schwierig, da niemand in unsere Pläne einbezogen werden durfte. Theoretisch spielten wir die verschiedensten Möglichkeiten durch. Die innerdeutsche Grenze zu überwinden, war wegen der Selbstschussanlagen und Tretminen zu gefährlich. Über das Ausland zu flüchten, erschien uns leichter. Wir hatten gehört, dass manche es über Ungarn oder Bulgarien geschafft hatten. Alles war sehr ungewiss und direkt fragen konnten wir niemanden. Langsam merkten wir, wie clever Information unterdrückt und zurückgehalten wurde. Ein wichtiges Mittel der Manipulation ist neben der Lüge auch einfach die Auswahl der Informationen, die zur Verfügung stehen. Wir wussten wenig, konnten nur spekulieren und nicht richtig planen. Im Grunde stützte sich unser Vorgehen auf vage Vermutungen. Im Nachhinein erscheint dies naiv, aber unser alles überlagernder Wille nach Freiheit war stärker als sachliches Abwägen unserer realen Chancen. Aufkommende Zweifel wurden mit Hölderlins »Wo Gefahr ist, wächst das Rettende auch« beiseitegeschoben.

Wir besorgten uns die wenigen gedruckten Karten von Ungarn, Rumänien und Bulgarien, um geeignete Wege zu finden. Es gab eine Kontaktperson in Budapest, einen mit Dorothea befreundeten Hornisten. Über ihn wollten wir herausfinden, welche Möglichkeiten es an der ungarischen Grenze nach Österreich gab. Am unabhängigsten wären wir sicher mit einem eigenen Auto. Zum Glück hatte wenigstens Mathias einen Führerschein. Wenn wir unser Geld zusammenlegten, würde es vielleicht für ein älteres Modell reichen. Auch brauchten wir dunkle, strapazierfähige Kleidung, die nachts nicht so auffiel. Diese zu besorgen, war in der DDR ein wirkliches Problem. Es gab keine Spezialgeschäfte für Wanderausrüstung. Ich fuhr nach Leipzig, wo ich Glück hatte und dort wenigstens eine inzwischen auch im Osten hergestellte Jeans mit dazugehöriger Jeansjacke kaufen konnte. Das erschien mir vom Material her strapazierfähig genug. Leipzig wurde als Messestadt und Aushängeschild für die DDR besser beliefert. Während der Messezeiten wurden sogar Prostituierte toleriert bzw. lanciert, über die man dann Westbesucher aushorchen konnte.

Um Kleidung und Schuhwerk zu testen, gingen wir spätabends in die Dresdner Heide, ein größeres zusammenhängendes Waldgebiet. In völliger Dunkelheit marschierten wir durch unwegsames Gelände und beobachteten, wie weit wir im Dunkeln zu erkennen waren. Mir wurde bewusst, wie viele Geräusche wir dabei verursachten. Das Knacken der Äste war weithin zu hören. War es nicht ein vollkommen irrwitziges Unternehmen, auf eine gut bewachte Grenze zuzulaufen? Was würde uns im Ernstfall erwarten? Auch bei den anderen blieb ein beklemmendes Gefühl, obwohl wir versuchten, uns durch Späßchen gegenseitig aufzumuntern.

Um all der Ungewissheit entgegenzuwirken, musste ich irgendetwas Konkretes tun und begann regelmäßig zu joggen. Eine gute Kondition würde mir bei eventuellen langen Fußmärschen von Nutzen sein. Fast täglich zog ich meine Runden, lief an der Elbe Richtung Loschwitz und genoss den Blick auf die grünenden Hänge mit ihren alten Villen aus der Gründerzeit und den weitläufigen Parks. Mitten darin lag auch das Hauptquartier der Dresdner Stasi. Damals wusste ich noch nicht, dass ich es bald von innen kennenlernen sollte.

## Katze und Angst im Rucksack

Viel gab es zu bedenken. Moritz zum Beispiel, der von uns allen geliebte Kater meiner Schwester. Er war es gewohnt, frei im ganzen Wohnviertel herumzustromern. Wo würde er gut aufgehoben sein, wenn wir auf einmal weg waren? In einer ersten emotionalen Regung wollte Dorothea die Katze mitnehmen, was allerdings heftige Gegenreaktionen auslöste. Es war nicht immer einfach, vier starke Charaktere auf einen gemeinsamen Nenner zu bringen. Spannungen blieben nicht aus. Wir hatten dasselbe Ziel, aber es gab viele Wege dahin und wir lebten in ständiger Furcht, entdeckt zu werden. Als ich die Möglichkeit hatte, von einem Freund George Orwells ›1984‹ auszuleihen, wagte ich mich daran, diesen Roman zu lesen. Viele hatten mir abgeraten, da er »einen nur runterziehen würde«. Gerade mal einen Tag und eine Nacht durfte ich ihn behalten, da es für den Leihgeber eine gefährliche Angelegenheit war: Für die Verbreitung solcher Bücher, die als staatsfeindliche Schriften eingestuft waren, drohten Gefängnisstrafen. Mit welcher Beklemmung schlief ich am frühen Morgen ein, nachdem ich die letzten Seiten verschlungen hatte. Was für bestürzende Parallelen gab es zur DDR. Und damals kannte ich noch nicht einmal alle Facetten. Tage brauchte ich, um das Gelesene zu verdauen.

Im täglichen Leben reagierte ich plötzlich ängstlich, malte mir bei ganz normalen Dingen das Schlimmste aus. So saßen wir vier eines Abends bei uns in der »Louise« zusammen, als es plötzlich klingelte. Mit Herzklopfen ging ich zur Wohnungstür. Ein Kommilitone, der ganz außer sich war, wollte uns unbedingt sofort sprechen. Wir erschraken. Unser erster Gedanke war, »jetzt hat doch schon jemand etwas mitbekommen«. Er setzte sich zu uns an den Tisch und wir warteten ängstlich, was er uns zu sagen hatte: Zwei Mädchen

aus unserer Seminargruppe waren nach einem Auftritt mit
ihrer Band auf der Rückfahrt im Auto tödlich verunglückt.
Dies hatte ihn sehr mitgenommen, und er wollte es einfach
jemandem mitteilen. Bei uns aber trat erst einmal Erleichterung ein, weil es nichts mit unserer Flucht zu tun hatte. Wir
konnten innerlich nicht so schnell umschalten und mussten
zunächst Anteilnahme vortäuschen, die sonst ganz natürlich
entstanden wäre.

Es waren Wochen in einem fieberhaften Zustand. Kleinigkeiten wurden plötzlich bedeutsam. Jeder von uns ging
anders mit der Situation um, jeder musste für sich lernen, in
unserem Umfeld ganz normal zu wirken. Mit der Zeit stellten wir fest, wie anstrengend es war, nach außen verschweigen zu müssen, was einen innerlich unablässig beschäftigte.
Wir hatten uns jedoch fest vorgenommen, es absolut niemandem zu sagen, weder nahen Freunden noch Eltern oder
Verwandten.

Dabei war nicht nur die Vorsicht im Spiel, sondern auch
das Wissen, dass sich in der DDR jeder strafbar machte, der
von einer Flucht wusste und diese nicht anzeigte. Nur auf
dem Papier gab es ein Recht auf Aussageverweigerung bei
Familienangehörigen ersten Grades. In der Realität hielt
sich die Stasi nicht daran und bestrafte rigoros. Später im
Gefängnis lernte ich einen Vater kennen, der verurteilt wurde, weil sein Sohn ihn in seine Fluchtpläne eingeweiht und
er ihn nicht verraten hatte.

Seit der schwerwiegenden Entscheidung, »abzuhauen«,
schärfte sich meine Wahrnehmung. Schonungslos und bewusster erlebte ich neben den alltäglichen Dingen vor allem
Ereignisse, welche die Gnadenlosigkeit des Systems offen-
barten. Da war zum Beispiel die Flucht eines sowjetischen
Soldaten aus einer der über die ganze DDR verteilten sowjetischen Kasernen. Er hatte die menschenverachtenden
Verhältnisse wohl nicht mehr ausgehalten und versucht zu
entkommen. Für mich war das gut nachvollziehbar. Während meiner Schulzeit in Übigau mussten wir »unsere, den
Frieden garantierenden Klassenbrüder« in der benachbarten Kaserne besuchen und ich sah, wie die Soldaten dort

hausten. In eiskalten Schlafsälen wurden über 60 Mann wie Tiere auf engstem Raum gehalten. Sie reagierten vollkommen verängstigt und eingeschüchtert auf die bellenden Befehle ihrer Offiziere.

Auf seiner Flucht war der Soldat nur bis in eine Schrebergartenanlage gekommen, wurde dort eingekreist und – als Abschreckung und ohne Prozess – von sowjetischen Offizieren auf der Stelle erschossen. Ein Großteil der Belegschaft einer angrenzenden Fabrik hatte es vom Fenster aus beobachtet. Viele standen unter Schock und traten daraufhin aus der »Gesellschaft für Deutsch-Sowjetische Freundschaft« (DSF) aus. Unter Arbeitern fanden sich am ehesten Menschen, die kritische Äußerungen wagten und einfach unverblümt sagten, was sie wirklich dachten. Im Gegensatz zu Akademikern schwebte über ihnen auch nicht die Gefahr, »als Erziehungsmaßnahme in die Produktion geschickt zu werden«. Natürlich stand von dem geflohenen Soldaten kein Wort in irgendeiner Zeitung.

Immer wenn mir Zweifel kamen, half mir die Vorstellung, dass ich vieles nun nicht mehr erleben oder länger erdulden müsse. Welche Genugtuung allein der Gedanke, nie wieder beim Militär unter Befehlsgewalt gegen mein Gewissen handeln zu müssen! Sollte ich doch während meines Musikstudiums schon wieder in ein Armeelager fahren und dort sogar anderen Kommilitonen, die durch den sofortigen Wechsel von der Spezialschule für Musik an die Hochschule noch nicht gedient hatten, vorstehen und Befehle erteilen. Es sei eine Ehre, dass nun besondere Aufgaben in der Verteidigung des Sozialismus gegen imperialistische Aggressoren auf mich zukämen.

Nein, das würde jetzt nicht mehr auf mich zukommen.

## Zwischen wild und wehmütig

In der Gewissheit, dass unsere Wohnung nach der Flucht von der Stasi durchsucht werden würde, versuchten wir persönlich wichtige Sachen in Sicherheit zu bringen. Das meiste musste bleiben, denn unsere Zimmer sollten so aussehen wie immer, wenn jemand zu Besuch kam. Ich lernte zum ersten Mal, mich bewusst von allem, was ich hatte, zu lösen – im Nachhinein eine gute Erfahrung. Alles, was in der Wohnung blieb, würde sicher konfisziert. Anfangs fiel die Trennung von Liebgewonnenem wirklich schwer; vor allem von all den vielen Büchern, die ich mir im Laufe der Jahre besorgt hatte. Weil sie nur in kleinen Auflagen herauskamen und ständig vergriffen waren, hatte es viel Zeit gekostet, Autoren wie Stefan Zweig, Max Frisch, Marcel Proust, Hermann Hesse, André Gide oder Dylan Thomas zu beschaffen. Ähnliches galt für meine Schallplattensammlung. Jede LP, jedes einzelne Buch hielt ich wehmütig noch einmal in den Händen. Gerd in seiner direkten Art half mir und meinte: »Was soll dein Hadern? Im Westen gehst du einfach in einen Buchladen und bekommst jede beliebige Ausgabe sofort.« Wie recht er hatte! Nur konnte ich es mir damals einfach schwer vorstellen. Für mich war jedes Buch auch deshalb wertvoll, weil es mich an die Freude erinnerte, wenn ich einen lang ersehnten Text erstmals in den Händen hielt und begierig zu lesen begann. Durch Mangel war ein größerer emotionaler Bezug entstanden. Man lernt den Wert bestimmter Dinge auf diese Weise mehr zu schätzen als im Überfluss.

Nur die allerwichtigsten Bücher schmuggelte ich in die Bücherregale meines Vaters, während dieser in der Hochschule war. Als ich in seinem Arbeitszimmer stand, kam mir in den Sinn, dass mein Vater sein Leben lang viele der wichtigsten Kunstwerke nur aus Büchern kennenlernen konnte. Mit großer Lebendigkeit beschrieb er Bilder aus allen Kunstepochen und hatte dabei so viele noch nie im Original gesehen. Das Bittere war, dass er bis zur Pensionierung keine Reiseerlaubnis bekommen würde, um etwa die großen Museen in Florenz, Rom, Paris und München zu besuchen. Nein, ich konnte mir nicht vorstellen, wie mein Vater ein Leben lang eingesperrt zu sein. Dafür war ich bereit, einen hohen Preis zu zahlen. Ich wollte nicht mehr weiterleben müssen mit der Gewissheit, nie durch die Gassen des Montmartre zu wandeln oder den Duft der Lavendelfelder in der Provence einzusaugen, nie einen 3000er-Gipfel in den

Alpen zu erklimmen oder in den warmen Wellen der Ägäis unterzutauchen. Wenn ich mir diese Ziele immer wieder vor Augen hielt, gelang das innerliche Loslösen zunehmend besser.

Einiges habe ich damals auch verschenkt, musste dabei aber sehr vorsichtig sein, damit kein Verdacht aufkam, wenn ein Freund etwa die LP ›Double Fantasy‹ von John Lennon bekam. Für Gerd war es noch schwieriger, da er natürlich an den Bildern, die er selbst gemalt hatte, hing. Es blieb ihm nur die Möglichkeit, seine wichtigsten Gemälde als Leihgaben an vertraute Menschen weiterzugeben, mit der Begründung, er brauche Platz in seinem zu kleinen Atelier. Noch am letzten Tag bugsierte er zwei große Ölbilder mit dem Fahrrad zu Dieter, bei dem sie heute noch hängen.

Innerlich begann ich nun überall Abschied zu nehmen. Viel bewusster durchlebte ich das Zusammensein mit Menschen: immer zwischen der Sorge, wegen der Gefahr entdeckt zu werden, und Traurigkeit, da es das jeweils letzte Gespräch sein könnte. Dabei durfte ich mir nie etwas anmerken lassen. So bekamen Begegnungen mit Kommilitonen oder Verwandten, die mir vorher gar nicht so bedeutsam schienen, plötzlich ein ganz anderes Gewicht. Jedes schnell dahingesagte Auf Wiedersehen fühlte sich wie ein Abschied für immer an. Denn es gab nur drei Möglichkeiten: Entweder wir schafften es, oder wir wurden festgenommen und dann nach dem Gefängnis »rübergelassen« oder beim Fluchtversuch erschossen.

Auf jeden Fall war es ausgeschlossen, jemals wieder nach Dresden zurückzukommen. Wir wussten, dass Republikflüchtlingen die Einreise in die DDR auf immer verwehrt blieb. Bei diesen Gedanken legte sich Wehmut bleiern über mich. Oft lag ich nachts wach und versuchte den endgültigen Abschied zu verdauen. Auch die Schuldgefühle meinen Eltern gegenüber, die ich lange verdrängt hatte, wurden wieder stärker. Eine Mutter muss zutiefst traurig sein, wenn zwei ihrer Kinder – egal aus welchen Gründen – auf Nimmerwiedersehen gehen. Gab es wirklich keinen anderen Weg, ihnen die vielen Verhöre und Schwierigkeiten zu ersparen, die unsere Flucht für sie bedeuten würde? Nein, sagte meine innere Stimme. Einmal musste der Kreislauf einfach unterbrochen werden, sonst würde die Anpassung von Generation zu Generation weitergegeben. Mir blieb nur die Hoffnung, dass meine Eltern stark sein würden, und das Vertrauen, dass sie nach dem ersten emotionalen Schock unseren Entschluss würden nachvollziehen können.

Nach solchen unruhigen Nächten versuchte ich, mich gewaltsam aus diesen Stimmungen zu reißen. Gerd und ich organisierten wilde Feste. Wir tranken und tanzten exzessiv, suchten Vergessen im Rausch, wollten angesichts eines möglichen Todes das Leben noch einmal voll auskosten. Der Konsum an einem billigen Apfelwein namens »Blonde Hexe« stieg drastisch. Schnell sprach sich herum, was für eine Stimmung bei unseren Feten herrschte. Auf meinem Spulentonbandgerät hatte ich Musik von heimlich »organisierten« West-LPs kopiert. Im Privaten hielt sich kaum einer an die staatlichen Vorgaben für die zu spielende Musik bei Feiern. Wir hörten außer Renft und Lift größtenteils westliche Bands wie die Beatles, Deep Purple, Jethro Tull, Genesis, Yes, Stones und Janis Joplin. Gerade die expressive Stimme von Janis Joplin trug für mich die Kraft des Aufbegehrens in sich, vergleichbar mit den expressionistischen Bildern, etwa von Karl Schmidt-Rottluff, Ernst Ludwig Kirchner oder Emil Nolde. Noch heute ist es mir ein Rätsel, warum sich in diesen langen Nächten keiner von uns verraten hat. Alkohol löst bekanntlich die Zungen. Entweder saß die Angst zu tief oder die Musik war zu laut und die Mädchen zu verführerisch.

Weit auseinander gespannt war mein Leben in diesen letzten Wochen. Es gab ausgelassenes Feiern und ruhiges Abschiednehmen. An einem Juliabend fuhr ich noch einmal zu den Moritzburger Seen, wo ich oft schwimmen gewesen war. Lange saß ich am See. Mit der Abendsonne im Rücken blickte ich über die sich leicht kräuselnde Wasseroberfläche. Mildes Licht tauchte den Waldsaum gegenüber in stille Schönheit. In der Natur hatte ich immer Frieden gefunden. Die Natur kennt keine Sorge. Und keine Ideologie.

»Die Losung des Wildes ist die einzige«, hatte der im Wald Zuflucht suchende Reiner Kunze geschrieben.

Aber würden nicht immer mehr Rückzugsorte durch giftige Abgase verseucht, wenn die Entwicklung so weiterginge? Wer über den Kamm des Erzgebirges gefahren war, konnte den Anblick der großen, vollständig abgestorbenen Waldgebiete nicht vergessen. In der maroden Volkswirtschaft wurden an Verbrennungsanlagen und Schornsteinen keine Filter eingebaut. Industrieabwässer verwandelten die Elbe in eine stinkende Kloake. Ganze Gebiete zwischen Halle und Leipzig waren von einer zähen Rußschicht überzogen und kaum bewohnbar. Mutige Menschen, die die fortschreitende Umweltzerstörung anprangerten, wurden sofort mundtot gemacht, alarmierende Daten unter Verschluss gehalten, Fotografen, die Umweltsünden dokumentierten, zu Staatsfeinden erklärt. Dafür standen dann in den Zeitungen Artikel über die saubere Luft in der Sowjetunion, mit der Behauptung, dass von allen Gesellschaftsordnungen einzig der Sozialismus in der Lage sei, zukünftige Umweltprobleme zu lösen. Wie diese Lösungen aussahen, konnte man an der Zerstörung des Aralsees beobachten.

### Canaletto

Die letzten Tage vor unserer Abreise waren gekommen. Ich ging durch unsere vertraute Wohnung, schaute mich in meinem Zimmer um. Hier hatte ich gelebt, gearbeitet, geliebt. Bald würden Stasi-Leute alles durchschnüffeln. So erlaubte ich mir eine letzte kleine Provokation und befestigte mit einer Reißzwecke ein kritisches Gedicht an dem Türrahmen, dazu ein Foto von mir in Uniform. Ich knipste die letzten Bilder, nahm den Film aus der Kamera und versteckte ihn in der elterlichen Wohnung.

Mathias war es inzwischen gelungen, einen gebrauchten Moskwitsch aus privater Hand zu kaufen. Wir waren auf ein Auto angewiesen und es blieb uns nichts anderes übrig, als den völlig überzogenen Preis zu zahlen. Da wir der alten Kiste nicht mehr viel zutrauten, buchten wir eine Fahrt mit dem Autoreisezug von Dresden über Prag und Bratislava nach Budapest.

Die Abreise fiel uns sehr schwer. Mein Vater war mit seinem kleinen Trabant noch zum Bahnhof gekommen. Nichts ahnend verabschiedete er uns in den Urlaub: »Gute Reise, seid vorsichtig!« In diesem Moment kühl oder unbewegt zu bleiben, war kaum möglich. Ich schaffte es gerade noch, ihm kurz in die Augen zu sehen und Tschüss zu sagen. Sobald ich mich Richtung Bahnhofshalle gedreht hatte, bekam ich einen Weinkrampf. Die Schuldgefühle waren tief.

Der Zug setzte sich in Bewegung. Er fuhr über die Elbbrücke und Dresden lag ein letztes Mal vor mir: die in den Elbwindungen eingebetteten barocken Bauwerke in ihrer zeitlosen Schönheit, der Blick auf Hofkirche und Brühlsche Terrasse. Der »Canaletto-Blick« grub sich damals in mir ein als Symbol für die verlorene Heimat. In diesem Moment sah ich nur das Schöne. Auch die anderen kämpften mit den Tränen. Es war doch unsere Heimat, die wir jetzt aufgaben. Während der Zug sich immer mehr von Dresden entfernte, wurden wir alle vier sehr still. Jeder hing seinen eigenen Gedanken nach und vor meinem inneren Auge zogen noch einmal Abschnitte meines vergangenen Lebens vorbei. Einige Umwege hatte es in meinem bisherigen Werdegang gegeben. War ich nun auf dem richtigen Weg?

## Umwege

Meine Mutter verfolgte meine Entwicklungen von frühester Kindheit an sehr bewusst. Sie legte für jedes von uns drei Kindern ein eigenes Buch an, in dem sie alle Beobachtungen aufschrieb. Sehr berührt war ich, als Erwachsener zu lesen, wie genau sie über mich nachgedacht hatte. Sie bemerkte meinen wohl angeborenen Sinn für Logik. Nachdem ich Mama und Papa aussprechen konnte, übertrug ich dieses Prinzip, war also »Michmich« und meine Schwester war »DoDo«. Während der Schulzeit hatte ich große Freude am Basteln elektronischer Geräte und an mathematischen Kniffeleien. Nachdem ich bei Mathematikolympiaden Preise

errungen hatte, wurde ich auf meinen Wunsch bereits nach
der 8. Klasse auf die Spezialschule für elektronische Industrie »Martin Andersen Nexö« delegiert. Dort gab es Zusatz-
lehrpläne für naturwissenschaftliche Fächer und es war klar,
dass der Staat ein anschließendes Studium in dieser Richtung erwartete.

Meine berufliche Entwicklung war damit frühzeitig festgelegt. Im Alter von 16 Jahren entdeckte ich jedoch immer
mehr meine künstlerischen Neigungen. Diese wurden vor
allem in der Zeit zwischen Abitur und Grundwehrdienst
bei der NVA immer stärker: als Nachtwächter in der Gemäldegalerie »Alte Meister« im Dresdner Zwinger hatte
ich stundenlang Zeit, die Schätze dieser Sammlung in Stille
zu studieren, und zwischen den Rundgängen blieb Zeit für
Literatur und Kunstgeschichte. Trotzdem begann ich, auch
auf Anraten meiner Eltern, Elektronik und Gerätetechnik
in Karl-Marx-Stadt, heute wieder Chemnitz, zu studieren.
Der erste Tag an der dortigen Technischen Hochschule fing
gleich sehr bezeichnend an. In einem langen Gang saßen
Tisch an Tisch Beamte, die alle auf der gewissenhaften Aus-
füllung höchst wichtiger Formulare bestanden. Auch wurden
die Mitgliedshefte von FDJ, DSF, GST oder DRK kontrolliert.
Fällige Beiträge mussten bezahlt und die entsprechenden
Marken eingeklebt werden. Am Ende der langen Tischreihe
wartete unser Seminargruppenleiter und schob uns gleich
noch die Verpflichtung zum Reserveoffizier zu. Man war ja
einmal so im Unterschreiben drin. Sehr raffiniert war die
Überrumplungstaktik nicht gerade. Eher überraschte mich
die Dreistigkeit. Zum Überlegen blieb nicht viel Zeit und ich
reagierte mit einer Hinhaltetaktik, da ich mich erst einmal
informieren müsse, was für Pflichten denn genau daraus für
mich entstehen würden. Er ließ dieses Argument nicht im
Geringsten gelten und redete immer intensiver auf mich ein.
Nach einer unangenehmen Stunde, die viel Beherrschung
verlangte, wusste ich gleich am ersten Tag, was wieder auf
mich zukommen würde. Und es ging weiter so. Bei der folgenden Einweisung in das Studentenwohnheim sagte mir
die nette Leiterin, dass es gut wäre, wenn wir pro Zimmer

die ›Junge Welt‹ und das ›Neue Deutschland‹ abonnierten, um dann hinter vorgehaltener Hand zu ergänzen: Sie müsse eine Liste mit diesen Angaben weiterreichen. Das passte gut zu meiner Stimmung nach dem gerade absolvierten Agitationsgespräch. Bestimmt wurde hier noch so einiges mehr beobachtet.

Wie an allen Universitäten begann das Studium mit der sogenannten »Roten Woche«. Alle Studientage waren angefüllt mit Vorlesungen und Seminaren, die ausschließlich der ideologischen Beeinflussung dienten. Kurz danach *durften* alle Studenten erst einmal zu einem Einsatz in der Landwirtschaft fahren, wo wir zehn Stunden pro Tag die Ernte mit einfahren mussten. Natürlich unentgeltlich und auch samstags. Wir waren gewohnt, aus allem das Beste zu machen, genossen die Bewegung an der frischen Luft und die nahrhafte, ländliche Hausmannskost. Die Bauern spendierten ohne Unterlass Nordhäuser Doppelkorn und zu unseren feuchtfröhlichen Feierabenden, kamen bald auch die jungen Leute des Dorfes hinzu. In mancher Hinsicht ging es freizügig zu. Eines Nachts gingen wir heimlich in die Dorfkirche und ich spielte auf der Orgel »Je t'aime mois non plus«.

Auch das zweite Studienjahr begann wieder mit einer längeren Unterbrechung durch die Teilnahmepflicht an einem militärischen Ausbildungslager in Seelingstädt.

Während meiner gesamten Zeit an der Technischen Hochschule spürte ich außerdem, dass die reinen Naturwissenschaften einen ganzen Teil von mir unerfüllt ließen. Mein Drang zur Musik wurde immer stärker. Ich begann wieder Klavier zu spielen und eignete mir in der Freizeit die Grundlagen der Harmonielehre an, so wie sie in der Rockmusik gebraucht wurden. Nachdem ich auch zu improvisieren gelernt hatte, gründete ich mit Freunden eine Studentenband. Nach ersten Erfolgen sah ich hier eine Alternative zu meinen bisherigen Berufsaussichten. Ich

Er hatte gelernt, die Welt in Zahlen auszudrücken, aber das Unberechenbare erwies sich als das Wesentliche.

*Tagebucheintrag von Michael Proksch*

hatte zudem gehört, dass es an der Hochschule für Musik in Dresden eine Studienrichtung gab, in der neben Klassik auch Jazz und Improvisation unterrichtet wurden. In dieser Zeit lernte ich Mathias kennen, der mir eine große Stütze wurde. Er beschäftigte sich neben dem Studium immer viel mit Musik, hatte bereits eigene Stücke komponiert und bestärkte mich sehr in meinem Wunsch zum Studienwechsel. »Schmeiß dein Leben nicht mit diesem ganzen technischen Kram weg, Musik ist viel lebendiger!«, hatte er mir nach einem Auftritt mit meiner Band zugerufen.

Eine tief greifende Entscheidung lag vor mir. Es würde nicht nur schwierig sein, mich im Guten von der TH zu trennen, sondern es war auch vollkommen unsicher, ob ich die Aufnahmeprüfung in Dresden überhaupt schaffte. Die Maßstäbe dort lagen sehr hoch und ich brauchte noch ziemlich viel Zeit, um mich gründlich auf die Prüfung vorzubereiten. Anfangs traute ich mich kaum, es meinen Eltern zu sagen, die dann aber versuchten, sich wirklich in mich hineinzuversetzen und nach einiger Bedenkzeit verständnisvoll reagierten. Mein Abschied vom Elektronikstudium wurde erleichtert, als mir, einem sogenannten Beststudenten mit einem Notendurchschnitt von 1,5, das Leistungsstipendium einfach gestrichen wurde. Grund war meine Weigerung, mich als Reserveoffizier zu verpflichten. Aus dieser Tatsache konnte ich bei meinem heiklen Entschluss, das Studium nach dem dritten Semester abzubrechen, aber auch Nutzen ziehen. Denn unserem ehrgeizigen Seminargruppenleiter war ich seit unserer ersten Auseinandersetzung immer ein Dorn im Auge: durch meine hartnäckige Verweigerung, die nur mein Freund Jürgen noch mit mir teilte, würde er nie eine 100-prozentige Bereitschaft der ihm unterstellten Seminargruppe melden können. So war er froh, wenigstens einen von uns loszuwerden, und half mir bei der Umsetzung meines damals vollkommen unüblichen Wunsches, das Studium trotz guter Leistungen abzubrechen. Den anderen würde er dann leichter *bearbeiten* können, dachte er. Das hat er aber nie geschafft.

Als ich endlich alle Formalitäten erledigt hatte, zog ich

mich für acht Monate in das kleine Wochenendhäuschen zurück, das uns mein verstorbener Großvater im Erzgebirge hinterlassen hatte. Dort gab es ein schönes Klavier und ich konnte Tag und Nacht ungestört üben. Um den Lebensunterhalt zu verdienen, fuhr ich mit dem Moped zweimal in der Woche in das nahe gelegene Kühlschrankwerk. Die Arbeit am Fließband war sehr anstrengend, aber immerhin bekam ich für eine Nachtschicht 40 Mark. Die reichten bei äußerster Sparsamkeit gerade für eine Woche. So blieb genügend Zeit, um konzentriert zu studieren. Mit großer Frische und Klarheit kehrte ich aus meinem ländlichen Refugium nach Dresden zurück, um die Aufnahmeprüfung an der Musikhochschule zu absolvieren. In den letzten Wochen davor unterstützte mich Dorothea sehr. Sie war zu diesem Zeitpunkt schon eine gut ausgebildete und auftrittserfahrene Geigerin, und wir begannen mein Prüfungsprogramm mit einigen Stücken für Violine und Klavier von Béla Bartók. Ihr Spiel riss mich mit und nahm mir meine anfängliche Unsicherheit. Danach gelangen auch die Solostücke und ich schaffte die Prüfung für ein Direktstudium bei Professor Hörig. Ich musste noch ein Jahr bis zum Beginn des Studiums warten, hatte aber Glück, weil ich für den erkrankten Keyboarder einer Profiband einspringen konnte und so neue musikalische Erfahrungen machte.

## Unappetitlich

Wir näherten uns der tschechischen Grenze. Das war eine erste Gefahrensituation und Nervenprobe. Trotz der Tatsache, dass wir in ein »sozialistisches Bruderland« fuhren, wurden auch hier gerade junge Leute immer gefilzt. Man befürchtete ihre Versuche, über die meist bewaldeten Grenzen in die Bundesrepublik zu flüchten. Wir mussten absolut sicher sein, dass nicht im Vorfeld schon etwas an uns verdächtig war. Dorothea hatte das Westgeld, das ich für meine Führungen am Meissner Dom von Westbesuchern als kleines Trinkgeld bekommen hatte, bei einem Freund in Scheine getauscht. Gerd und ich rollten es in je ein kleines Tablettenröhrchen, das wir dann in Öl tunkten und uns in den Hintern schoben. Wir wollten hundertprozentig sichergehen, dass unsere Flucht nicht bereits hier scheiterte, denn allein der Besitz von Westgeld konnte zur sofortigen Festnahme führen. Als die grimmigen Beamten mich dann musterten, versuchte ich mentale Übungen aus dem autogenen Training zu machen, um nicht zu verkrampfen und den durchdringenden Blicken standzuhalten. Was für eine Erleichterung, als die Kontrollen vorbei waren. Erleichternd auch, wie problemlos die Röhrchen nach der Gefahr später auf der Toilette wieder ans Tageslicht kamen.

In unserem Zugabteil lag eine alte Ausgabe des ›Neuen Deutschland‹, der offiziellen Tageszeitung der SED, herum. Flüchtig sah ich auf die mit leeren Sprachhülsen und Lügen gefüllten Seiten, die in erster Linie der ideologischen Beeinflussung dienten. Wie lange würden sich die Leute das noch gefallen lassen? War nicht die Diskrepanz zwischen immer leerer werdenden Läden und der dreisten Behauptung, die Produktivität der Wirtschaft sei wieder gestiegen, allzu offensichtlich? Vielleicht würde irgendwann einmal das Fass zum Überlaufen kommen, auch weil immer mehr Menschen wussten, wie gravierend der Unterschied zum Westen war. Wenn dann in der marxistisch-leninistischen Theorie vom »imperialistischen Westen« gesprochen und »Imperialismus« als »faulender und absterbender Kapitalismus« definiert wurde, musste sich das Volk durch Witze Luft machen. So antwortet ein Rentner, der nach seinem Besuch im Westen gefragt wird, wie dieser faulende und absterbende Kapitalismus denn nun sei, ganz lapidar: »Na ja, ein schöner Tod!« Rentner durften meist ins Ausland reisen, denn wenn sie »drüben blieben«, sparte sich der Staat die Rentenzahlung.

Ich erinnerte mich an Zeiten, wo es kein Toilettenpapier zu kaufen gab. In ganz Dresden wurden alte Zeitungen in Streifen geschnitten und diese durch eine Sicherheitsnadel zusammengehalten. Jeder kann sich vorstellen, dass dies tägliche Ärgernis, was übrigens zu einem verstärkten Verkauf von Baby-Wundcreme führte, die Unzufriedenheit verstärkte. Auch hierzu kursierten Witze. So von einer Parteiversammlung, auf der ein die »ökonomischen Erfolge des Sozialismus« lobender Redner immer wieder aus dem Publikum unterbrochen wird mit »… aber Klopapier gibt es immer noch nicht.« Nach dem dritten Zwischenruf kann er sich nicht mehr beherrschen und ruft verärgert: »Jetzt lecken Sie mich am Arsch«, worauf er die Antwort bekommt: »Das ist auch nur eine Notlösung«.

### Heiß gelaufen

Nachts fuhr unser Zug auf die ungarische Grenze zu. Die Kontrollen waren hier schon etwas lockerer. Die Nummer mit den Tablettenröhrchen hätten wir uns sparen können. Wir kamen ohne Zwischenfälle am nächsten Morgen in Budapest an. Bei der Fahrt vom Bahnhof durch die Stadt fing das Kühlerwasser unseres Autos an zu kochen. Wahrscheinlich war der Moskwitsch eher für den sibirischen Winter konzipiert. Wir mussten warten, bis der Motor sich abgekühlt hatte und dann immer mit wenig Gas fahren. Auch in unseren Köpfen wurde es immer heißer, je näher der Tag X kam. Immer wieder stellten wir uns vor, wie unsere Flucht letztlich verlaufen würde. Die Angst fuhr als unsichtbarer Begleiter mit.

Als Nächstes besuchten wir einen Freund von Dorothea, den sie von den Meisterkursen in Weimar gut kannte. Er war Hornist und wie viele Blechbläser ein lockerer, lebenslustiger Typ. Ihn wollten wir einweihen und fragen, ob er an Informationen über die ungarisch-österreichische Grenze rankam. Er reagierte verhalten, versprach aber, einen seiner Bekannten zu fragen, der an dieser Grenze als Soldat gedient hatte. Unsere große Hoffnung, so Näheres über eventuelle Fluchtmöglichkeiten zu erfahren, wurde enttäuscht. Sehr ernst kam er am nächsten Tag von dem Treffen und riet uns dringend von allem ab. Wir hätten keine Chance, die Grenze sei strengstens bewacht. Mehr könne er uns nicht sagen. Resigniert verabschiedeten wir uns – auch von dem Gedanken einer Flucht von Ungarn aus. Als wir aber hörten, dass am 20. August ungarischer Nationalfeiertag war, der überall mit Feuerwerken groß gefeiert wurde, schlug Gerd vor, dies eventuell auszunutzen. Vielleicht war diese Nacht durch Trubel und angetrunkene Soldaten für unser Vorhaben günstig. Bei Szeged gab es ein Grenzgebiet in der Nähe einer Transitstrecke, sodass wir mit dem Auto nahe heranfahren konnten. Wir fanden einen Campingplatz und schlugen dort unsere Zelte auf. Nach vielen Diskussionen fuhren Mathias und Gerd am nächsten Mittag los, um das Gebiet auszukundschaften. Bange blieben Dorothea und ich zurück. Wir konnten nur warten. Einmal kamen zwei Männer vom Eingang des Zeltplatzes her direkt auf uns zu. Ich dachte schon, das war es dann wohl, als sie kurz vorher abdrehten und zu einem anderen Zelt liefen. In unserer gesteigerten Wahrnehmung kam uns alles verdächtig vor. Dazu plagten mich heftige Halsschmerzen. Endlich sahen wir Gerd und Mathias kommen. Sie waren unbehelligt bis in die Nähe der Grenze herangefahren und hatten dort beim Tanken versucht, die Umgebung zu beobachten: Hinter einem kleinen Dorf gab es hohe Maisfelder. Das würde ein unbemerktes Heranschleichen begünstigen.

Nach längerem Hin und Her entschieden wir uns, einen ersten Versuch nach Einbruch der Dunkelheit zu starten. Immer wieder studierten wir die Karte, überlegten, wie wir am besten vorgehen sollten. War es besser, in der Deckung des Maisfeldes erst nur zu beobachten? Vielleicht gab es einen festen Rhythmus, in dem die Streifen den Grenzzaun abliefen. Wo waren Hunde, aus welcher Richtung kam der Wind? Sollten wir uns verteilen und in zeitlichen Abständen den Durchbruch wagen, oder sollte einer vorausgehen und die anderen an gleicher Stelle folgen? Bei all diesen Spekulationen wurde der Druck auf meinen Magen immer größer. Was für Gefahren kamen auf uns zu? Wie sollte ich mich verhalten, wenn ein abgerichteter Hund mich angriff? Gerd und Mathias gelang es besser, solche Befürchtungen auszublenden und sie meinten: Vielleicht nehmen die Ungarn mit ihrer im Vergleich zu uns Deutschen eher südländisch lockeren Mentalität die Pflichterfüllung an der Grenze nicht so genau.

Um bei einem nächtlichen Aufbruch vom Zeltplatz nicht aufzufallen, fuhren wir schon am frühen Abend los. Ein letztes Mal schaute ich mich nach meinem Zelt um. Nun ließ ich also die letzten mir vertrauten Dinge zurück. Die Stunden, bis es dunkel wurde, verbrachten wir in Szeged. Alle hatten bereits die dunklen Sachen an, als wir für unsere letzte Fahrt ins Auto stiegen. Hoch konzentriert fuhr Mathias zur Transitstraße und dann auf die Grenze zu. Gerd erkannte die Strecke vom Tag vorher und sagte gerade, dass wir nach ca. drei Kilometern das Auto parken müssten, als wir plötzlich auf einen Doppelposten zufuhren. Deutlich sahen wir zwei mit MP bewaffnete Grenzsoldaten am Straßenrand stehen. Ein kurzes Zögern von Mathias, dann tat er das einzige Richtige: weiterfahren. Umkehren wäre sofort aufgefallen, und so fuhren wir an den Grenzern vorbei und sahen gerade noch, wie einer ein Sprechfunkgerät in der Hand hielt und hineinsprach. Die Grenze war also nachts viel stärker gesichert als am Tage. Vielleicht wurden alle vorbeifahrenden Autos über Sprechfunk gemeldet und wir hatten ab jetzt keine Chance mehr, da man uns nun bereits an der Grenze erwartete oder uns sogar entgegenkam. Als wir kurz darauf einen kleinen Feldweg sahen, der von der Hauptstraße abging, bog Mathias sofort rechts ab. Nach ein paar Hundert Metern ging es wieder nach rechts ab und so gelangten wir über viele Feldwege und kleine Straßen wieder zum Zeltplatz zurück. Möglichst unauffällig stellten wir das Auto zwischen Bäumen ab. Sofort die Zelte abzubauen wäre aufgefallen, und so beschlossen wir am frühen Morgen zu starten, um Ungarn so schnell wie möglich in Richtung Süden zu verlassen. Vielleicht gab es in Rumänien oder Bulgarien bessere Gelegenheiten. Lange lag ich nachts wach. Der Mond war schon fast voll. Weiche, nach Sommer duftende Luft strömte durch den offenen Zelteingang herein. War dies meine letzte Nacht in Freiheit? Würde man schon nach unserem Kennzeichen fahnden und uns an der Grenze festnehmen?

Als wir dann am nächsten Morgen an der Grenze nach Rumänien ankamen und unsere Papiere den ungarischen Grenzbeamten hinhielten, prüften sie nur unser Visum und winkten uns durch. Wahrscheinlich war der Informationsfluss doch nicht so perfektioniert wie in der DDR, denn keiner beachtete unser Nummernschild. Die Grimmigkeit der rumänischen Grenzer, die uns hundert Meter weiter kontrollierten, war das ganze Gegenteil. Wie kalt und aggressiv sie uns musterten und alles übergenau kontrollierten. Wie sie uns anherrschten, wenn wir nicht sofort verstanden, was sie gerade sehen wollten. Auch als wir dann an dem Grenzfluss zu Jugoslawien entlangfuhren und die vielen Wachtürme und Stacheldrahtzäune sahen, wussten wir intuitiv, dass eine Flucht hier noch gefährlicher war. Also so schnell wie möglich weiter nach Bulgarien.

Auf schlechten Straßen brauchten wir fast einen Tag, um dieses arme Land zu durchqueren. Es war trostlos. Noch nie hatte ich solche Armut in Dörfern gesehen, noch nie so hoffnungslos resignierte Menschen in den kleineren Städten. In der Abenddämmerung schlugen wir in der Nähe der Straße unser Zelt auf. Plötzlich hörten wir von Ferne Stimmen. Gerd und ich gingen in die Richtung, um herauszubekommen, ob Gefahr drohte. Vorsichtig näherten wir uns und erkannten Zigeuner, die mit ihren Wagen am Ufer eines kleinen Flüsschens lagerten. Etwas unheimlich war uns diese nahe Nachbarschaft schon. Sie schienen nicht zu schlafen, denn die ganze Nacht über hörten wir immer wieder Rufe.

Gerädert von unruhigem, zu kurzem Schlaf, geplagt von Mücken und Ameisen, weckte uns die Wärme der frühen Sonne und wir brachen sofort Richtung Bulgarien auf. Wieder trafen uns die unnahbaren, verachtenden Blicke der rumänischen Grenzbeamten. Mir ging durch den Sinn, dass sich der Mensch doch an so vieles gewöhnt. Wieso wurde ich dann nach all den Grenzübergängen nicht gelassener? Weshalb traf der aggressive Umgangston mich immer wieder bis ins Mark?

### Pannen und Scheingrenzen

In Bulgarien breitete sich eine liebliche Gebirgslandschaft vor uns aus. Mir ging es gesundheitlich immer schlechter, und als wir einen geeigneten Platz fanden, legten wir einen Tag Pause ein. Aufgrund der Armut der Bauern war die Natur weitgehend unberührt. Einzelne Schafe weideten, ein kleiner Gebirgsbach durchzog das Tal, an dessen Hängen sogar Wein angebaut wurde. Kein Mensch ließ sich sehen. Fast idyllisch erschien mir dieser Ort. Mein Verstand sagte mir, dass jetzt Genießen und Erholung angesagt seien, um genügend Kräfte zu tanken. Ein wenig half dieser Gedanke sogar. Das Waschen am Bach war eine Wohltat und die Weintrauben schon richtig süß. Nie zuvor hatte ich derartig süße Weintrauben bekommen. Im Schatten der Bäume sitzend, studierten wir wieder unsere in der DDR gedruckten touristischen Landkarten und sahen, dass die Grenze zu Jugoslawien in der Nähe des Gebirgskammes verlief. Sogar einen 2000er gab es, den Kom, in dessen Umfeld sicher unwegsames Gelände war. Das müsste doch zu schaffen sein. Und von da wäre es dann gut möglich, sich bis nach Belgrad durchzuschlagen. Dort würden wir auf der deutschen Botschaft einen Reisepass ausgestellt bekommen, und der Weg in die Bundesrepublik wäre frei. Wir hofften, dass diese Grenze nicht so streng bewacht wäre. Immerhin war Jugoslawien zu diesem Zeitpunkt nicht im Warschauer Pakt. Tito ging einen eigenen Weg und ließ sich von Moskau nichts vorschreiben.

Am nächsten Tag fuhren wir Richtung jugoslawischer Grenze und erreichten ein kleines Dorf. Hinter dem Dorf war ein Schlagbaum, der eine Weiterfahrt unmöglich machte, obwohl es noch 15 Kilometer bis zur Grenze waren. Als wir wendeten und langsam zurückfuhren, hatten wir sofort das Gefühl, beobachtet zu werden. Hier das Auto stehen zu lassen und loszulaufen, schien uns nicht ratsam. Bestimmt würde uns jemand verraten. Später bestätigte sich unser Verdacht. Die DDR zahlte tatsächlich Prämien an die arme Bevölkerung nahe der Grenze, wenn sie verdächtige Personen anzeigte. Ich lernte in Hohenschönhausen einen Häftling kennen, der auf diese Weise gefangen genommen worden war.

Wir kehrten um und fuhren auf der Fernverkehrsstraße Richtung Sofia. Nach einer längeren Steigung hinter Barzia kochte wieder das Kühlerwasser unseres Moskwitschs. Durch diese Panne mussten wir eine Zwangspause einschieben. Beim Studium der Karten stellten wir fest, dass es Luftlinie nur ca. 20 Kilometer bis zur jugoslawischen Grenze waren und auch der Berg Kom in der Nähe lag. Dichte Mischwälder schienen uns günstig für ein unbemerktes Heranschleichen. Wir suchten eine geeignete Stelle, um das Auto so abzustellen, dass es von der Straße nicht sofort gesehen werden konnte. Alle zogen wieder dunkle Sachen an. In meinen kleinen Rucksack kamen etwas Proviant, Lederhandschuhe und eine leichte Windjacke, falls es nachts kälter werden sollte. In Zweiergruppen – nicht zu nah zusammen, aber immer in Sichtweite – marschierten wir gegen zwei Uhr nachmittags los. Die Wälder waren ziemlich unberührt, doch das Knacken der trockenen Äste ließ mich ständig ängstlich nach allen Richtungen schauen. Aber nach einiger Zeit gewöhnte ich mich daran, auch weil weit und breit nichts auf die Nähe von Menschen schließen ließ.

Schwieriger wurde es, als wir uns einem Tal näherten und kleine Felder vor uns lagen. Jedes Mal beobachteten wir die vor uns liegende Strecke eine Weile aus der Deckung des Waldrandes, bevor wir möglichst rasch diese gut einsehbaren Gebiete durchquerten. Mathias und Gerd gingen mit Kompass und Karte meist voran. Nach sechs Stunden Dauermarsch legten wir eine kleine Pause ein. Wir hatten uns mit der Entfernung wohl doch verschätzt. Auch kostete das anstrengende Laufen durch unwegsames Gelände mehr Zeit. Nachdem der Proviant verzehrt war, vergrub ich meinen Rucksack unter Blättern und steckte nur Lederhandschuhe, Traubenzuckertabletten und Schokolade in die Jeansjacke. Sonst nichts. Geld und Ausweis waren sicher im Brustbeutel und weiter ging es. Zum Glück setzte bald die Dämmerung ein. Wir stießen auf holprige Feldwege, die sicher zu einzelnen Bauernhöfen in der Nähe führten. Um die Gefahr einer zufälligen Begegnung zu vermeiden, umgingen wir diese stets oder kreuzten sie im Notfall.

Auch wurden die Wälder immer lichter. Es folgten größere, verwilderte Grasflächen, über denen sich bald ein großer, fast voller Mond erhob. Schnell gewöhnten sich die Augen an sein kühles Licht und so kamen wir auch die nächsten Stunden bis nach Mitternacht gut vorwärts.

Mathias beobachtete mit seinem Fernglas immer wieder die gesamte Umgebung. Alles schien ruhig. Vor uns breitete sich eine herrliche Gebirgslandschaft im Mondlicht aus. In den kurzen Augenblicken, wo wir Atem schöpften und uns hinsetzten, spürte ich die von der Mittagshitze gespeicherte Wärme der Erde unter mir, fühlte mich für einen Moment geborgen und schaute wie entrückt in den Mond. Es schien fast so, als ob er uns helfen könnte.

Gegen halb eins flüsterte Mathias, er sehe so etwas wie einen Grenzverlauf. Vorsichtig schauten wir mithilfe der Taschenlampe auf die Karte und versuchten herauszubekommen, an welcher Stelle der Grenze wir etwa angekommen waren. Immer vorsichtiger näherten wir uns, bis wir genau den breiten Sandstreifen und den davor liegenden Stacheldrahtzaun erkennen konnten. Es wurde ernst. Sollten wir noch warten und beobachten oder einfach losrennen? Was war, wenn einer von uns getroffen wurde? Nie hatten wir darüber gesprochen, wie wir uns in diesem Fall verhalten sollten. Hatte kameradschaftliches Verhalten einen Sinn oder galt es dann nur noch: Jeder kämpft sich allein durch? War es überhaupt zweckmäßig, Absprachen zu treffen? Plötzlich hörten wir fernes Hundegebell. Vielleicht hatten Grenzer irgendwo unsere Spur aufgenommen und kamen immer näher. Also besser gleich los, bevor es zu spät war.

So schnell wir konnten, rannten wir auf die Grenze zu. Ich kam als Erster an und versuchte, geschützt durch die Handschuhe, den Stacheldraht herunterzudrücken. Dabei brach das abgeschrägte obere Stück des Holzpfostens gleich ab. So war es leichter, den Zaun zu überwinden. Ich half noch meiner Schwester und weiter ging es. So zügig wie möglich wollten wir aus der Gefahrenzone herauskommen. Rannten und rannten. Erst als wir ein schützendes Waldstück erreicht hatten, fielen wir in dessen Deckung vollkommen außer Atem zu Boden. Hatten wir es geschafft? Der Adrenalinschub ließ keine Erleichterung zu. Nur nicht zu früh freuen, dachte ich, und wir beschlossen, nach der notwendigen Verschnaufpause sofort weiter von der Grenze wegzulaufen. Wieder ging es bergauf. Ich war immer noch nicht ganz gesund. Erstaunlich, was der Körper in dieser Ausnahmesituation für Kräfte entwickelte. Zwölf Stunden waren wir nun schon auf den Beinen, weitere vier sollten folgen. Teilweise nahm ich die Strapazen gar nicht mehr wahr, obwohl die Belastung noch größer wurde, denn die Vegetation hatte sich geändert. Neben dichten Wurzelhölzern mussten wir Gebiete mit hohen Farnpflanzen durchqueren.

Erst auf dem nächsten Bergkamm hatten wir wieder freie Sicht, schauten auf das nächste Tal. Plötzlich entdeckten wir die fernen Lichter eines Jeeps, der weit unten langsam durch die Nacht fuhr. Konnte es sein, dass dort die Truppen verstärkt wurden? Erwartete man uns in diesem Gebiet, wenn wir weiter in der bisher eingeschlagenen Richtung liefen? Verlief die Grenze vielleicht in Kurven und wir näherten uns wieder von der anderen Seite? Kurzerhand entschieden wir, nach rechts abzubiegen, und blieben lange Zeit auf ungefähr gleicher Höhe. Danach ging es wieder nach unten in ein anderes Tal. Wir überquerten einen reißenden Gebirgsbach, wobei Dorothea auf einem Stein ausrutschte und danach mit nassen Schuhen weiterlaufen musste. Mir kam kurz in den Sinn, ob wir nicht hier unsere Spuren für eventuell folgende Spürhunde verwischen könnten. Aber dann hätten wir lange auf den glitschigen Steinen balancieren müssen. Das war in der Dunkelheit zu gefährlich.

Wir beschlossen, den vor uns liegenden, steilen Hang hoch zu laufen, um noch einmal einen Überblick über das Gelände zu bekommen und dann ein geeignetes Versteck für den Tag zu suchen. Erst in der nächsten Nacht wollten wir dann weiter Richtung Belgrad. Dieser letzte Hang war eine wirkliche Herausforderung. Immer wieder stolperten wir, rafften uns wieder auf, krochen auf allen vieren. Die Morgendämmerung setzte bereits ein. Mit jeder Viertelstunde konnte man besser sehen. Ohne noch irgendetwas zu spüren, liefen meine Beine wie von selbst weiter. Schon konnte ich an der lichter werdenden Gebirgsvegetation erkennen, dass der

Kamm nicht mehr weit sein dürfte. Das letzte steile Stück – und plötzlich stand ich vor einem hohen Zaun. Wie konnte das sein? Waren wir an dieselbe Grenze von der anderen Seite geraten? Völlig perplex und nach den vielen Stunden äußerster nervlicher Anspannung nicht mehr so vorsichtig, rief ich den anderen zu: »Da ist wieder ein Zaun!« Gerd und Mathias reagierten sofort. »Los schnell, rüber! Räuberleiter!« Mathias faltete die Hände zusammen, sodass Gerd darauf steigen konnte. In diesem Moment durchbrachen mehrere Schüsse die Stille. Gespenstisch hallten sie in den Bergen wider.

Im Reflex tastete ich meinen Körper ab. Alles in Ordnung. Und bei den anderen? Hatten sie sich auch einfach nur auf den Boden geworfen oder wurde einer getroffen? Gerade will ich hinüberschauen, als der Ruf »Stoi!« mich erschreckt und ein Grenzsoldat mit MP im Anschlag auf uns zukommt. Er ist sehr nervös. Um deutlich zu zeigen, dass wir keinen Widerstand leisten, stehen wir auf und nehmen die Hände hoch. Für mich läuft alles ab wie im Film. Kein Schock, kein Gefühl von Enttäuschung oder Entsetzen. Ohne die geringste Angst schaue ich wie unbeteiligt zu, was da passiert. Der Posten ist sichtlich verunsichert. Mir fällt ein, dass die Bulgaren etwas Russisch verstehen, und ich rufe »Nje streljatch«!, nicht schießen. Ein großer Fehler, denn er denkt wohl, ich spreche zu meinen Kumpeln, weil wir bewaffnet sind, und versteht nicht, dass ich ihn damit meine. Immer hektischer fuchtelt er nun mit seiner MP herum, kommt näher, schreit Unverständliches und richtet sie beim Näherkommen direkt auf uns.

Vielleicht ist es ein glücklicher Zufall, dass er zuerst Dorothea, also eine nicht bedrohlich wirkende Frau, sieht. Trotzdem läuft er aufgeregt weiter mit seiner MP um uns herum, aber wir verstehen einfach nicht, was er will. Ich denke nur: Hoffentlich schießt der jetzt nicht! Aus seiner Gestik schließe ich: Hinlegen! Und so legen wir uns mit dem Gesicht zum Boden hin. Wieder bin ich eher unbeteiligter Zuschauer, empfinde nichts; auch nicht, als weitere Soldaten eintreffen und ich den Lauf einer MP direkt an meiner rechten Schläfe spüre. Dann fesseln sie unsere Hände mit Lederschnüren. Mit großer

Ernsthaftigkeit werden die Knoten immer fester geschnürt. Langsam merke ich, wie meine Hände taub werden. Ein Jeep fährt heran und der aussteigende Offizier fängt plötzlich an, wie wild mit den Füßen auf Mathias einzutreten. Wahrscheinlich hat dessen dunkler Vollbart etwas in ihm ausgelöst oder er muss einfach Aggressionen loswerden. Nach einer Weile hält ein zweiter Offizier ihn aber zurück. Wir werden auf die Ladefläche eines Jeeps verfrachtet. Im Schritttempo geht es dann über starke Unebenheiten des freien Geländes zum nächsten Grenzstützpunkt. Ewig zieht sich diese Fahrt hin. Eng sitzen wir, umgeben von Bewachern und schweigen. Die Sonne ist inzwischen vollständig aufgegangen und taucht die Bergwelt um uns in ein unwirkliches Rot.

So endet also unsere Flucht, denke ich. Wenigstens im Nachhinein will ich verstehen und beobachte genau unsere Umgebung. Wir kommen weiter talwärts an einem Stacheldrahtzaun vorbei. Dann wird mir klar: Unsere Touristenkarte war gefälscht. Bei der eingezeichneten Grenze handelte es sich nur um eine Scheingrenze. Bei deren Überwinden hatten wir wahrscheinlich ein Signal ausgelöst. So wussten die Grenzer, dass Personen eingedrungen waren. Zwar hatten sie uns an einer anderen Stelle erwartet, aber den letzten Grenzzaun doch mit mehr Posten als sonst abgesichert. Im Morgenlicht entdeckte uns dann einer der Beobachtungsposten mit dem Fernglas, waren wir doch ganz normal aufrecht und dicht hintereinander gelaufen. Vielleicht war es nur eine Stunde, die uns fehlte! In der Dunkelheit und mit dem Wissen um die richtige Grenze hätten wir eine Chance gehabt. Unsinnige Gedanken.

Wir werden zu einer kleinen Garnison gebracht. Unsere Gefangennahme hat sich schon herumgesprochen. Andere Soldaten kommen, um uns zu begaffen. Ich verstehe nur einzelne Wortbrocken, die dem Russischen ähnlich sind, wohl aber den Stolz, mit dem die Offiziere berichten. Deren Prahlerei widert mich an. Was haben sie schon vollbracht: Gut bewaffnet vier wehrlose Menschen verhaftet, die nicht den geringsten Widerstand leisteten, von einem Fluchtversuch ganz zu schweigen.

An einem kleinen Pavillon werden uns die Fesseln abgenommen. Das Blut fließt langsam wieder in die Hände. Es schmerzt, aber ich bin froh, dass ich die Finger wieder spüre und sogar langsam bewegen kann. Dann bindet man uns mit Handschellen an einen dicken Balken des Pavillons. Den ganzen Tag werden wir dort verbringen. Wechselnde Posten sind immer in der Nähe und bewachen uns. Jetzt kommt die Müdigkeit. Im Sitzen dämmre ich weg, der Oberkörper kippt zur Seite, aber der Druck der Handschellen weckt mich wieder. Obwohl wir nicht reden dürfen, können wir uns doch etwas zuflüstern. Wir vereinbaren, später bei der Stasi nichts zuzugeben; denken uns eine Lügengeschichte aus: Als begeisterte Bergwanderer wollten wir den Kom besteigen und sind aus Versehen ins Grenzgebiet geraten. Da wir von anderen gehört haben, die beim Wandern fälschlicherweise verhaftet worden waren, hätten wir uns zur Flucht nach vorn entschlossen und unser Gepäck im Wald zurückgelassen. Wie durchsichtig unsere Geschichte war. Nichts wussten wir damals über die Verhörmethoden der Stasi!

Gegen Mittag kommt ein Posten auf uns zu, kettet Mathias und mich los und bringt uns zu einem Jeep. Wir sollen ihnen die Stelle zeigen, von der wir losgelaufen sind, und vor allem, wo unser Auto steht. Außer den Soldaten fährt auch ein Offizier, der einen gebildeten Eindruck macht. Er beherrscht die Kommandosprache des Warschauer Paktes – Russisch – und es gelingt mir im Laufe der Fahrt, ihm auf Russisch zu erklären, dass ich mich in ein Mädchen in Westdeutschland verliebt habe und nicht zu ihr reisen dürfe. Deshalb hätte ich keinen anderen Ausweg gesehen, als zu fliehen. Die Liebe sei stärker als die Angst, gefasst zu werden. Das stimmte natürlich nicht, aber ich wollte ihm irgendwie begreiflich machen, dass man aus nachvollziehbaren, menschlichen Gründen durch das herrschende System gezwungen wird, solche abenteuerlichen Wege zu gehen. Die anderen Grenzer schalten sich dann in das Gespräch ein, sind aber vor allem an unserem Auto interessiert. Welche Marke, Wartburg, Lada? Wie alt, wie viele Kilometer? Werden sie später darum losen, wer unser Auto bekommt? Auch in Bulgarien sind Autos Mangelware und heiß begehrt.

Wir haben es wirklich gut getarnt geparkt, denn erst nach einigen Versuchen kann ich die richtige Stelle finden. Da steht er also, unser bei der kleinsten Belastung heiß laufender, alter Moskwitsch. Könnte man die Geschichte doch einfach zurückdrehen, denke ich. Mit einer nicht gefälschten Karte wären wir bestimmt nicht überstürzt über den Vorzaun geklettert und hätten ein Auslösen des Signals vermeiden können. Warum gab es im Leben manchmal keine zweite Chance? Mein Verstand will einfach nicht akzeptieren, dass all die Strapazen umsonst waren, dass jetzt alles vorbei sein sollte. Die ganze Rückfahrt über hänge ich diesen Gedanken nach.

An der Grenzstation angekommen, kann ich flüsternd meiner Schwester noch kurz von meinem Ausflug berichten. Am selben Abend werden wir in ein Transportfahrzeug des Militärs gesteckt. Keiner weiß, wohin es geht. Eine Gebirgslandschaft zieht vorbei. In dem schlecht gefederten Jeep werden wir stark durchgeschüttelt. Endlos zieht sich die Fahrt hin, bis wir in einer Stadt ankommen. Der Größe nach kann es nur Sofia sein, die Hauptstadt Bulgariens.

Der Jeep hält in einem Innenhof. Es ist das Untersuchungsgefängnis der bulgarischen Sicherheitsorgane, wie man mir später erklären wird. Man trennt uns. Ich werde von einem Hünen von Wärter über Gänge geführt und in eine winzige, etwa sechs Quadratmeter große Zelle geschubst. Krachend fällt die Tür ins Schloss. Es ist entsetzlich heiß. Auf dem Boden liegt eine Strohmatte mit einer kratzigen Decke, sonst nichts. Ein Bulgare hockt auf dem Fußboden. Vollkommen verschüchtert blickt er mir entgegen. Ich versuche später, mich mit ihm auf Russisch zu verständigen, aber er will nicht reden. Offenbar aus Angst.

**Wasser und Brot**

Zum Glück werden meine Wahrnehmungen zunächst durch die immer größer werdende Müdigkeit gemildert. Nach

34 Stunden Wachsein falle ich bald in einen tiefen Schlaf. Noch heute habe ich den Traum dieser Nacht vor Augen: Eine weiße Winterlandschaft, ich stapfe glücklich durch den Pulverschnee. Am Waldrand erwartet mich ein heimelig anmutendes Holzhaus. Heller Rauch aus dem kleinen Schornstein kringelt sich in den winterblauen Himmel. Meine Mutter steht an einem der kleinen Fenster und winkt. Aber ich will noch nicht nach Hause, will weitergehen, die kühle, frische Luft genießen, das beruhigende Weiß der weiten Felder und Wälder in mich einlassen. Als ich morgens durch das Schlagen eines Knüppels gegen die Eisentür geweckt werde, weiß ich zunächst nicht, wo ich bin. Nach und nach erst setzen das Bewusstsein und die lähmend quälende Erkenntnis meines Gefangenseins ein.

Tagelang werde ich am Boden hocken und mich nicht bewegen können. Kreislaufschwierigkeiten sind die Folge. Wenn uns die mächtigen Wärter – richtige bulgarische Bären – morgens und abends zur Toilette treiben, wird mir jedes Mal schwindlig. Manchmal gehe ich zu Boden, werde aber mit dem Gummiknüppel gleich weitergetrieben. Höchstens eine Minute bleibt uns, um über dem kleinen Waschbecken kurz Wasser ins Gesicht zu spritzen. Der klebrige Schweiß am ganzen Körper wird nach einigen Tagen immer unangenehmer. Dafür schwindet der Ekel vor jenem als Abort dienenden Loch am Boden, das Generationen von Gefangenen vergeblich zu treffen versucht haben und das dementsprechend aussieht. Vom Geruch ganz zu schweigen. Später trinke ich so viel wie möglich Wasser aus dem Hahn, weil es wenigstens halbwegs kühl ist. Viel zu schnell erwärmt sich das Wasser in dem Krug, den wir mit Leitungswasser füllen und der für einen halben Tag reichen muss.

Zu essen gibt es einen Kanten Brot und ab und zu Joghurt, manchmal auch in einer ekelhaften Soße schwimmende kleine Fischchen, deren tote Augen mich anstarren und die ich im Normalfall nicht herunterbrächte. Aber inzwischen herrschen andere Gesetze. Ich mache die Erfahrung, dass Brot, wenn man es lange kaut, im Mund süß wird, richtig süß. Noch nie habe ich so bewusst trockenes Brot gekaut und genossen. Nach ein paar Tagen stellt sich der Körper auf das wenige Essen ein. Das Hungergefühl verschwindet, aber ich bekomme zu meinen Kreislaufproblemen noch eine Verstopfung und kann eine Woche lang nicht auf die Toilette. Der Schmerz wird immer größer und in der kurzen Zeit mit dem neben mir stehenden Wärter kann ich mich einfach nicht entleeren. Eines Morgens bleibe ich trotz seines Drängens über dem Loch hocken und schaue ihn mit flehenden Augen an. Er hat ein Einsehen. Nach fünf Minuten gelingt die schmerzhafte Befreiung.

Tagelang passiert nichts. So ist es fast schon eine Abwechslung, als ich zum Verhör gebracht werde. Ich soll unterschreiben, dass ich den auf einer Karte skizzierten Weg gegangen bin und versucht habe, die Grenze illegal zu überwinden. Sie wollen das Geständnis bereits hier, wahrscheinlich, weil viele DDR-Bürger in den Grenzregionen festgenommen werden, die gar nicht beabsichtigt hatten zu flüchten. Nach kurzem Überlegen unterschreibe ich. Diese Tatsachen sind nicht zu leugnen, haben aber nichts damit zu tun, dass wir aus Versehen ins Grenzgebiet gekommen sind. So zumindest versuche ich schon hier, meine Gedanken für die Verhöre bei der Stasi zu programmieren. Gerd erzählt mir später, dass man ihm, als er zögerte, ein Foto von einem toten Mädchen am Grenzzaun zeigte – mit dem Hinweis, er solle endlich unterschreiben. Ansonsten fahre man mit ihm gerne noch einmal zur Grenze und lasse ihn laufen. Man drohte also, ihn dann quasi auf der Flucht zu erschießen. Zum Glück hatte Gerd das sofort verstanden.

Danach wieder warten. Brot süß kauen, schwimmende Fischaugen und brütende Hitze. Kein kühlender Luftzug, kein Fenster, nur über der Tür eine kleine Klappe zum Gang, in dem die verbrauchte Luft auch nur steht. Dumpfer werden meine Wahrnehmungen.

Jetzt nur nicht in Lethargie verfallen. Ich fange an mich zu motivieren, versuche mich an schöne, frühere Erlebnisse zu erinnern. Ja, ich brauche positive Gedanken, muss es über die Fantasie schaffen, die Gegenwart zu vergessen. Es gelingt mir immer besser und begleitet mich die ganze nachfolgende Zeit. Im späteren Leben wird es eher hinderlich sein. Zu sehr gewöhne ich mich daran, in mein Innenleben abzutauchen und das äußere Leben zu ignorieren. Jetzt ist es die einzige Möglichkeit, der grauenhaften Realität mehr und mehr zu entfliehen. Wie soll ich die Zeit in der Zelle sonst auch verbringen? Der Bulgare sitzt stumm neben mir, die immer gleiche Eisentür blickt mich an. Also nehme ich mir ein bestimmtes Zeitfenster aus meinem Leben vor, das ich mir dann in allen Einzelheiten in Erinnerung rufe: Wie ich während meiner Nachtdienste durch die Räume der Dresdner Gemäldegalerie wandele; wie ich mit Gerd trampend durch Polen ziehe; wo war die erste Begegnung mit meiner Jugendliebe Claudia, welche Waldwege bin ich mit ihr gegangen, wo lagen wir im Gras?

Besonders gut kann ich mich in jene Monate versenken, die ich vor meinem Musikstudium in unserem Holzhäuschen im Erzgebirge verbracht hatte. Wie kostbar sie jetzt im Nachhinein erscheinen. Eine unbeschwerte Zeitinsel in meinem Leben. Voller Hingabe übte ich für die Aufnahmeprüfung auf dem Klavier und genauso intensiv nahm ich die Landschaft um mich herum wahr. Wie gern erinnere ich mich an mein morgendliches Erwachen in der Natur – mit der Gewissheit, der Tag gehört ganz mir. Zum ersten Mal durchlebte ich bewusst den Kreis der Jahreszeiten. Was für eine Befreiung, wenn nach kalten Wintertagen, die Ahnung von Frühling in der Luft lag! Wie habe ich die ersten Frühlingsblumen neben dem grauen Altschnee begrüßt, wie tief den Geruch des braunen, in der Morgensonne dampfenden Ackers in mich eingesogen. Dann die Kirschblüte und der Fliederduft, die ersten Erdbeeren, Vollmondnächte, Augustgewitter über intensiv gelben Stoppelfeldern, der erste Nebel und die klare Fernsicht leuchtender Herbsttage.

Endlose Tage tropfen langsam dahin, wie der Schweiß von meiner Stirn. An einem Morgen werde ich aus meinen Gedanken gerissen, als ich von Ferne eine Frauenstimme vernehme. War das Dorothea? Ist sie im gleichen Gefängnisteil wie ich? Kurz danach öffnet sich die Tür und ich werde in einen größeren Raum geführt. Mathias und Dorothea sind schon dort, Gerd kommt hinzu. Gut sehen sie nicht gerade aus. Wir können während des Wartens noch kurz miteinander sprechen, uns gegenseitig aufmuntern, unsere Strategie bei den Verhören vereinbaren. Es werden die letzten freien Worte für lange Zeit sein. Jetzt übernimmt uns die Stasi, die extra aus Berlin angereist ist. Mit deutscher Perfektion schirmt sie uns ab. Keinen noch so kleinen unbeaufsichtigten Augenblick wird es mehr geben.

### Über den Wolken

Nach der Belehrung, dass bei Fluchtversuch sofort geschossen wird, geht es in Handschellen zum Flughafen, mit dem Fahrzeug direkt vor das wartende Flugzeug. Etliche Flüchtlinge kommen dazu. Jeder bekommt einen Stasi-Bewacher an seine Seite. Der Gurt wird direkt durch die Handschellen gezogen. Später rekonstruiere ich, dass in der »Fluchtsaison«, also im Sommer, etwa alle zwei Wochen eine Maschine geflogen sein muss. Es gab Zwischenstopps in Budapest oder Prag, je nachdem wo und wie viele Fliehende erwischt wurden. Am Ende ist das ganze Flugzeug voll.

Es ist mein erster Flug überhaupt. Meine Eltern konnten sich nie eine Urlaubsreise per Flugzeug leisten, und ich als Student schon gar nicht. Am Fenster sitzend versuche ich, meinen Bewacher, einen untersetzten Typ mit fettigen Haaren und streng gezogenem Seitenscheitel, zu ignorieren. Trotz der beklemmenden Situation freue ich mich wie ein Kind, als die Maschine abhebt und die Landschaft unter mir immer kleiner wird. Sehnsüchtig saugt sich mein Blick an allem fest. Der Himmel ist wolkenlos, und als ein Gebirge auftaucht, glaube ich sogar die Grenze zu Jugoslawien zu erkennen. Warum kann die Maschine jetzt nicht einfach in eine andere Richtung fliegen? Alles scheint so nah.

Nach ungefähr einer Stunde landen wir, das Fenster wird verdeckt und ich werde ermahnt, mich nicht zur Seite zu drehen oder zu reden. Aus dem Augenwinkel beobachte ich die Einsteigenden: alles junge Männer, mit verstörten, teils auch trotzigen Blicken. Die haben es also auch nicht geschafft. Wieder startet die Maschine. Die Fensterklappe ist noch zu und ich will sie in einem spontanen Reflex hochziehen, aber die Handschellen sind festgegurtet. Vor lauter neugierigem Schauen hatte ich dies den ganzen bisherigen Flug über nicht wahrgenommen.

Bei der nächsten Landung ruckelt das Flugzeug ziemlich. Vielleicht wurde die Landebahn mit der gleichen sozialistischen Arbeitsmoral gebaut wie so vieles andere. Beim Aussteigen vor meinem allzu dicht folgenden Bewacher sehe ich kurz, dass das Flugzeug auf einem abseits gelegenen Rollfeld steht. Weit entfernt von irgendwelchen normalen Reisenden. Kein Außenstehender soll sehen, um was für eine Art Transport es sich hier handelt. In welcher Stadt mag ich wohl sein? Dresden, Leipzig, Berlin? Zum Nachdenken bleibt keine Zeit. Ein nach außen als Lieferfahrzeug getarnter Kleintransporter fährt heran. Ich muss einsteigen und mich durch eine kleine Tür zwängen. Drinnen finde ich winzige Zellen vor, in denen man nur mit Mühe sitzen kann. Nicht die geringste Bewegung ist möglich, da Schultern und Ellenbogen bereits anstoßen. Eingepfercht spüre ich an der dünnen Presspappewand hinter meinem Rücken einen Druck und flüstere: »Wer da?«

Es ist meine Schwester, aber im selben Moment, als sie antwortet, brüllt schon eine Stimme, dass Sprechen strengstens verboten sei. Vom Moment der Übernahme durch die Stasi an ist es unmöglich, sich mit anderen auszutauschen. Das System der Abschirmung funktioniert perfekt. Wieder fühle ich, was es bedeutet, gefangen zu sein: in einer entsetzlich engen Zelle eines Autos zu sitzen, das irgendwohin fährt. Nichts kann ich sehen in der vollkommen dunklen Zelle, weiß nur, nebenan sitzen meine Schwester und meine Freunde, mit denen ich nicht sprechen darf. Ich bin ausgeliefert. Fast muss ich über die doppelte Bedeutung im Wort Lieferwagen lächeln. Während die Verhaftung an der Grenze in Bulgarien für mich eher wie im Film ablief und auch danach vieles durch den Adrenalinschub der Flucht nicht richtig ins Bewusstsein gelangte, kriecht nun unerbittlich die Ahnung herauf, was alles auf mich zukommen wird. Das

Fahrzeug hält an, ich höre das Quietschen und Rasseln einer sich öffnenden Eisentür. »Aussteigen, da hinstellen, Gesicht zur Wand.« Es ist eine schmutzig ziegelrote Wand eines größeren alten Gebäudes, die ich noch wahrnehmen kann, bevor ich in einen leeren Raum geführt werde und mich nackt ausziehen muss. »Mund auf, Zunge raus und hoch, Beine breiter, nach vorn beugen, Pobacken auseinander!« Der Staatsdiener schaut mir tatsächlich da hinein. Ich entschuldige mich, weil ich mich fast zwei Wochen nicht mehr waschen konnte, anstatt mich daran zu erfreuen, was für einen Scheißjob dieser Typ gerade hat. Noch funktioniert mein Schamgefühl. Die Gefängniskleidung, die ich nun bekomme, ist wenigstens sauber und riecht nach einem scharfen Waschmittel.

Man führt mich über lange Gänge, vorbei an vielen Türen, bis der Befehl »Stehen bleiben!« mich aufschrecken lässt. Ein großer Schlüssel dreht sich zweimal in einem gut geölten, knackenden Schloss, dann wird ein dicker Riegel lautstark zur Seite geschoben. Wie oft sollte ich diese Töne in den nächsten Wochen noch hören. Die dicke Stahltür öffnet sich und ich trete in eine circa zwei mal fünf Meter große Zelle. An beiden Seiten stehen schmale Holzbetten mit stark angewinkeltem Kopfteil. Davor links ein Waschbecken und WC, rechts ein kleiner Tisch mit zwei Hockern darunter. Von der hohen Decke, unerreichbar, strahlt eine Neonröhre ihr kaltes Licht. Anstatt eines Fensters gibt es an der Längsseite Glasbausteine, die nur wenig gefiltertes Tageslicht hereinlassen.

Ich warte eine Weile, lausche nach außen und höre nur, wie ab und zu Türen schlagen. Wahrscheinlich werden alle anderen von dem Transport nun verteilt. Danach probiere ich den Wasserhahn. Wasser, fließendes Wasser! Sofort beginne ich mich gründlich zu waschen. Gar nicht aufhören kann ich und beobachte verwundert, wie ich mich nun fast wohlfühle. Wie genügsam ich geworden bin. Selbst das Vorhandensein einfacher Bettwäsche löst in mir so etwas wie Geborgenheit aus. Nach der Strohmatte auf dem Fußboden und einem Wasserkrug in Bulgarien nun eine eigene Zelle und ein, wenn auch schrecklich unbequemes, Holzbett mit WC daneben. Und WC bedeutet Wasserklosett und nicht ein stinkendes Loch, über dem man kauern muss.

## Eins, komm' Se

Da mir meine Uhr weggenommen wurde, habe ich keinerlei Vorstellung von der Zeit. Durch das harte Klacken eines Schlüssels werde ich aus meinen Gedanken geholt. Ein Schließer steht vor der offenen Tür und sagt nur »Die Eins«, worauf ich ihn unsicher anschaue. Später erst weiß ich, dass in den Zweimannzellen die 1 immer der linken Seite und die 2 der rechten Seite zugeordnet ist. Alle Gefängniswärter bekommen nur Anweisungen, von Zelle 217 z.B. die 1 oder 2 zu holen. Ihnen werden die Namen der Gefangenen nie genannt, wie auch ich nie die Namen der Stasi-Leute erfahre, mit denen ich zu tun hatte.

Der Schließer kann wohl nicht so weit abstrahieren, dass bei einer Einzelbelegung die Nennung von »Eins« gar nicht notwendig ist und reagiert gereizt auf mein Zögern. »Komm' Se, da lang« und ich laufe auf dem langen Gang vor ihm bis zum nächsten Befehl: »Stopp, Gesicht zur Wand!« Eine Ampel über mir an der Ecke zum nächsten Trakt leuchtet rot. Ampeln im Gefängnis, denke ich, ist dort so viel Verkehr? Aber als ich von Ferne Schritte höre, wird mir klar, dass ich auf diese Weise keinesfalls andere Gefangene zu Gesicht bekommen werde. Erst nach Umschalten der Ampel auf Grün geht es weiter, über kalte Gänge, dann Treppen herunter, wieder Abzweigungen, doppelte Türen, bis ich in einem kahlen Zimmer stehe.

»Setzen Se sich«, gibt ohne Begrüßung ein ca. 50-jähriger Mann in Zivil von sich. Mit gerunzelter Stirn blickt er mich an. Vor mir steht ein Mikrofon, das an ein Spulentonbandgerät angeschlossen ist.

Ich registriere, dass es ein westliches Fabrikat ist. Deshalb also braucht die DDR immer Devisen und beauftragt ganze Firmen damit, älteren Leuten Antiquitäten abzuluchsen, um sie dann über Zwischenhändler in die Bundesrepublik zu verscherbeln. Komische Gedanken in so einer Situation, vielleicht entstehen sie aus einer Art Verdrängungsmechanismus, denn natürlich habe ich Angst, weiß nicht, was in dem Verhör auf mich zukommt.

Er beginnt eher sachlich, teilt mir mit, dass ich mich im Berliner Untersuchungsgefängnis des Ministeriums für Staatssicherheit befinde und verpflichtet sei, alle Fragen zu beantworten. Wie mit den anderen abgesprochen, erzähle ich unsere in Bulgarien vereinbarte Lügengeschichte. Nach und nach wird er gereizter, fordert mich vehement auf, endlich die Wahrheit zu sagen. Die Spulen des Tonbandgerätes drehen gleichmäßig ihre Runden. Nach zwei Stunden muss er ein neues Band einlegen und wird immer wütender. Dann fängt er an zu brüllen, um unvermittelt wieder betont ruhig zu drohen. Das zieht sich so über Stunden hin. Auf dem harten Stuhl tut mir bald alles weh. Irgendwann mache ich dicht und gebe keinen Laut mehr von mir. Daraufhin schreit er mich an: »Jetzt ist es schon spät am Abend. Ich gehe bald nach Hause, Sie aber werden weiter hier sitzen, und es wird immer so weitergehen. Ihr Schweigen nützt Ihnen überhaupt nichts, denn ich kann Ihnen versichern, dass wir jede noch so kleine Tatsache aus Ihnen herausquetschen werden.«

Wie ein Igel, der sich vollkommen eingerollt hat, sodass nur die Stacheln nach außen schauen, fühle ich mich, während ich weiter schweige. Das Verhör geht bis spät in die Nacht. Auch mein Peiniger scheint etwas zu ermüden und so werde ich endlich in die Zelle zurückgeführt, lege mich erschöpft hin. Wird es wirklich immer so weitergehen, wie er mir angedroht hat? Zum Glück werden diese Gedanken von Müdigkeit überlagert. Ich bin gerade eingeschlafen, als grelles Neonlicht mich weckt. Hinter dem Spion erscheint ein Auge, das mich anstarrt. Was wollen die jetzt schon wieder von mir, denke ich, doch schon geht das Licht wieder aus und die Schritte entfernen sich. Dies wird nun, alle halbe Stunde, die ganze Nacht so weitergehen. Jedes Mal schrecke ich auf und sitze kerzengerade im Bett. An Schlaf ist nicht zu denken. Ich versuche, zum Schutz meinen Kopf unter die

Bettdecke zu vergraben. Kurze Zeit später geht die kleine Essensklappe auf und eine monotone Stimme belehrt mich, dass Kopf und Arme immer zu sehen sein müssen. Wie fürsorglich die Stasi doch ist, man will tatsächlich Selbstmorde verhindern.

Wenig werde ich in dieser ersten Nacht schlafen; auch wegen dem zu steil nach oben gehenden Kopfende der Holzpritsche, das Seiten- oder Bauchschläfer vor unlösbare Probleme stellt und mir eher geeignet scheint, Tote aufzubahren. Irgendwann in der Nacht bleibt das Licht dann an, aber ich bin zu kaputt, um zu reagieren, bleibe vollkommen gerädert einfach liegen, bis plötzlich die kleine Klappe in der Tür aufspringt und eine Hand mir Frühstück reicht.

Also muss es bereits am frühen Morgen sein. Durch die Glasbausteine dringt kein Licht, draußen ist es noch stockfinster. Ich quäle mich hoch, versuche etwas von Brot, Butter und Käse zu essen.

Bald darauf erschreckt mich das laute Geräusch der zurückgeschobenen Riegel. Dieses Mal weiß ich bereits, dass ich die Eins bin und folge ohne Zögern den Anweisungen des Schließers. Ich werde dem Haftrichter vorgeführt, der mir mitteilt, dass ich seit gestern wegen des dringenden Verdachtes eines illegalen Grenzübergangs inhaftiert wurde. Gut zu wissen, also waren die vorangegangenen zwei Wochen in Bulgarien eine Art Betriebsausflug oder eine Zeitreise ins Mittelalter. Man gaukelt Rechtsstaatlichkeit vor. Unglaubhaft erscheint mir, dass dieser unscheinbare Beamte in dem Machtgefüge wirklich etwas zu vermelden hat. Er ist eine der vielen Marionetten, die nach der Wende immer wieder beteuern werden, dass sie nur ihre Pflicht getan haben und dabei nie etwas Böses wollten.

Wenigstens bleibt mir an diesem Morgen das Verhör erspart. Schon bald überfällt mich die Müdigkeit und ich lege mich auf die Holzpritsche. Die schlaflose Nacht wirkt nach. Gerade als ich weggetreten bin, keift eine Männerstimme durch die Essensklappe, dass es verboten sei, sich tagsüber hinzulegen. Im Sitzen versuche ich an dem kleinen Tisch weiterzudösen, stütze den Kopf auf die Ellenbogen, bis kurz danach wieder die Tür geöffnet wird: »Komm' Se.« Alle Schließer scheinen sich der gleichen abgeschliffenen Sprache zu bedienen. Dieses Mal geht der Ausflug in eine andere Richtung und ich lande beim Gefängnisarzt, der mein Gewicht notiert, vermeidet mir in die Augen zu sehen und innerhalb von zwei Minuten einen guten Gesundheitszustand attestiert.

Nach dem Mittagessen, das mir im Vergleich zu den bulgarischen Verhältnissen richtig nobel vorkommt, werde ich wieder abgeholt. Obwohl ich es doch nun bereits kennen müsste, geht mir dieses krachende Geräusch, wenn die Riegel meiner Zellentür aufgeschoben werden, jedes Mal durch Mark und Bein. Auch die Angst bleibt: Was haben die jetzt mit mir vor? Ein betont sachlich wirkender Schließer führt mich durch andere lange Gänge. An der Ecke muss ich stehen bleiben und es erfolgt wieder der Befehl »Gesicht zur Wand«. Ich sehe die über die ganze Länge der Wand verlaufenden Drähte, mit denen wahrscheinlich jederzeit ein Signal ausgelöst werden kann. Kaum vorstellbar, dass jemand bei all den perfekten Sicherheitsvorkehrungen an einen Ausbruchsversuch auch nur denkt.

Über mehrere Eisentüren gelangen wir in ein Treppenhaus, das zu der Etage darunter führt. Hinter weiteren Sicherheitsschleusen befindet sich ein langer Gang. Ich werde in einen kahlen Raum geführt. Ein einzelner Stuhl steht in der Ecke, der mit einem mir unverständlichen Mechanismus verbunden ist. Ich muss mich sofort hinsetzen und bin erleichtert, als nur ein Fotograf erscheint. Nach dem ersten Bild zieht er an einem Hebel und der Stuhl dreht sich, sodass in genau festgelegtem Winkel Seitenaufnahmen gemacht werden können. Eine scheinbar harmlose Angelegenheit, aber sie verstärkt mein Gefühl des Ausgeliefertseins: Die drehen alles so hin, wie sie es brauchen. Nun erscheint eine Art Fleischwerdung aus Heinrich Manns ›Untertan‹. Voller Hingabe nimmt er minutiös jeden einzelnen Fingerabdruck und genießt sichtlich seine Macht, mich herumzukommandieren, um kurz danach unterwürfig seinem hereinkommenden Vorgesetzten das erfolgreiche Ende der »Operation« zu melden.

In meiner Zelle betrachte ich meine schwarzen Fingerkuppen. Ab jetzt bin ich also als Verbrecher eingestuft, kann
über meine Fingerabdrücke jederzeit überführt werden. Wie
gern würde ich mich mit jemandem austauschen, aber nur
die kahlen Wände starren mich an. Wie mag es den anderen
wohl gerade gehen? Sitzen sie auch in einer dieser Zellen
und versuchen stark zu sein? Als es Abend wird, beginne
ich zu überlegen, wie ich meine Schlafsituation verbessern
könne. Am liebsten würde ich dieses steile Kopfende einfach absägen. Ja, sägen, etwas Konkretes tun, wäre jetzt gut.
Aber dann kommt mir die Idee, einen Hocker ans Fußende zu stellen und meine Beine rechts und links neben dem
Abfluss unterm Waschbecken einzufädeln. So kommt mein
Kopf auf dem geraden Teil der Pritsche zu liegen. Hoffentlich sagt jetzt niemand etwas dagegen. Die Lichtkontrol-
len beginnen und es gibt keine Beanstandungen. Vielleicht
haben die Schließer für derartig unerwartete Situationen
keine genauen Handlungsanweisungen. Hauptsache, die
eingebläute Kontrolle der Sichtbarkeit aller Häftlingsköpfe
wurde korrekt durchgeführt. Erstaunlich, dass mein vege-
tatives Nervensystem sich selbst auf diese unnatürlichen
Schlafbedingungen langsam einstellt. Es gelingt mir, bald
schon längere Phasen durchzuschlafen.

Gewöhnen werde ich mich auch an die vielen Wortverdre-
hungen, obwohl ich mich noch lange Zeit gegen sie sträube.
Mit gutem Grund hat die Stasi ein System von neuen Be-
zeichnungen eingeführt, um Parallelen zum Dritten Reich
zu verschleiern. So wird z.B. aus Zelle *Verwahrraum*, aus
Verhör *Vernehmung*. Der Besuch von Angehörigen heißt nur
*Sprecher*.

Etwas ausgeschlafener nehme ich nun mehr von meiner
Umgebung wahr. Tröstend dringt das ferne Schlagen von
Kirchenglocken durch den schmalen Luftschacht zu mir.
So kann ich viertelstündlich die Zeit erkennen. Wie schnell
vergeht eine Viertelstunde, wenn man auf seine Liebste
wartet, wie langsam unter diesen Umständen. Trotzdem lau-
sche ich gern den Kirchenglocken. Durch die Stille ist mein
Gehör geschärft und ich nehme sehr bewusst deren Klang

wahr. Manchmal beschleicht mich dann aber auch eine große Sehnsucht. Die Glocken wecken die Erinnerung an den weiten Raum der Kirche in Wechselburg, in der Dorothea die Partita in d-Moll von J. S. Bach gespielt hatte. Wie schön wäre es doch, Bachs tröstliche Musik wieder erleben zu dürfen! Nachts legt sich Schwermut wie ein großer dunkler Vorhang über mich.

Nach dem neunten Glockenschlag geht pünktlich das Licht aus, um mich dann in Intervallen immer wieder zu quälen. Noch habe ich mich nicht ganz daran gewöhnt und so bin ich hellwach, als *Das Neonlicht* Klopfzeichen von nebenan zu mir drin- *kämpft* gen. Es ist, als ob ein geheimes Leben *gegen die Sonne* in dem Bau erwacht, denn auch unter *und* mir vernehme ich nun Klopfgeräusche. *verliert.* Ich klopfe zurück, einfach so, um zu zeigen, ja ich bin hier, was gibt es denn. Es kommt eine Art Antwort, aber ich verstehe sie nicht. Irgendein System muss dahinterstecken. Das Morsealphabet, was mein Vater beherrschte, kommt mir in den Sinn, aber ich kann mich nur an einige Buchstaben erinnern. So hört nach einiger Zeit das Klopfen von nebenan auf. Nur entfernt geht es noch eine ganze Weile. Erst später soll ich hinter dessen Geheimnis kommen und es entschlüsseln. Jetzt kämpfe ich mit meiner Schlaflosigkeit, versuche mich mit dem Ausdenken kleiner Kurzgedichte abzulenken.

**Lügen ist anstrengend**

Am nächsten Tag führt man mich wieder zum Verhör. Psychologen haben die Tonbandaufzeichnungen des Erstverhöres ausgewertet und sind wohl zu dem Schluss gekommen, dass ein hartes Vorgehen bei mir nicht fruchtet. Nun also erwartet mich ein »Vernehmer«, der auf menschlich macht und mir als Erstes erzählt, dass er Musikliebhaber sei und seine Tochter ein Instrument lerne. Ich lasse mich auf seinen Schmusekurs nicht ein und beharre weiter darauf, dass ich nie »abhauen« wollte und alles ein Irrtum sei.

Pflichtbewusst tippt er all meine Falschaussagen mit drei Durchschlägen in seine Schreibmaschine, sagt mir aber auch, dass er kein Wort davon glaube, und fordert mich immer wieder auf, die Wahrheit zu sagen. Aber ich bleibe dabei und werde schließlich wieder auf meine Zelle geführt. Zu meiner großen Überraschung finde ich dort einen anderen Gefangenen vor: Chris, einen jungen Mann im Alter von zwanzig Jahren, der erstaunlich guter Dinge ist und mir sofort bereitwillig und offen alles über sich erzählt. Nach seiner Fahnenflucht hatte er versucht, über die Ostsee mit einem Schlauchboot abzuhauen. Am liebsten will ich ihm gleich meine ganze Geschichte erzählen, denn wir haben sofort einen Draht zueinander. Aber ich halte mich zurück, denn sicher ist dies eine Falle der Stasi. Ein Gleichaltriger, der sofort alles gestanden hat, soll mich nun animieren, auch die Wahrheit zu sagen. Mit der Gewissheit, dass in der Zelle Wanzen versteckt sind, erzähle ich auch Chris nur meine Lügengeschichte. Er ist so klug, nicht weiter nachzubohren, obwohl ich spüre, dass er sofort alles durchschaut. In unseren weiteren Unterhaltungen erfahre ich etwas für mich ganz Entscheidendes. Er berichtet mir von einem Rechtsanwalt Dr. Wolfgang Vogel und der Möglichkeit, sich von ihm vertreten zu lassen. Nur über seine Kanzlei, die Büros in Ost- und Westberlin hat, werde der Freikauf in den Westen ausgehandelt. Dies ginge natürlich nur, wenn man seinen Fluchtversuch zugäbe und ganz klar den Wunsch auf Aberkennung der DDR-Staatsbürgerschaft äußere. Endlich bekomme ich also, nach all den Gerüchten genauere Informationen. Die ganze Nacht muss ich darüber nachdenken. Sollte ich nicht doch ganz anders vorgehen?

Beim nächsten Verhör sagt mir mein Vernehmer betont nüchtern, dass es zwecklos sei, weiter zu lügen. Die Unterlagen der bulgarischen Grenzorgane seien eingetroffen, aus denen eindeutig hervorgehe, wie zielgerichtet wir eine Strecke von 25 Kilometern auf die Grenze zugegangen waren. Dies würde für eine Verurteilung reichen. Außerdem berücksichtige man bei der Festlegung des Strafmaßes auch das Verhalten nach der Tat. Ich bekäme auf jeden Fall eine höhere Haftstrafe, wenn ich weiter lüge. Als ich immer noch zögere, geht er ins Nebenzimmer und legt mir dann die Protokolle von Gerd und Dorothea mit deren Unterschriften vor. Von beiden kenne ich die Schreibschrift genau. Dass es hier die technischen Möglichkeiten gegeben hätte, zu manipulieren und die Unterschriften hineinzukopieren, kommt mir erst später in den Sinn.

Vielleicht wollte mein Unterbewusstes einfach den Druck des immer Lügenmüssens abstreifen und befreit ausrufen: Ja, es war ein Fluchtversuch! Ja, es gibt keinen sehnlicheren Wunsch, als diesen verdammten Staat auf immer zu verlassen! Mein Vernehmer spürt sofort, dass ich innerlich kippe und setzt nach: »Mag sein, dass Sie noch lange durchhalten, aber ich kann Ihnen sagen, wie wahnsinnig anstrengend es ist, wenn man über Monate lügen muss. Vor allem nützt es gar nichts. Die Indizien reichen für eine Verurteilung. Sie werden sehen, wie erleichtert Sie sind, wenn Sie nicht mehr jedes Wort genau überlegen müssen.« Und er hat recht! Eine Last fällt von mir, als ich nach langem Zögern die Wahrheit sage. Aber was für zwiespältige Gefühle gingen dem voraus, was für eine Überwindung hat es mich gekostet, denn ich gönnte ihm den Sieg nicht, durfte mir sein selbstzufriedenes, heimlich triumphierendes Gesicht einfach nicht vorstellen.

In den kommenden sechs Wochen gehören regelmäßige Verhöre zu meinem Alltag. Jedes kleinste Detail der Fluchtvorbereitung kommt zur Sprache, das gesamte Personenumfeld wird abgegrast. Anfangs ist es ein Katz- und Mausspiel, bei dem ich nie eine Chance habe. Auf die Frage z.B. »Nennen Sie uns doch mal Ihre wichtigsten Freunde«, will ich ganz klug sein und nenne nur fernere Bekannte, die politisch eher im Sinne des Staates waren. Erst später auf der Zelle wird mir klar, dass die Stasi sowieso meinen Freundeskreis wie das gesamte Dresdner Umfeld in ihren Akten hat und so nur alle nicht Genannten zu überprüfen braucht. Es war einfach naiv zu glauben, ich könne diese Profis hinters Licht führen. Ich traf auf überaus erfahrene Gegner und dies in einer geistig-körperlichen Verfassung, die nicht gerade zu Höchstleistungen befähigte. Eine Regeneration wird unter den Bedingungen in Haft auch in nächster Zeit nicht in Sicht sein. Also geht es weiter, immer weiter.

Besonders hartnäckig bohrt mein Vernehmer nach möglichen Eingeweihten, die nach dem inoffiziellen Rechtsverständnis der Stasi verpflichtet gewesen wären, uns anzuzeigen. Wenigstens hier haben wir keinen Fehler gemacht. Niemand wird hineingezogen. Auch grast er alle, für mich scheinbar nebensächlichen Dinge in der Zeit der Fluchtvorbereitung ab. Die Staatsmacht war wegen der maroden Wirtschaft scharf auf sogenannte »Tatwerkzeuge«, die man einziehen und sich damit bereichern konnte. Wer z.B. mit seiner Schreibmaschine einen Brief getippt hatte, dessen harmloser Inhalt dann als staatsfeindliche Hetze eingestuft wurde, und diesen Brief auch noch mit seinem Trabant zur Post brachte, der konnte sich nicht nur von seiner Schreibmaschine auf immer verabschieden, auch sein Auto wurde gleich mit beschlagnahmt.

## Trost

Mitte September trifft der erste Brief meiner Eltern ein. Nur ein Brief pro Woche ist ihnen in Zukunft erlaubt. Als ich den Brief in den Händen halte und lese, krampft sich alles in mir zusammen. Hinter der vermeintlichen Gefasstheit, den scheinbar harmlosen Sätzen schimmert ihr Unglück durch. Über ihre wahren Gefühle und Gedanken durften sie nicht schreiben, wollten aber auch, dass wir Kinder spüren, sie stehen hinter uns. Sicher gab es zahlreiche Entwürfe für diesen Brief. Sicher haben sie genau jedes Wort abgewogen. Allein die Vorstellung, wie beide

Wir befürchteten, Ihr könntet verunglückt sein. Insofern erscheint uns die unschöne Nachricht, die wir jetzt bekamen, daß Ihr im Verdacht einer Straftat steht und ein Ermittlungsverfahren gegen Euch läuft, nicht so schlimm wie die Befürchtung, Euch könnte das Allerschlimmste zugestoßen sein, denn wir können uns nicht vorstellen, daß Ihr zu einem Verbrechen fähig seid.

*Aus einem Brief des Vaters vom 9.9.1983*

zu Hause sitzen und über diesen Brief nachdenken, berührt mich zutiefst. Aber ich kann mich nicht gehen lassen, nicht im Beisein des Vernehmers, der neben mir sitzt, während ich lese. Tut er nur so, als ob er in seine Akten sieht und wartet auf ein Zeichen der Schwäche, darauf, dass ich mich zu einer Reaktion hinreißen lasse? Sucht er Anknüpfungspunkte, die ihm nutzen könnten?

Während der endlosen Verhöre tritt immer klarer hervor, dass man uns gegenseitig leicht ausspielen kann. Immer werden unsere Aussagen verglichen. Bei dem Versuch, so wenig wie möglich preiszugeben, gibt es oft kleine Ungereimtheiten, denen sofort nachgegangen wird. Wahrscheinlich werde ich deshalb nur jeden zweiten Tag verhört. Wenn vier Leute betroffen sind, hat man praktisch keine Chance, auch das kleinste Detail zu verheimlichen. Bis heute weiß ich nicht, wie die Stasi auf die Geige meiner Schwester gekommen war, deren Verlust mich so sehr schmerzte. Kurz vor Weihnachten teilte der Vernehmer mir – ganz im Bewusstsein seiner Allmacht – das Eintreffen der beschlagnahmten Geige in Berlin mit. Dies ging mir lange nach.

Alles schien damals so aussichtslos. Ich steckte es doch nicht so leicht weg, über lange Zeit kaum die Sonne oder den kleinsten Ausschnitt einer Landschaft zu sehen. Zwar wurden alle Häftlinge täglich zwanzig bis dreißig Minuten an die Luft geführt, aber die Sonne kam nur in der Mittagszeit kurz über die Mauern. Einmal hatte ich das Glück und konnte sie wenigstens im Gesicht spüren, wenn ich mich an der hinteren Wand ganz auf die Zehenspitzen stellte. Ansonsten war der sogenannte »Freigang« eine deprimierende Erfahrung. Um jeden Kontakt zwischen den Gefangenen zu verhindern, war der gesamte Innenhof in kleine, schmale Zellen aufgeteilt, in die wir einzeln eingeschlossen wurden. Ungefähr fünf Meter vor und zurück konnte man in dieser Art Hundezwinger laufen und selbst der Blick zum Himmel war durch den darüber angebrachten Maschendraht getrübt. Über der mittleren Mauer patrouillierte ein bewaffneter Posten und starrte mit eingefrorenem Gesichtsausdruck auf uns herunter. Einem deutschen Schäferhund steht per Gesetz wohl mehr Auslauf zu, dachte ich. Aber nach einiger Zeit gelang es mir, alles Deprimierende auszublenden. »... bald siehst du, wenn der Nebel fällt/ den blauen Himmel unverstellt/ in warmem Golde glänzen.« Diese Gedichtzeilen Mörikes kamen mir in den Sinn. Der Himmel über mir war nicht unverstellt, aber doch sah ich an einigen Herbsttagen sein wunderbares Blau. Auch einen Blick auf die Krone eines Ahornbaumes konnte ich von den seitlicher gelegenen »Hundezwingern« erhaschen. Mit großer Sehnsucht verfolgte ich dessen Herbstfärbung. Selten habe ich Farben so intensiv aufgenommen. Wie verschieden waren die Wolken jeden Tag, wie unterschiedlich roch die Luft: Über die Natur hatte der Mensch keine Macht. Diese Gedanken waren ein großer Trost.

## Strategien

Als sich mein Schlaf etwas stabilisiert hat, beginne ich über die wenigen Möglichkeiten nachzudenken, meinen Gefängnisalltag zu gestalten. Ich muss etwas für meinen Kreislauf tun. In der Zelle kann ich gut Kniebeugen, Liegestütze und Bauchübungen machen. In dem »Hundezwinger« auf dem Hof sind Dehnungsübungen und das freie Schwingen der Arme möglich. Auch das Laufen mit weit hochgezogenen Knien, wenn auch wegen dem geringen Platz meist auf der Stelle, bringt Erleichterung. Immer intensiver nutze ich die kurze Zeit, und das Waschbecken auf der Zelle erweist sich als wahre Wohltat, da ich regelmäßig völlig verschwitzt zurückkomme.

Auch mein Gehirn braucht Beschäftigung, gerade an den verhörfreien Tagen und über das Wochenende. Auf meine Bitte hin wird es meinen Eltern gestattet, bei einem Besuch ein Lehrbuch für Französisch mitzubringen. So kann ich später jeden zweiten Tag, wenn kein Verhör stattfand, ein ganzes Kapitel durcharbeiten und komme schnell vorwärts. Was für ein Privileg es war, ein sogenanntes Fachbuch zu bekommen, werde ich erst später im Strafvollzug erfahren, wo dies prinzipiell und ohne Ausnahmen verwehrt wird. Diese Genehmigung passte zu dem Versuch der Stasi, sich nach außen immer als äußerst korrekt darzustellen. Nach dem Motto, wir machen hier auch nur unseren Job, wissen selber, dass in der DDR nicht alles rundläuft, aber ohne uns wäre alles noch schlimmer.

Als weitere Überlebensstrategie beschließe ich, mir einige Reserven anzuessen. Vermutlich wird das Essen während des Strafvollzuges weniger nahrhaft ausfallen. Für DDR-Verhältnisse ist der Speiseplan bei der Stasi recht ordentlich, vor allem kann ich beliebig viel Nachschlag bekommen. So esse ich jeden Tag ein wenig mehr. Mein Gewicht steigt in vier Monaten von 81 auf 87 Kilo. Für meine Verhältnisse beachtlich, da ich noch nie mehr als 83 Kilo gewogen hatte. Chris lacht sich immer halb tot, wenn ich bis zu drei Scheiben Schwarzbrot, vier Stücke Weißbrot und fünf Knäckebrote mit viel Butter und Marmelade allein zum Frühstück verschlinge. »Dicker, dicker ward der Bauch, aufgeblasen wie ein Schlauch«, lästert er dann. Der Gefängnisarzt, der regelmäßig mein Gewicht überprüft, schaut recht ungläubig, da es bei allen anderen Häftlingen mit dem Gewicht wohl eher abwärtsgeht. Dass mir dieses Zunehmen gelingt, liegt auch an meinem früheren Interesse, körperliche Vorgänge mit dem Bewusstsein zu steuern. Bereits seit meiner Abiturzeit hatte ich mich mit autogenem Training beschäftigt und auch handgefertigte Abschriften über Yogatechniken gelesen.

Nach sechs Wochen Untersuchungshaft bekamen meine Eltern endlich die Genehmigung, mich zu besuchen. Das erfuhr ich nicht vorab. Ich erkannte nur an den mir unbekannten, verwinkelten Gängen, über die ich geführt wurde, dass etwas Neues auf mich wartet. Nach der lapidaren Mitteilung, dass im Nebenraum meine Eltern säßen, erfolgte eine strenge Belehrung über all das, worüber ich nicht sprechen darf: über die Lebensbedingungen in der U-Haft, über die Flucht, deren Vorbereitung und alles, was sonst noch mit meiner »strafbaren Handlung« zu tun hat. Anderenfalls würde der Besuch sofort abgebrochen.

Ganz befangen betrat ich den Raum. Als ich sie da beide

sitzen sah, meine Mutter ganz eingeschüchtert, mein Vater aufrecht, aber doch nicht mit der gewohnten Souveränität, überkam mich unendliches Mitleid. Meine Stimme zitterte und ich rang, wie meine Mutter auch, um Fassung. Nicht einmal die Hand geben durfte ich und nur stockend kam ein Gespräch in Gang. Direkt neben uns saß der Vernehmer, der alles genau beobachtete. Meine Mutter, in ihrer Verzweiflung, sagte, dass es einen Neuanfang für uns in Dresden geben könnte, wenn wir die »Tat bereuten«. Sie wusste, dass ihr zwei ihrer Kinder für immer verloren gehen. Bei einer Entlassung in die Bundesrepublik würden wir nie mehr eine Einreise in die DDR bewilligt bekommen. Anfang der 80er-Jahre war an eine Wiedervereinigung überhaupt nicht zu denken. Ich versuchte diplomatisch zu formulieren, dass ich erst einmal den Ausgang des Prozesses abwarten und eventuell danach einen Ausreiseantrag stellen würde. Aber ich versicherte meinen Eltern, dass ich stark genug sein würde, um das alles unbeschadet zu überstehen. Schon war die Zeit abgelaufen und der erzwungen nüchterne Abschied ohne Händedruck erforderte wieder Selbstbeherrschung.

## Dankbarkeit

In meiner Zelle geht mir das Bild meiner Eltern nicht aus dem Sinn. Wie müssen sie gelitten haben, als sie von unserer Verhaftung erfuhren. Was machen sie jetzt täglich durch? Werden sie zu Verhören bestellt, von Nachbarn bespitzelt, an der Hochschule angefeindet, von ängstlichen Kollegen gemieden? Eine große Dankbarkeit steigt in mir auf. Meine Eltern haben uns so viel Gutes mit auf den Weg gegeben und auch vorgelebt.

Musik war für sie wesentlicher Teil des Lebens. Alle drei Kinder durften ein Instrument lernen. Meine Mutter war in einem Musik liebenden Umfeld aufgewachsen. Sie hatte als Kind erlebt, wie ihre Eltern oft ganze Schubert-Symphonien vierhändig vom Blatt spielten. Mangels Musikkonserven existierten in jener Zeit viele Notenausgaben, mit denen man sich Kammermusik, Symphonien oder Opern erschließen konnte. Bis zum Abitur hatte sie Geige gespielt und war eine leidenschaftliche Konzertgängerin. Wenn im Radio klassische Musik gespielt wurde, erkannte sie sofort den Komponisten. Mein Vater trat in seiner Kindheit mit dem Gesangsverein seines Heimatdorfes auf, den sein Vater leitete. Mein Großvater hatte sich einst Noten aus Wien kommen lassen und dann die einzelnen Stimmen für seinen Laienchor mit der Hand herausgeschrieben. Im Sommer wurden auf einer Waldbühne des Dorfes sogar ganze Operetten aufgeführt. Die schöne Tenorstimme meines Vaters, der all die Lieder und Schlager aus jener Zeit noch kannte und öfters vor sich hin trällerte, hat mich durch meine Kindheit begleitet.

Noch vor meiner Einschulung organisierte meine Mutter den ersten privaten Klavierunterricht für mich. Er kostete fünf Mark für die Stunde. Dies war, gemessen am Einkommen meiner Eltern, sehr viel Geld. Dafür war die Lehrerin gut und ich konnte zu Fuß in zwanzig Minuten allein zu ihr gehen. Immer wieder gab es Zeiten, in denen ich lieber Fußball spielen oder etwas anderes unternehmen wollte. Aber meine Mutter hatte mit Weitsicht und ohne mir aus Bequemlichkeit nachzugeben dafür gesorgt, dass ich regelmäßig übte. Oft saß sie am Anfang beim Üben neben mir und leitete mich liebevoll an. Es dauerte eine Weile, bis ich täglich freiwillig musizierte. Durch meine guten Fortschritte eröffnete sich die Möglichkeit, als Übungsschüler an der Musikhochschule unterzukommen. Ich wurde jeweils zwei Jahre lang von einem Studenten unterrichtet, der monatlich eine Stunde in Anwesenheit eines Professors halten musste. Dabei wurde auch oft über Pädagogisch-Didaktisches diskutiert. So nahm ich – eher unterbewusst – eine ganze Menge an Kenntnissen mit auf, die mir später in meiner ersten Münchener Zeit halfen, als ich durch Klavierunterricht meinen Lebensunterhalt verdiente. Meine Eltern hatten eine große Bibliothek. Als ich mit 15 begann leidenschaftlich zu lesen, gaben sie mir viele Anregungen. Meine Mutter nahm mich ins Theater und in Konzerte mit. Ich begann selbst Gedichte zu schreiben und konnte mir schließlich ein Leben ohne Kunst nicht mehr vorstellen.

Wie alles Künstlerische mir in meinem Gefängnisalltag jetzt fehlt. Und wie ich die Gelegenheit herbeisehne, meinen Eltern alles ungestört zu erklären und besonders meiner Mutter zu sagen, dass ich nicht sie, sondern den Staat verlassen wollte. Dass es keine andere Chance gab, um in Freiheit zu leben, dass es mir unendlich leidtut, weil ich weiß, wie quälend und bedrückend ihre Lebensumstände jetzt sein müssen. Ich denke daran, wie sie auf der Heimfahrt im Zug nach Dresden sitzen, verzweifelt, voller Sorgen. Und ich sitze in meiner engen Zelle, ohne sie trösten oder ihnen beistehen zu können.

In solchen Situationen ist mir Chris eine große Hilfe. Er ist bereits länger in U-Haft und hat gelernt gelassener mit solchen Sorgen umzugehen. Das Einzige, was man im Gefängnis im Überfluss hat, ist Zeit. Im Laufe der nächsten Wochen werden Chris und ich uns gegenseitig aus unserem Leben erzählen. Mit kaum einem Menschen war ich so vertraut wie mit ihm. Tag und Nacht können wir uns austauschen, immer im Wechsel mit Stunden, wo wir lesen und jeder für sich nachdenkt. Später formen wir aus Weiß- und Schwarzbrot primitive Schachfiguren. Mit Weißbrot brechen sie öfter, mit Schwarzbrot dagegen halten sie länger. Eines Tages wird uns dann sogar offiziell ein Schachbrett genehmigt. Beim Schachspielen steigere ich mich manchmal so hinein, dass ich vor lauter Anspannung fast ins Schwitzen komme.

Von Chris lerne ich auch endlich das Knastalphabet: Einmal Klopfen bedeutet A, zweimal das B und so weiter. Man zählt nicht, sondern geht beim Klopfen oder Zuhören einfach das Alphabet mit durch. Am Ende jedes Buchstabens wird kurz zweimal zurückgeklopft, um zu signalisieren, dass man verstanden hat. So tauschen wir mit den beiden Nachbarzellen Informationen aus. Vor allem nachts, wenn die Schritte des Postens genügend entfernt sind, erwachen die sonst stillen Mauern zu neuem Leben, als ob kleine nachtaktive Tierchen unterwegs wären. Das hat etwas Aufmunterndes. Wir erkundigen uns nach dem Namen unserer Nachbarn und weshalb sie hier gelandet waren. Auch Beruf und

Herkunft oder Termin des Prozesses sowie die befürchtete Strafdauer werden übermittelt. Am Ende klopfe ich immer »Gute Nacht«.

Hinter der Wand neben mir versucht ein Physiker namens Micha vergeblich zu schlafen. Er wird wegen staatsfeindlicher Hetze verhört und rechnet mit drei bis acht Jahren Haft. Ein Dreivierteljahr später werden wir uns per Zufall im Zuchthaus Brandenburg kennenlernen: der Beginn einer Freundschaft, die bis heute dauert.

## Zuflucht Literatur

Eine große Ablenkung sind die Bücher. Jeder Gefangene darf pro Woche zwei ausleihen. Dazu fährt ein Bücherwagen an jeder Zelle vorbei. Die Essensklappe öffnet sich, man hört nur ein unwirsches »Bücher«, muss die gelesenen hinausschieben und bekommt zwei neue. Es gibt keine Chance, Einfluss zu nehmen, welche Bücher es sind. Der Büchermann greift einfach wahllos in die Reihen. Manchmal habe ich auch riesiges Glück. Einen Freudentanz führe ich auf, als Thomas Manns ›Doktor Faustus‹ in meinen Händen liegt. Thomas Mann scheint den Chefideologen sozialistischer Kulturpolitik wohl als geeignet, die Dekadenz der spätbürgerlichen Gesellschaft darzustellen. Nach all dem blutleeren Amtsdeutsch der Verhöre sauge ich den Reichtum der Sprache in mich auf; begeistere mich an der Abhandlung über Beethovens späte Klaviersonate op.111. Wie schnell die Zeit beim Lesen vergeht. Stark vertreten sind auch Bücher aus unserem »sowjetischen Bruderland«, – zum Glück meist russische Literatur des 19. Jahrhunderts. So lerne ich die Erzählungen von Anton Tschechow schätzen und verschlinge beide Bände der ›Brüder Karamasow‹ von Fjodor Dostojewski. Da die Verhöre zu diesem Zeitpunkt bereits abgeschlossen sind, fehlen sonst alle äußeren Eindrücke, mein Leben verlagert sich nach innen. Es bleibt genügend Zeit, das Gelesene nachwirken zu lassen: Eine Erfahrung, die ich mir heute in unserer hektischen Zeit immer wieder in Erinnerung rufe.

In den Briefen an meine Eltern, die ich einmal pro Woche im Beisein meines Vernehmers schreiben darf, reflektiere ich oft über das Gelesene. Was sonst auch soll ich ihnen mitteilen. Über die wirklichen Umstände meines Gefängnislebens zu berichten, ist streng verboten. Wenn die Post meiner Eltern eintrifft, die mir ganz regelmäßig genau alle sieben Tage schreiben, bringt ihre Anteilnahme Wärme in meine neonkalte Welt – aber oft auch Wehmut, denn hinter all diesen aufmunternden Worten spüre ich, wie unglücklich sie sind.

Natürlich beschäftigt es meine Eltern, welche Haftstrafe auf mich zukommt, und so spreche ich meinen Vernehmer darauf an. Er sagt, dies sei Sache des Staatsanwaltes. Laut Gesetz seien bei illegalem Grenzübertritt im schweren Fall nach §213 zwei bis acht Jahre möglich, aber er schätze mal, so zweieinhalb bis dreieinhalb Jahre. Nach der Wende werde ich beim Lesen meiner Stasi-Unterlagen einen handgeschriebenen Zettel finden, auf dem jemand unsere Haftstrafen bereits vor dem Scheinprozess festlegte. Nach welchen Kriterien, das werde ich nie herausbekommen. Von Chris erfahre ich, dass er einen Kumpel kannte, der über Rechtsanwalt Vogel etwa nach der Hälfte der abzusitzenden Zeit freikam. Also musste ich mit etwa eineinhalb Jahren Gefängnis rechnen. Das entsprach der Dienstzeit bei der Armee. Die hatte ich ja auch schon überstanden und dabei einige Überlebensmechanismen entwickelt. Mit solchen Gedanken beruhige ich mich selbst. Meine Eltern tröste ich mit dem Vergleich, dass das Gefängnis auch nicht schlimmer als die Armee werden würde. Damals hatte ich erlebt, wie durch militärische Ausbildung der Wille gebrochen wird, wie Menschen zu einem jeden Befehl ausführenden Organ erzogen werden. Militär funktioniert auch anderswo nur durch unbedingte Befehlsausführung. Aber in Ländern wie der DDR

> Michael, ich kann es auch heute noch nicht fassen, daß Du Dich in dieser Lage befindest, und ich will Dir nicht verschweigen, es ist schwer für uns, das seelisch zu verkraften.
>
> *Aus einem Brief der Mutter vom 25.9.1983*

gibt es keinen Rechtsstaat im Hintergrund. Der absoluten Machtfülle steht keine demokratische Kontrolle entgegen. Wo sollte man seine Rechte einklagen, welcher Rechtsanwalt hatte den Mut, einen Soldaten, dem nachweislich Unrecht geschehen war, zu verteidigen? Es gab niemanden. Also war man vollkommen wehrlos all den zynischen Vorgesetzten ausgeliefert. Aus meiner heutigen Sicht war die körperliche und seelische Belastung während der Armeezeit schlimmer als später im Gefängnis.

## Drill

Wir wurden nach Abschluss der 12. Klasse im November eingezogen. Bis dahin hatte ich eher im geschützten Raum unter Gleichgesinnten gelebt. Mit 19 war ich nun plötzlich einem System unterworfen, in dem Menschen über mich verfügten, die meistens älter waren und geprägt von ihrem instinktiven Hass gegen »feine Leute«. Ihnen war klar, dass sie im »Arbeiter- und Bauernstaat« am längeren Hebel saßen. Neben dem Druck seitens der Offiziere gehörten Anfeindungen und Schikanen von Soldaten zur Tagesordnung. Es gab kein Entrinnen, keine Möglichkeit auch nur für Augenblicke ungestört zu sein. Schon beim ersten Betreten des Stützpunktes wurde ich angeschrien, weil ich wohl nicht das richtige Gebäude gefunden hatte. Es waren teilweise Offiziersschüler, die einen aggressiven Umgangston lernen sollten und das an den eher ängstlichen Neulingen ausprobierten. Der Kontrast zu den vorangegangenen zwei Monaten, in denen ich in der Dresdner Gemäldegalerie als Nachtwächter gearbeitet und stundenlang vor den Gemälden gestanden hatte, konnte größer nicht sein.

Früh um fünf Uhr Wecken, ein Vorgesetzter poltert durch die Tür und schreit: »Schneller, kommen Sie aus dem Arsch!« Zwei Minuten bleiben, um in Reih und Glied vor der Kaserne anzutreten, den Befehl für den Morgensport zu empfangen: Heute 3000-m-Lauf, aber zack, zack! Dann folgen Exerzierdrill, ganz in der Tradition der Preußenkönige, und lange Märsche. Wir robben durch unwegsames Waldgelände. Als ich einer großen Regenpfütze ausweichen will, stellt sich ein Offizier breitbeinig neben mich und sagt:»Soldat Proksch, der Befehl lautet geradeaus anschleichen und nicht in Schlangenlinien!« Auf mein Zögern hin schreit er noch lauter und sieht genüsslich zu, wie ich durch den Morast krieche. Schlammverschmiert in nasser Uniform muss ich dann den Rest des kalten Novembertages durchstehen.

Die öffentliche Vereidigung fand an einem grauen Dezembertag auf einem Marktplatz statt. Wir wussten, dass wir jeden Befehl ausführen mussten, nachdem wir diesen Eid geleistet hatten. Bei Verweigerung drohte das Militärgefängnis in Schwedt, das viele nur mit bleibenden seelischen Schäden überstanden hatten. Im Kriegsfall gar die sofortige standrechtliche Erschießung. Mein Vater war extra aus Dresden angereist und durfte gerade mal ein paar Minuten mit mir sprechen, bevor wir wieder in die Kaserne einrückten. Bei ihm löste die Atmosphäre der Vereidigung schlimme Erinnerungen aus. Eine verzweifelte Gefasstheit zog sich über sein Gesicht. Kurz danach schrieb er mir in einem Brief, wohl wissend, dass dieser kontrolliert wurde: »Über die Erinnerung, die einige der gewonnenen Eindrücke in mir auslösten, möchte ich mich nicht auslassen. Sie nützen Dir nichts. Mich aber haben sie nicht in ein freudvolles Entzücken versetzt.« Ich verstand die Botschaft hinter diesen Sätzen. Es folgten Ratschläge, wie ich mich am besten verhalten sollte, an denen mir klar wurde, dass sich nicht viel seit seiner Soldatenzeit verändert hatte.

Auch er hatte unter jener Ohnmacht gelitten, die nun mir zu schaffen machte. Schutzlos war ich der Willkür terrorisierender Offiziere ausgeliefert. Ich wusste, dass niemand mir helfen würde. Menschenrechte gab es nicht. So nahm ich zähneknirschend all die Demütigungen, wie das stundenlange Schneiden des Rasens mit einer kleinen Küchenschere, hin. Der Verstand sollte ausgeschaltet werden. Wir wurden auf willenlose Ausführung getrimmt. Ich merkte, wie mir langsam die Kraft selbst zum inneren Widerstand ausging. Anfangs hatte ich noch versucht, die Zeit zu nutzen; ich lernte bei den endlosen Märschen lateinische Vokabeln, weil ich kein Latein in der Schule hatte und mir eine Grundlage für andere Sprachen aneignen wollte. Nach ein paar Wochen gab ich es auf. Meine selbst angefertigten Karten mit den Vokabeln blieben im Spind liegen.

Es war ein trauriger Heiliger Abend. Ich musste Außenstreife laufen. Während überall Menschen in kerzenbeleuchteten Räumen dieses Fest des Friedens beginnen, stapfte ich mit dem Tod auf dem Rücken durch den stockfinsteren Wald. Nicht einmal der Mond sendete mir ein Licht, nur ab und zu schaute er zwischen den von starkem Wind gescheuchten Wolken hervor. In einem Schützenloch, wo es gemütlich war wie in einem Grab, grub ich mit der Hand eine kleine Nische in die Seitenwand und stellte eine Kerze hinein, die ich heimlich mitgenommen hatte ...

*Aus einem Brief von Michael Proksch an seine Eltern*

Bei der Grundausbildung lernte ich meinen Freund Gerd kennen, in einer heiklen Situation. Er musste als Strafe Toiletten putzen und kam deswegen später zum Mittagessen. Gerade hatte er seinen Graupeneintopf mit Fleisch entgegengenommen, da kam schon der Befehl »Essen beenden«. Als er aber dennoch versuchte, schnell ein paar Löffel hinunterzuschlingen, stellte sich einer jener Offiziersschüler dicht vor ihn und sagte: »Soldat Hortsch, es hieß, Essen beenden!« Ich bemerkte, dass die Wut in Gerd hochkochte und dass er drauf und dran war, ihm die heiße Suppe ins Gesicht zu schütten. Im letzten Moment konnte ich seinen Arm festhalten und ihn damit vor dem Militärgefängnis bewahren. Wir wurden die besten Freunde und noch heute fällt es mir schwer, seinen frühen Tod zu verwinden. Leider trennte uns meine Verlegung in eine Wachkompanie der Luftabwehr nach Fürstenwalde. Dort musste ich als Außenposten stundenlang in der Kälte vor »wichtigen Objekten« herumstehen, oder Streife laufen. In besonders klarer Erinnerung blieb mir ein 48-Stunden-Dienst an Weihnachten 1977, den ich – alle Vorsicht außer Acht lassend – in einem Brief an meine Eltern beschrieb.

Um den zermürbenden, geistlosen Gesprächen auf meiner Acht-Mann-Stube zu entkommen, begann ich mit Kraftsporttraining. In einem kleinen Raum mit Trainingsgeräten war ich anfangs meist allein. Zwischen den Übungsserien konnte ich sogar lesen. Später trainierte noch ein ruhiger, angenehmer Kamerad mit. Er wusste genau, wie man am effektivsten »Muckies aufbaut« und zog mich richtig mit. Mein Ehrgeiz wuchs, ich trainierte immer härter und stellte nach einem halben Jahr erstaunt fest, dass meine Umgebung mir mehr Respekt entgegenbrachte. So überstand ich die 18 Monate Grundwehrdienst zumindest körperlich unversehrt. Andere haben den ständigen psychischen Druck einfach nicht mehr ausgehalten. Ein Bekannter aus meiner Truppe warf sich nach über einem Dienstjahr während des Ausgangs vor den Zug. Ausgerechnet zu dieser Zeit war ich wegen meiner Schreibmaschinenkenntnisse Kompanieschreiber geworden und musste so einen Bericht über seinen als »Unfall« deklarierten Suizid abtippen. Bei der Aufnahme der persönlichen Daten hielt ich seinen blutverschmierten Wehrdienstausweis in Händen und hackte mit zitternder Hand seine persönlichen Daten mit drei Durchschlägen in die Schreibmaschine. Dabei rang ich mit der Fassung, da der Kompaniechef im selben Raum war. Er überwachte den Vorgang und verdonnerte mich zu absolutem Stillschweigen.

## Verbiegungen

Während meiner Verhöre kam eine schwierige Aufgabe auf mich zu. Ich sollte eine ausführliche, schriftliche Stellungnahme zu meiner »Straftat« verfassen. Nach der Einschätzung von Chris war es ziemlich wahrscheinlich, dass ein Freikauf in den Westen zustande kam, wenn Rechtsanwalt Vogel den Fall übernahm. Aber man dürfe nicht zu aufsässig sein, da sonst die Stasi befürchte, man könne vom Westen aus gegen die DDR agitieren. Ich entschied mich, scheinbar reuevoll zu sein. Beim Prozess würde ich dann klar sagen, dass ich »rüber will«.

Heute weiß ich, meine mit »diplomatischer« Reue geschriebene Stellungnahme war vor allem aus Schwäche entstanden. Ich habe mir damals auch selbst etwas vorgemacht. Bei allem Stark-sein-Wollen gab es doch diese ganz ängstliche Stimme in mir, die im Hintergrund flehte: *Ja, gib klein bei, unterwirf dich, dann wird alles wieder gut.* Zwanzig Jahre später fand ich in einer Schostakowitsch-Biografie diese Verhaltensart wieder, als ich las, wie dieser empfindsame und verletzliche Mensch sich freiwillig mit Stalins Schriften beschäftigte. In der ständigen Angst, jederzeit nach Sibirien in ein Lager verbannt zu werden – bei jedem Klingeln an seiner Wohnungstür zuckte er zusammen –, versuchte er den unberechenbaren Diktator zu verstehen und ordnete sich unter.

Nach dem Schreiben meiner »Stellungnahme« wird es in mir und um mich ruhiger. Ich muss meinen Vernehmer nicht mehr sehen, bin seelisch ziemlich stabil, habe mich auf die neuen Lebensumstände eingestellt. Es geht sogar so weit, dass Chris und ich einigen Spaß haben. So lacht er immer über meinen Wunsch nach Bayern zu gehen, was für ihn als Berliner unvorstellbar ist, und macht einen bayerischen Schuhplattler nach, den er im Westfernsehen gesehen hatte. Er tanzt in der schmalen Zelle herum und schlägt sich auf Schenkel und Schuhsohlen. Immer hat er einen lockeren Spruch drauf. Selbst über seine misslungene Flucht kann er wieder lachen und textet auf eine bekannte Schlagermelodie: »Traue niemals blonden Frauen und schon gar nicht den Motoren, welche ferne Russen bauen.« Er hatte mit einem Schlauchboot über die Ostsee nach Dänemark fliehen wollen, aber der in der Sowjetunion produzierte Außenbordmotor machte bereits nach sieben Kilometern schlapp. Durch starken Wellengang und zunehmenden Wind, der unglücklicherweise von Nordwest entgegenwehte, hatte er mit Rudern keine Chance und wurde wieder zurückgetrieben.

Selbstironie kann eine Art Schutz werden. Lachen hält gesund. Wir werden fast übermütig und nehmen uns vor, nachts bei der Lichtkontrolle, wenn ein körperloses Auge durch den Spion auf uns starrt, obszöne rhythmische Bewegungen unter der Bettdecke zu machen. Aber als es so weit ist, trauen wir uns doch nicht. Erst in der nächsten Nacht gehen wir so weit. Der Posten reagiert nicht. Was wird er wohl denken? Auch er ist auf eine Art eingesperrt bei seinen allnächtlichen Diensten. Bekommt er Sehnsucht nach seiner Freundin? Hat er überhaupt eine bei diesem Job? Nach ein paar Tagen probieren wir es wieder, als ein neuer Posten Schicht hat. Dem ist es erkennbar unangenehm und er brummt etwas unentschlossen nur: »Lassen Sie das.« Wahrscheinlich gibt es für diese Situation keine genauen Anweisungen.

Ende November heißt es auf einmal: »Sachen packen.« Das bedeutet Verlegung. Vielleicht hat einer der Nachtposten unser Verhalten gemeldet. Zur Eile gezwungen, wickle ich meine wenigen Habseligkeiten in eine Bettdecke. Für ein Abschiednehmen bleibt keine Zeit, der Posten steht an der offenen Tür und drängt. Ich kann Chris nur kurz »Tschüss« sagen. Man legt mir Handschellen an und bringt mich in das bereits bekannte Lieferfahrzeug mit den kleinen Zellen. Ganz benommen über diesen abrupten Abschied, wird mir erst jetzt bewusst, wie stark wir zusammengewachsen waren und wie Chris mir fehlen wird. Ungefähr eine Stunde dauert die Fahrt. Nach dem Aussteigen stehe ich vor einem etwas neueren Gebäude. Auch die Sicherheitsschleusen und die Gänge im Inneren wirken frischer. Die Zellen sind ganz ähnlich, nur dass es flache Betten gibt, die aber tagsüber hochgeklappt werden müssen, damit man nicht liegen kann. Also würde ich bequemer schlafen und beim Laufen tagsüber etwas mehr Platz haben. Ich versuche mich mit meinem »neuen Heim« anzufreunden. Bestimmt wird noch ein anderer Häftling zu mir »geschlossen«.

**Einzelhaft**

Aber es passiert nichts, tagelang. Ich bleibe allein. Auch der ersehnte Bücherwagen kommt nicht. Nach und nach denke ich, dass dies kein Zufall ist. Will man mich weichklopfen, damit ich später beim Prozess meinen Wunsch, in den Westen zu gehen, zurückziehe? Ich greife zu bewährten Taktiken, um die Zeit unbeschadet zu überstehen. ›Die Gedanken

Die Gedanken sind
frei, wer kann
sie erraten?
Sie fliegen vorbei,
wie nächtliche
Schatten.
Kein Mensch kann
sie wissen,
kein Jäger erschießen,
es bleibet dabei,
die Gedanken
sind frei.

*Aufgezeichnet
von August Heinrich
Hoffmann von
Fallersleben 1842*

sind frei‹ kommt mir in den Sinn. Ein Lied, das in der Kleinkunstszene gern vorgetragen wurde und bei dem das ganze Publikum spontan mitsang, weil der Text dieses Volksliedes politisch nicht antastbar war.

Es gab ein stilles Verständnis für die Botschaft hinter den Worten und alle im Publikum damals genossen die befreiende Wirkung des Textes und die Tatsache, dass die Stasi nichts dagegen sagen konnte. Mir geht vor allem die dritte Strophe oft durch den Sinn: Und sperrt man mich ein im finsteren Kerker/ das alles sind rein vergebliche Werke/ denn meine Gedanken, sie reißen die Schranken/ und Mauern entzwei: Die Gedanken sind frei!

Eine unwirkliche Stille herrscht in dem Gebäude. Kein Klopfen nachts. Kein Türschließen in der Nähe. Alles scheint wie ausgestorben. Auch beim »Freigang« höre ich keine Schritte in den »Nachbarkäfigen«. Ist dieses Gefängnis vielleicht als Internierungslager bei einem eventuell ausbrechenden Volksaufstand vorgesehen und deshalb noch leer? Dauer*haft* allein beginne ich mich wieder ganz in meine innere Welt zu flüchten; versuche mich bewusst an inspirierende Erlebnisse meiner Jugend und Studentenzeit zu erinnern und durch Assoziationsketten jedes kleinste Detail noch einmal lebendig werden zu lassen.

Es kommt mir die Idee für eine Art stummes Fingertraining. Vielleicht würde ich so später wieder schneller in das Klavierspiel reinkommen. Das hochgeklappte Bett hat gerade die richtige Höhe, wenn ich davor stehe und mit den Fingerkuppen imaginäre Stücke auf das Holz klopfe. Neben Übungen für die Unabhängigkeit der Finger, versuche ich mich auch an Stücke, die ich gespielt habe, zu erinnern. Schumanns Novelette in F-Dur muss das Bett nun über sich ergehen lassen, dann die Königsfuge aus J. S. Bachs ›Wohltemperiertem Klavier‹, bis eine zu dem Auge hinterm Spion gehörige Stimme mir ein Weiterüben verwehrt. Tags darauf versuche ich es wieder und habe Glück. Ein anderer Posten erkennt wohl die Harmlosigkeit meiner Fingerübungen und lässt mich gewähren. Später wird mir klarwerden, wie zwecklos all diese Versuche waren, da jede Feinmotorik bei der Zwangsarbeit im Strafvollzug zunichtegemacht werden wird. Aber im Augenblick tut es gut und belebt mich nach all der Bewegungsarmut.

Auch die halbe Stunde beim täglichen Freigang wird immer wichtiger. Durch das Fehlen eines Fensters – es gibt auch hier nur dicke, undurchsichtige Milchglasscheiben – empfinde ich alle sinnlichen Reize an der frischen Luft noch intensiver. Zwar steht hier kein Baum in Sichtweite, aber jeden Tag schmeckt die Luft anders, ist der Himmel verschieden. Manchmal weht der Wind ein welkes Blatt vorbei, das dann durch den Maschendraht über mir in die Freigangszelle herunterfällt. Genau studiere ich die Struktur dieses Blattes und muss mir dabei eingestehen, dass ich nicht einmal weiß, von welcher Baumart es stammt. Damit würde ich mich auf jeden Fall in der Freiheit beschäftigen. Was für eine Freude, wenn manchmal die Sonne noch scheint! Zum Glück haben die »Hundekäfige« hier nach Süden zu freie Sicht. Ich genieße jeden Sonnenstrahl, auch wenn die Sonne im Dezember schon so schräg steht, dass sie nicht mehr wärmt. Licht, einfach Licht!

Meine Sehnsucht nach der Natur wird stärker. In die Zelle zurückgeschlossen, beginne ich mir Bilder aus der Natur

Hab mir
die sehnsucht
erhalten
auf waldwegen
zu tasten,
barfuß
deren weiche
spürend,
zufrieden
zu sein
in vogelstille,
die
diese erde
nichts kostet.

Hab mir
die sehnsucht
erhalten
gebirgswassern
zu lauschen,
deren reinheit
trinkend,
zufrieden
zu sein
unterm blätterdach,
das
diese erde
nichts kostet.

vorzustellen. Immer wieder sind es Fantasielandschaften, die den Erlebnissen im Erzgebirge entspringen. Auch Gemälde von C. D. Friedrich, die ich aus den Bildbänden meines Vaters kannte oder bei meinen nächtlichen Rundgängen durch die Dresdner Gemäldegalerien im Original betrachtet habe. Zwischendurch kommen Erinnerungen an eigene Gedichtzeilen.

Eines Tages erwartet mich beim Freigang eine wunderbare Überraschung. Eine zarte weiße Schicht liegt über allem: der erste Schnee. Mit welcher Kraft verändert sein Weiß die grauen Mauern. Staunend und glücklich sehe ich mich um. Gedämpfter dringen alle Laute zu mir. Der Schnee hat alles in ein weißes Tuch aus Schweigen gehüllt.

Wieder denke ich mir kleine Aphorismen aus und schreibe sie mit Seife an den Spiegel über dem Waschbecken. Ich habe keine Bücher und so sehe ich wenigstens wieder einige Wörter vor mir; wische sie weg und schreibe neue. Gedanken entwickeln verborgene Kräfte. Ich spüre sie noch stärker, wenn sie weiß auf dem Spiegel geschrieben stehen. Vielleicht hilft André Gides »Sich in seine Unruhe verlieben«. Zumindest bleibt es erst einmal einen ganzen Gefängnistag am Spiegel, um abgelöst zu werden von »Sich in seiner Vielschichtigkeit verlieren«.

Tag um Tag vergeht in meiner Zelle mit solcherlei Gedanken. Ich habe aufgehört, mir die Wochentage zu merken und verliere zunehmend die Orientierung. Hier gibt es keine Kirchenglocken in der Nähe, um über die Zeit im Bilde zu sein. Die einzige Gliederung des Tages sind die Mahlzeiten. Ich merke, wie die immer langsamer dahinschleichende Zeit einen Schleier von Lethargie über mich legt. Mein Wille, mir weiterhin einen Reservespeck anzuessen, ist versiegt, die stummen Fingerübungen empfinde ich als zwecklos. Ich beginne abzudriften.

»Wo aber Gefahr ist, wächst das Rettende auch.« Hölderlins Weisheit steigt in mir empor und wie aus dem Nichts schlägt die Lethargie in Wut um. Ich will mich bewegen. Die Zelle wird mir zu klein. Wie ein Verrückter beginne ich Liegestütze und Kniebeugen zu machen. Wieder und immer wieder. Erst wenn ich körperlich richtig erschöpft bin, werde ich ruhiger. Aber nun entsteht in den Gedanken ein eigenartiges Grollen. Ich kann es zuerst nicht deuten. Aber dann wird mir klar. Es ist der Wunsch, nach all den Versuchen, mich durch schöne Erinnerungen zu motivieren, wenigstens in Gedanken noch einmal abzurechnen mit 20 erlebten Jahren SED-Herrschaft. Auch, wenn dabei all das Negative noch einmal hochkommt. Ja, morgen würde ich damit anfangen, am besten mit der Kindheit.

### Die Amsel und der 1. Mai

Am nächsten Morgen erwache ich mit dem Gedanken, dass heute eine Aufgabe vor mir liegt, und stelle mir die Frage, wann habe ich das erste Mal etwas erlebt, was mit dem System zu tun hatte. Es dauert nicht lange und schon kommt eine Erinnerung aus meiner Zeit im Kindergarten. Ich sitze, wie alle anderen Kinder an einem Tisch und bin ganz versunken in das Malen mit Wasserfarben. Plötzlich nimmt mir eine Kindergärtnerin unerwartet schroff das Blatt weg. Ich hatte eine Amsel gemalt, anstatt wie vorgeschrieben, ein Kind mit der roten Fahne der Arbeiterklasse. Verträumt wie ich war, entfiel mir die Anweisung beim Beobachten einer Amsel, die an dem Frühlingstag direkt vor dem geöffneten Fenster sang. Das hatte mich fasziniert, während ich mir mit fünf Jahren weder eine 1. Mai-Demonstration noch »den internationalen Kampftag der Werktätigen« vorstellen konnte. Beim Nachhausegehen schob mir eine andere Kindergärtnerin das Blatt wieder unter meine halbfertige Fahne, mit der Bemerkung: »Die Amsel hast du aber schön gemalt, die kannst du mal deinen Eltern zeigen.« Es gab immer Menschen, die versuchten, strikte ideologische Anweisungen zu umgehen. Menschen aus allen Teilen der Bevölkerung, die durch ihren gesunden Menschenverstand und unverfälschte Anteilnahme kleine Inseln von Nähe und Geborgenheit schafften. Die so oft geforderte Solidarität entstand hier auf eine Weise, die sich die Chefideologen bestimmt so nicht vorgestellt hatten. So blieben mir von meiner zweijährigen

Sie ist von tiefer Liebe zum Kind erfüllt und unserem sozialistischen Arbeiter- und Bauernstaat treu ergeben. Sie erkennt die führende Rolle der Arbeiterklasse und ihrer Partei an, versteht die historische Rolle der DDR und besitzt eine klare Vorstellung von unserer sozialistischen Zukunft. Sie ist ständig bestrebt, der sozialistischen Gesellschaft zu dienen, die zugleich ihr persönliches Glück ist.

*Aus dem Berufsbild für Kindergärtnerinnen in der DDR*

Kindergartenzeit auch viele schöne Erinnerungen. Mit Fantasie und pädagogischem Geschick gestaltete gerade meine Lieblingserzieherin die Tage für uns Kinder. Dabei bezog sie auch eine ganze Reihe gemütvoller und liebevoll illustrierter Kinderbücher mit ein. Das war ein Glücksfall. Denn um die gezielte ideologische Beeinflussung im Kindergarten zu gewährleisten, wurde großer Wert auf die entsprechende Ausbildung der Kindergärtnerinnen gelegt. Diese Schulungen blieben nicht ohne Erfolg. Besonders »Linientreue« nutzten sogar die Gelegenheit, Kinder auszuhorchen. Mit der Frage, wie das Sandmännchen im Fernsehen aussähe, war in Berlin, Leipzig oder anderen Städten mit Westempfang leicht herauszufinden, welche Programme die Eltern einstellten. Denn in diesem Alter sagen Kinder noch spontan die Wahrheit.

Kindergärten wurden in der DDR-Presse als große Errungenschaft des Sozialismus gepriesen, aber sie wurden auch unterhalten, weil der Staat die Arbeitskraft der Frauen brauchte. Die mit viel Selbstlob zitierte Gleichberechtigung der Frauen, die natürlich nur im Sozialismus existierte, sah in der Praxis anders aus. Eine wirkliche Emanzipation ist bei vielen Müttern kaum angekommen. In den Familienstrukturen hatte sich wenig geändert. In Kindergarten und Schule wurde viel vom 8. März, dem internationalen Frauentag, gesprochen. Stolz könnten wir auf alle Frauen sein, die aktiv den Sozialismus mit aufbauen. Wir bastelten Geschenke und wurden angehalten, unseren werktätigen Müttern das Frühstück zu machen und sie an diesem Tag gemeinsam mit Papa zu verwöhnen. Keinem fiel damals auf, wie die Rollen an den restlichen 364 Tagen im Jahr verteilt waren. Mir auch nicht. Ich erinnere mich in meinem Umfeld an keinen einzigen Vater, der etwa in der Küche mit abwusch. Um alles mussten sich die Frauen neben ihrer 43-Stunden-Arbeitswoche zu Hause kümmern.

Das bedeutete noch in den 60er-Jahren, für Grundnahrungsmittel wie Milch Schlange zu stehen. Wie oft musste meine Mutter schwere Einkaufstaschen tragen und nach einem anstrengenden Arbeitstag noch den gesamten Haushalt erledigen. Einmal, als ich sechs war, wollte ich meiner Mutter helfen und stellte mich an einem Samstagmorgen in die lange Schlange zum Milchholen. Als ich endlich an der Reihe war, bekam ich in meinen Krug aus Aluminium zwei große Schöpfkellen Milch eingefüllt. Auf dem Rückweg stolperte ich. Die Hälfte der Milch lief auf die Straße. Ich traute mich kaum mehr nach Hause, denn man konnte ja nicht einfach neue holen. Wie erleichtert war ich, als ich bei meiner Ankunft nicht gescholten wurde.

Mein erster Schultag fällt mir wieder ein. Voller Neugier und Erwartung war ich, den neuen Ranzen auf dem Rücken, in die Schule gestapft. Dort brachte uns der Lehrer als Erstes bei, wie wir uns als Klasse beim Appell verhalten sollten. Denn der erste Schultag begann mit einem Fahnenappell. Frühzeitig sollten wir uns an das Antreten gewöhnen. Wir mussten uns in einer Linie aufstellen und auf Befehle, die aus der Militärsprache stammten, reagieren. »Richt' Euch! Zur Meldung die Augen links!« usw., bis dann eine Mitschülerin in die Weite des Schulhofes piepste: »Klasse 1a zum Fahnenappell angetreten.« Eine Fahne wurde feierlich gehisst, Gelöbnisse gesprochen, der Nachwuchs auf das Dienen für den Staat eingeschworen.

Wer so heranwächst, wird frühzeitig an Militarismus gewöhnt. Er hinterfragt nicht, warum er im Sportunterricht anstatt mit Bällen bald mit Imitaten von Handgranaten weit werfen soll. Im Alter von sechs Jahren glaubt ein Kind alles – ein Märchen von den Brüdern Grimm oder auch, dass »die Sowjetunion der große Freund und Bruder der DDR ist«. Wir wurden indoktriniert und nahmen Dinge auf, die auch später noch im Unterbewusstsein gespeichert blieben. In der Schule wurden viele Fächer ideologisiert. So bastelten wir eine kleine Hütte aus Stroh, in der unser großes Vorbild Wladimir Iljitsch Lenin bei seiner Flucht untergekommen war. Wir sangen Lieder über den im Klassenkampf gefallenen kleinen Trompeter. In unserem ersten Deutschaufsatz sollten wir die Demonstration zum 7. Oktober, dem Gründungstag der DDR, beschreiben. Jeder Unterricht begann mit »Für Frieden und Sozialismus seid bereit!«, worauf wir antworten mussten: »Immer bereit!« Erst in der vierten oder fünften Klasse traute ich mich, nach außen hin zwar die Mundbewegung anzudeuten, aber leise »Keine Zeit« zu erwidern. Es war die Lebensphase, in der ich begann, vieles zu hinterfragen. So wurde mir durch Gespräche mit meinem Vater klar, dass die Sowjetunion alles andere als ein Freund war, sondern eine Besatzungsmacht, die etliche Völker um sich herum unterjocht und besetzt hielt. Vorher dachte ich tatsächlich, Georgien, Litauen oder Estland z. B. seien gleichberechtigte Teile der Sowjetunion. Mit welcher Härte diese Länder unterdrückt wurden, wurde mir endgültig erst bei einem Besuch in Georgien 1990 klar. Ein großer Platz in der Hauptstadt Tiflis war noch immer mit Blumen für die ein Jahr zuvor von russischen Panzern überrollten friedlichen Demonstranten übersät. Mit der DDR war es kaum anders. Ein »souveräner« Staat, der unter dem Deckmantel der »gegenseitigen brüderlichen Freundschaft« ausgebeutet wurde. Das illustriert der Witz, dass Honecker beim Telefonieren mit der Führung in Moskau einen halben Telefonhörer ohne Sprechmuschel benutzte.

### Unfreie Freizeit

Um auch in der Freizeit auf Kinder einwirken zu können, gab es die Pionierorganisation, die dann ab der 8. Klasse von der FDJ, der Freien Deutschen Jugend, abgelöst wurde. Auch Organisationen wie die Deutsch-Sowjetische Freundschaft (DSF) kamen dazu. Es wurden zum Beispiel für alle Mitglieder Pflichtveranstaltungen organisiert, an denen wir uns mit russischen Schülern trafen, deren Väter als Offiziere stationiert waren. Ein ungezwungener Austausch war hier jedoch nie möglich. Alles wurde durch Funktionäre gesteuert. Die »politische Diskussion« bestand meistens aus ausgearbeiteten Vorträgen. Echte, persönliche Gespräche konnten in dieser überwachten Atmosphäre nicht stattfinden und waren auch gar nicht erwünscht. Wie litt ich unter den vielen, öden Nachmittagen. Viel lieber hätte ich mich einmal mit einem Engländer über die Beatles unterhalten. Stattdessen musste ich mit der Schulklasse ins Kino gehen und Filme über den heldenhaften Kampf der Sowjetarmee anschauen. Unser Lehrer stand mit einer Liste am Eingang und hakte alle Anwesenden ab, da er Bericht erstatten musste. Das Schwänzen solcher Veranstaltungen hätte disziplinarische Folgen gehabt. Den meisten meiner Klassenkameraden ging es ähnlich. Viele trauten sich aber nicht, etwas zu sagen. Zu groß war die Angst, verraten zu werden. Nur unter vertrauten Gleichgesinnten machten wir unserem Ärger Luft.

Die Freie Deutsche Jugend erkennt in ihren Beschlüssen die führende Rolle der Partei der Arbeiterklasse an und hat sich in ihrer Arbeit als aktiver Helfer der Partei im Aufbau, der Festigung und Verteidigung der Arbeiter- und Bauernmacht in der Deutschen Demokratischen Republik erwiesen und auf allen Gebieten des gesellschaftlichen Lebens viele Kader entwickelt.

*Aus dem Statut der Sozialistischen Einheitspartei Deutschlands, IV. Parteitag, Berlin 30. März bis 6. April 1954*

Russisch war die erste Fremdsprache in der Schule, erst Jahre später und mit deutlich weniger Wochenstunden kam Englisch hinzu. Wir erhielten Adressen von Gleichaltrigen aus der Sowjetunion, zum Beispiel aus Leningrad oder Nowosibirsk, mit denen wir in Briefwechsel treten mussten. Genau wurde Buch geführt über alle eintreffenden Briefe und der Russischlehrer kontrollierte auch jeden unserer Briefe, bevor er auf die Post ging – angeblich wegen möglicher Rechtschreibfehler.

Als Kinder hörten wir oft von den angloamerikanischen Bombern, die Dresden zerstört hatten. Da diese Tatsache für jeden Dresdner eine Wunde blieb, war es nicht schwer,

Erster Brief
der Tamara A

Geschrieben habe
dir Tamara A.,
vierzehn Jahre alt,
bald Mitglied im
Komsomol

In ihrer Stadt,
schreibe sie, stehen
vier Denkmäler:
Lenin
Tschapajev
Kirov
Kuibyschew
Schade, dass sie
nichts erzähle
von sich

Sie erzählt
von sich, tochter

*Reiner Kunze*

Feindbilder damit aufzubauen. Die Plünderungen und Vergewaltigungen durch russische Soldaten wurden verschwiegen. Die Opfer trauten sich nicht darüber zu sprechen. Auch dass der Wiederaufbau im Osten schwerer war, da nach dem Krieg ganze Fabriken mit ihren Maschinen nach Russland abtransportiert wurden, wusste ich lange nicht. Geschickt wurde der verbale Kampf gegen Imperialismus und Faschismus eingesetzt, um von eigenen Unzulänglichkeiten abzulenken.

Natürlich waren wir als 14-Jährige beim Pflichtbesuch des Konzentrationslagers Buchenwald beeindruckt. Mit großer Wucht stürzte all das Grauen auf unsere jungen Seelen. Immer wieder wurde betont, die DDR hätte den Faschismus in seinen Wurzeln vernichtet; im Gegensatz zur Bundesrepublik, wo die alten Nazis wieder in ihren Ämtern säßen. Dass Konzentrationslager, wie auch andere Nazi-Gefängnisse von den Russen nach dem Krieg noch weiterbenutzt worden waren, wurde natürlich verschwiegen. So prägt sich ins Unterbewusstsein ein, dass wenigstens bei uns so etwas nie wieder passieren könne, und der Sozialismus vielleicht das kleinere Übel sei.

Die über all die Kindheitsjahre stets gegenwärtige Indoktrinierung hat auch bei mir gewirkt. Nach meiner Beobachtung unterschätzen heute noch viele die Folgen dieser jahrelangen Gehirnwäsche, wenn sie über ihre Kindheit in der DDR nachdenken. Waren sie damals wirklich so glücklich, wie es in den ständigen Parolen vom »neuen sozialistischen Menschen« verkündet wurde? Mir wurde erst viel später bewusst, wie viele Parallelen zwischen der Nazidiktatur und der DDR existierten. So beim Lesen von Victor Klemperers

LTI (Die Sprache des Dritten Reiches), einem Geheimtipp unter Oppositionellen. Die Erkenntnis war schockierend, dass Klemperers Analyse der Manipulation eines Volkes über Sprachwendungen in Zeitungen und Büchern auch auf unsere Gegenwart zutraf.

Manchmal ging man bei den angeordneten sprachlichen Neuschöpfungen auch zu weit und machte sich lächerlich. Um den Einfluss des Westens zu schmälern, sollten wir z.B. zu den, neuerdings auch in der DDR hergestellten, Jeans »Niethosen« sagen. Auf die Pappschachteln kleiner aus Holz geschnitzter Engel wurde »Jahresendfigur mit Flügeln« gedruckt. Grundsätzlich versuchte man die christlichen Wurzeln aus dem Alltag zu verbannen. So wurden z.B. aus den Weihnachtsferien die »Ferien zum Jahreswechsel«. In der Umgangssprache konnten sich all diese Wörter zum Glück nicht durchsetzen. Auch musste sich jeder denkende Mensch fragen, warum bei einem »antifaschistischen Schutzwall«, so der offizielle Begriff für die Mauer, alle Hindernisse und Absicherungen in die verkehrte Richtung installiert waren.

### Zwiegespalten

Als ich klein war, sprach mein Vater wenig über seine politischen Ansichten mit mir.

Auch andere kritisch denkende Eltern hielten sich während der ersten Schuljahre ihrer Kinder eher zurück. Mit gutem Grund, denn viel zu früh noch würde jener schizophrene Zustand einsetzen, der nicht zu vermeiden war, nämlich, dass wir in der Schule etwas anderes sagen sollten als zu Hause. Über Jahre hinweg entstanden daraus irreparable psychische Verbiegungen. Als Heranwachsende lernten wir, dass jeder spontan geäußerte Gedanke uns verraten konnte. Was für ein Gefühl muss es für Eltern gewesen sein, ihre Kinder so aufwachsen zu sehen und nichts dagegen unternehmen zu können.

Als ich später begann, mich auch für Politik zu interessieren, gab es regelmäßige Gespräche mit meinem Vater. Wir mussten vorsichtig sein, denn ich hatte durch Zufall herausgefunden, dass unser Telefon zu Hause abgehört wurde. Als ich den Hörer ans Ohr hielt, vernahm ich – ohne gewählt zu haben – seltsame Stimmen, die irgendwelche operativen Anweisungen gaben. Tage davor war ein Techniker gekommen, der angeblich »wegen eines Fehlers« unser Telefon zu reparieren hatte. Da war uns klar, dass wir von nun an im Wohnzimmer bei den gemeinsamen Mahlzeiten nicht mehr frei reden konnten. Anfangs hat mein Vater einfach den Telefonstecker rausgezogen. Später wurden wir vorsichtiger, da auch dies der Stasi verdächtig vorkommen konnte. Sicher wirkte es unverfänglicher, wenn die Verbindung immer hergestellt war, auch wenn unser Lebensgefühl davon sehr beeinträchtigt wurde. Auf dem abhörsicheren Küchenbalkon erfuhr ich von meinem Vater, dass es in der DDR keine Gewaltenteilung gab und dass die Verwaltungsgerichte 1949 abgeschafft worden waren. Durch das regelmäßige Hören des Deutschlandfunks war er stets auf dem Laufenden und gab seine Erkenntnisse weiter. Wir diskutierten nicht nur über aktuelle Themen, sondern auch über Geschichte, die für meinen Vater weit mehr war, als eine Abfolge von »Klassenkämpfen zwischen Ausbeutern und Ausgebeuteten«. So lehrte er mich nicht nur, schrittweise das System der DDR zu durchschauen, sondern ergänzte auch meine Bildung, die durch vorgeschriebene Lehrpläne und ideologische Verzerrungen erhebliche Lücken hatte.

In der Schule musste ich dann wieder umschalten. Mit der Zeit lernte ich immer besser mit diesem Wechsel zurechtzukommen. Das Einfachste war, sich hinter gängigen Phrasen, die ideologisch unbedenklich waren, zu verschanzen: »Also wenn Sie mich fragen, so hat Karl Marx gesagt, dass diesbezüglich …« Kein Wunder, dass im gesamten öffentlichen Leben eine Art Gefühlsleere entstand, die erschreckend war. Gerade junge Menschen litten unter der daraus resultierenden Dumpfheit. Kein normaler Mensch hält es auf die Dauer aus, ständig diese langatmigen, inhaltslosen Reden eines Honecker oder anderer Parteifunktionäre über sich ergehen zu lassen. Dass es für Honecker und seine ganze Führungsclique das Höchste der Gefühle war, in einem abgeschirmten Bungalow mit großem Farbfernseher aus dem Westen das Wochenende zu verbringen, spricht Bände. In all den politischen Pflichtveranstaltungen schalteten wir auf Durchzug; lernten, nach innen zu flüchten, um die eigene Gefühlswelt zu erhalten. Prägende, psychologische Verhaltensmuster entwickelten sich, die mir später im Gefängnis »zugute« kommen sollten.

Auch das Gefühl, dass es nie wirklich um mein persönliches Wohlergehen ging, sondern darum, wo ich dem System am besten nutzen konnte, begleitete mich. So beim Sport, der instrumentalisiert wurde, um der Welt die Überlegenheit der neuen »sozialistischen deutschen Nation« vor Augen zu führen und der damit höchste Priorität hatte. Wegen einer Fehlhaltung der Wirbelsäule hatte meine Mutter mich schon als Fünfjährigen bei Wind und Wetter auf dem Kindersitz ihres Fahrrades zum orthopädischen Schwimmen gefahren. An ein Auto war damals noch nicht zu denken. Ich konnte bald gut schwimmen und kam in die Auswahl für den Leistungssport. Anfangs war ich stolz darauf, doch bald wurde es zur Belastung. Bereits in der zweiten Klasse wurde viermal pro Woche trainiert. Nachdem ich bei Stadt- und Bezirksmeisterschaften regelmäßig Medaillen gewonnen hatte, sollte ich ab der fünften Klasse auf die Kinder- und Jugendsportschule delegiert werden. Das hätte Unterbringung im Internat bedeutet, wo der Sport mit strengen Zeitplänen die Hauptrolle spielte. Zum Glück waren meine Eltern dagegen, weil ihnen das zu einseitig war und mir auch noch Zeit für andere Freizeitbeschäftigungen bleiben sollte. Seit einigen Jahren schon spielte ich Klavier und hätte nur bei Wochenendbesuchen zu Hause üben können.

Noch heute bin ich meinen Eltern und ihrer Weitsicht dankbar, denn schon bald hätten meine Trainer im staatlichen Auftrag begonnen, mich mit Anabolika vollzustopfen. Nach etwa zwei Jahren traf ich einen gleichaltrigen Freund wieder, mit dem ich vorher trainiert hatte. Während ich noch schmal und feingliedrig wirkte, trug er bereits unnatürliche Muskelpakete an Armen, Beinen und Schultern. Mir blieb diese Erfahrung erspart, und meine Eltern fanden heraus, dass es auch sogenannte Betriebssportgemeinschaften gab, in denen ich nun ohne Druck weiter trainieren durfte. Im Winter waren die Schwimmhallen für die allgemeine Bevölkerung wegen der Heizung mit schlechter Braunkohle regelmäßig zu kalt, sodass es mich meist Überwindung kostete, ins Wasser zu gehen. Aber der Ehrgeiz trieb mich immer wieder an, und die Trainer schickten mich wegen meiner blauen Lippen zwischendurch einfach öfter unter die warme Dusche. Später durfte ich auch Wasserball spielen und nahm die Kälte dabei nicht mehr so wahr. Das Durchhalten hatte sich gelohnt, denn es ermöglichte mir eine Ausbildung als Rettungsschwimmer und damit konnte ich nach dem Abitur das Geld für den Kauf eines eigenen Klaviers verdienen.

### Botschaften und Intrigen

Wie viele Tage ich so in Einzelhaft verbrachte, weiß ich nicht mehr. Ich erinnere mich nur noch an den unerwarteten Befehl gleich nach dem Frühstück: »Sachen packen.« Dieses Mal muss ich nicht Abschied nehmen und empfinde die folgende Rüttelpartie in dem mit »Obst und Gemüse« beschrifteten Kleintransporter eher als Abwechslung. Wieder muss ich mich in dem Wagen in eine stockfinstere Zelle zwängen, die eher für Kartoffeln geeignet war, die man am Keimen hindern wollte. In der Dunkelheit versuche ich an den Geräuschen zu erraten, wo wir gerade fahren. Leicht zu erkennen ist das Kopfsteinpflaster, das abgelöst wird von den vielen Schlaglöchern »moderner, sozialistischer« Straßen bis zu den gleichmäßigen, rhythmischen Stößen d-dm-d-dm-d-dm der in der Nazizeit gebauten Autobahn.

Der Wagen hält, ich steige aus, sehe kurz einen relativ neuen Gebäudekomplex und werde auf eine Dreierzelle »geschlossen«. Von meinem neuen Zellennachbarn Bernhard erfahre ich, dass ich die Ehre habe, die Stasi-U-Haft Hohenschönhausen kennenzulernen. Sofort erzählt er mir seine Geschichte: Bulgarische Gebirgsbauern hatten ihn in einem Dorf nahe der griechischen Grenze zum Hirtenkäse

eingeladen. Es sollte seine letzte Mahlzeit in Freiheit sein,
denn während er die »Gastfreundschaft« genoss, war ein
Dorfbewohner heimlich zum einzigen Telefon im Ort gelaufen und hatte die Grenzer alarmiert. Nach dem Essen und in
bester Laune lobte er gerade den verzehrten Käse, als man
ihn verhaftete. Bernhard und ich konnten gut miteinander
reden. Er war vielseitig interessiert und hatte vom Typ her
eine gewisse Ähnlichkeit mit Eichendorffs »Taugenichts«.
Auch unter den Bedingungen der U-Haft konnte er richtig
schwärmerisch werden. Das gefiel mir, selbst wenn hinter
manchen seiner Wahrnehmungen etwas Naivität steckte,
die wohl auch ein Schutz für ihn war.

Einen Tag später wurde noch ein LKW-Fahrer aus Polen
zu uns geschlossen. Er war schmal, hatte ein zerfurchtes Gesicht, auf dem die Angst geschrieben stand. Auf unsere lockere Frage, »Aah, aus Polen, wohl wegen Solidarność hier«,
reagierte er unerwartet vehement. Nein, er habe damit nichts
zu tun, sagte er in gebrochenem Deutsch, und wir sollten das
Wort nicht mehr in den Mund nehmen. Uns wurde bewusst,
dass wir durch unseren Wunsch, auszureisen, nichts mehr
zu verlieren hatten und ziemlich frei sprechen konnten. Der
sichtlich leidende Witek aber war gerade erst verhaftet worden und dachte sicherlich, dass wir ihn aushorchen sollten.
Wir erfuhren nur, dass er mit einem großen Brummi immer
die Strecke Warschau-Berlin-Hannover fuhr. Ihm war es
anfangs so furchtbar peinlich, seine Notdurft vor unseren
Augen verrichten zu müssen. Da kamen wir uns schon wie
alte Hasen vor.

In Hohenschönhausen war der Gefängnisinnenhof noch
effizienter aufgeteilt, es gab auch dreieckige Freiluftgehege.
Obwohl sie kleiner waren, fühlte ich mich in ihnen wohler.
Vielleicht empfindet der Mensch den exakten rechten Winkel als starr, weil er in der Natur nicht vorkommt. An einigen
Wänden mit spitzem Winkel, auf die kein Sonnenlicht fiel,
hatten sich verschiedene Moose und Flechten gebildet. Ich
entdeckte Farbstrukturen, die mich an moderne, abstrakte
Malerei erinnerten. Aus dem Wechsel zwischen Dunkel-
grün und Rostrot entstand eine ganz eigene Ästhetik. Mei-

ne Wahrnehmung für kleinste Farbabstufungen verfeinerte sich durch den Mangel an Farbeindrücken immer mehr. Aus einer verwitterten Mauer entstand ein kleiner Kunstgenuss. Auch hier musste ich an André Gide denken: »Nicht im angeschauten Ding, in deinem Anschauen sei der Wert.« Später, nach meiner Ankunft im Westen waren all die schreienden Farben auf den Werbeplakaten ein Schock für mich und mir taten in der ersten Zeit ständig die Augen weh.

Meine täglichen Kunstbetrachtungen wurden bald unterbrochen. In einem letzten Verhör wollte man wissen, ob mir in der langen Zeit, die ich zum Nachdenken hatte, noch etwas eingefallen sei, und teilte mir dann die sofortige Verlegung nach Dresden mit. Dies bedeutete – durch die weite Strecke von Berlin nach Dresden – wieder eine schreckliche Fahrt in der winzigen Zelle, *ausgeliefert*. Ich konnte mich kaum rühren. Bald war mein Bein eingeschlafen, und der ganze Körper schmerzte unter den Stößen der aus der vorhergehenden Diktatur stammenden schlechten Autobahn.

In der Dresdner Stasi-U-Haft waren die Zellen ziemlich runtergekommen. Die Wand neben dem Bett war von unzähligen, angstverschwitzten Rücken ganz schmierig. Die Freizellen waren mit Wellblech überdeckt, sodass man nicht einmal den Himmel sehen konnte. Wenn der Wind aus der richtigen Richtung kam, konnte ich die Elbe riechen. Vor fünf Monaten war ich noch ganz in der Nähe gelaufen.

Mein neuer Zellennachbar war mir sofort unsympathisch. Er sprach nur wenig und höchst undurchsichtig über sein Delikt – wahrscheinlich gab es eine Vermischung mit Kriminellem –, dafür aber ständig von allen möglichen Sex-Stellungen und kleinen Perversionen, die er mit seiner »Alten«, wie er seine Frau nannte, getrieben hatte. Auch er wollte »rüber«, aber in erster Linie, um Videorekorder, VW und Pornohefte zu haben. In der DDR war Pornografie strengstens verboten. Später sollte ich in Brandenburg einen Häftling kennenlernen, der mit einer Freundin auf seiner AK 8 Pornos gedreht und damit eine Menge Geld – natürlich unversteuertes – verdient hatte. Wegen dieses doppelten

Vergehens wurde er zu vier Jahren verurteilt. Immer wieder schüttelte er wütend den Kopf, »bei welcher Behörde, bitte, hätte ich das wohl zur Steuer anmelden sollen«.

Auch hier gab es den sogenannten Gefängnisfunk. Beim abendlichen Klopfen hörte ich eine merkwürdige Botschaft: »Bin nicht fremdgegangen, bitte durchklopfen für Gabi.« Mir war die Botschaft ein Rätsel, und ich konnte mir auch nicht vorstellen, dass dies jemals bei der richtigen Person ankam. Durch die Heizungsrohre konnte man zwar auch in die unteren Etagen zu den Frauen »durchklopfen«, aber diese vielen Zellen! Pure Verzweiflung stand hinter dem aussichtslosen Versuch.

Später im Strafvollzug bekam ich die Aufklärung. Die Stasi versuchte, verhaftete Ehepaare durch Intrigen zu trennen. Sie erzählten der Frau, dass bei der ärztlichen Untersuchung des Mannes eine Geschlechtskrankheit festgestellt wurde und er sein Fremdgehen eingestanden hatte. Man träufelte Gift in die Gedanken der Frau, das in wochenlangem Warten in der Einsamkeit der Zelle unmerklich zu wirken begann. Selbst wenn die Frau sich gegen die Vorstellung wehrte, so hinterließ sie doch Spuren und eine tiefe Unsicherheit. Es gab wirklich Fälle, wo die Frau in einer ersten Reaktion so verletzt und dadurch leichter zu überreden war, ihren Ausreiseantrag zurückzuziehen. Mit allen Mitteln wurden Regimekritiker bekämpft. Jede zerstörte Ehe war eine Trophäe für die Stasi. Jeder gebrochene Mensch konnte stolz gemeldet werden und führte sicher zu einer baldigen Beförderung des verantwortlichen Intriganten.

## Im Namen des Volkes

Für den 18. Januar war der Prozess anberaumt. Vorher durfte ich noch einmal mit einer Art Rechtsanwalt sprechen, aber es gab eigentlich nichts zu sagen. Er hatte sich mir auch nicht richtig vorgestellt. Den einzigen Nachweis, dass es sich um einen Rechtsanwalt handelte, bekamen meine Eltern zugeschickt: die Rechnung. Mich interessierte nur die Länge der Haftstrafe, die ich zu erwarten hatte. Ich wollte mich darauf einstellen, um dann beim Prozess keine Schwäche zu zeigen. Leider bekam ich nur ausweichende Antworten: so um die drei Jahre. Auf der Fahrt zum Gericht stellte ich mir vor, dass ich Dorothea, Mathias und Gerd nach langer Zeit nun wiedersehen würde und versuchte mich darauf zu freuen.

Wir wurden in den Innenhof des Dresdner Gerichts gefahren und mussten einzeln aus dem Wagen steigen, Gesicht zur Wand, die Hände in Handschellen. Mein Vater sah es vom Fenster des ersten Stockes aus und hat mir später erzählt, welchen Schmerz ihm dieser Anblick bereitete. Zwei seiner Kinder, von denen er doch wusste, dass sie nichts Unrechtes getan hatten und die nur in Freiheit leben wollten, mussten wie Schwerverbrecher mit dem Gesicht zur Wand warten, bis sie von bewaffneten Staatsdienern weiterkommandiert wurden. Er hätte es am liebsten laut hinausgeschrien: Wie kommt ihr dazu, meine Kinder so zu behandeln!

Meine Familie und ein paar wenige Freunde waren gekommen. Dieter sah ich zuerst. Alle warteten auf dem Gang, als ich in Handschellen an ihnen vorbei in den Gerichtssaal geführt wurde. Für mich waren die Handschellen nichts Besonderes mehr. Bei allen vorangegangenen Transporten hatte ich sie anlegen müssen. Auch hatte ich mich längst damit abgefunden und darauf eingestellt, eine längere Gefängnisstrafe absitzen zu müssen. Also fiel es mir leicht, ihnen im Vorbeigehen aufmunternde Blicke zuzuwerfen. Aber sie alle waren vollkommen erstarrt und sprachlos.

Zur Eröffnung des Prozesses wurde kurz die Anklage vorgelesen: »illegaler Grenzübertritt im schweren Fall«. Sofort danach hieß es: »Aus Geheimhaltungsgründen findet der Prozess unter Ausschluss der Öffentlichkeit statt. Wir bitten alle, den Raum zu verlassen, auch die engsten Angehörigen.« Mir war natürlich klar, dass es sich nur um einen Scheinprozess handelte. Das Ganze war eine einzige Farce. Man hatte uns sogar einen Pflichtverteidiger zur Verfügung gestellt, der zum Schluss sagte, uns sei doch zugutezuhalten, dass wir nach der Tat alles gestanden hätten. Die Art, wie er sprach, war kaum zu ertragen. Wahrscheinlich hatte er mehr Angst vor der Staatsanwältin als wir. Diese allerdings war ziemlich aufgebracht und wütend: »Hier stehen vier junge Menschen, in die der Staat investiert hat, die studieren durften und beste Aussichten in unserem Land hatten. Sie aber haben in schändlichster Weise das in sie gesetzte Vertrauen missbraucht und unsere sozialistische Heimat verraten.« Die Staatsanwältin war eine sogenannte Hundertprozentige, berstend vor Ehrgeiz und ständig darauf bedacht, ihren astreinen Klassenstandpunkt unter Beweis zu stellen. Vermutlich holte sie sich so ihre Erfolgserlebnisse im Gerichtssaal. Das System baute auf die Schwächen und nicht auf die Stärken der Menschen.

Während des Prozesses kam noch einmal die ganze Flucht zur Sprache. Zum Schluss konnten wir uns dazu äußern, und ich sagte nur: »Ja, nach der Rechtsauffassung der DDR habe ich einen Verstoß begangen, aber ich möchte in die Bundesrepublik übersiedeln.« Mit so wenigen Wörtern wie möglich zu reagieren, erschien mir am unverfänglichsten, denn wieder bewegte ich mich auf einem schmalen Grat. Einerseits musste ich deutlich signalisieren, dass mit mir im Sozialismus nichts mehr anzufangen war, andererseits durfte ich die Stasi auch nicht zu sehr reizen. Sonst bestand die Gefahr, die ganze Zeit absitzen zu müssen und dann wieder in die DDR entlassen zu werden. Ein Albtraum. Ich durfte es mir gar nicht vorstellen: ohne abgeschlossenes Studium ein Leben lang als Hilfsarbeiter, Friedhofswärter oder Straßenbahnreiniger zu verbringen. Wer Pech hatte, bekam auch noch den §48 aufgebrummt, was bedeutete, den Wohnort nicht ohne Erlaubnis verlassen zu dürfen und sich jeden Tag einmal bei der Polizei melden zu müssen.

Dorothea berichtete, wie man ihrer Entfaltung als Musikerin Steine in den Weg gelegt hatte. Ihr sei klar geworden, dass ihr eigener Anspruch, sich künstlerisch und menschlich weiterzuentwickeln, in der DDR nicht erfüllt werden könne. Sie sprach sehr emotional, mit der Reinheit eines jungen Menschen, der seine Bestimmung im Leben sucht, und dann geschah etwas völlig Unerwartetes. Links neben der Staatsanwältin saß eine Schöffin und ihr traten Tränen in die Augen. Das war einer der berührendsten und vor allem

Davon ausgehend sind die Angeklagten des versuchten ungesetzlichen Grenzübertritts in der Alternative der versuchten rechtswidrigen Nichtrückkehr in die DDR (§§ 213 Abs., 2 und 4, 21 Abs. 3 StGB) schuldig … Das strafbare Verhalten der Angeklagten ist gesellschaftsgefährlich. Die objektive Schädlichkeit der Tat wird entscheidend durch Umfang, Dauer und Intensität der Vorbereitungshandlungen in der DDR und die zielgerichtete Verwirklichung der Tat nach ihrer genehmigten Ausreise aus der DDR bestimmt. Soweit es die Vorbereitungshandlungen betrifft, ist die Anschaffung eines PKW zum Zwecke der Tatverwirklichung besonders hervorzuheben … Sie ließen sich dabei teils von illusionären Vorstellung leiten und negierten

hoffnungsvollsten Momente für mich während des gesamten Prozesses. Ein Mensch, der eigentlich fest in das Räderwerk der Macht eingeflochten war, hatte verstanden, dass hier Unrecht geschah. Jenseits ideologischer Richtlinien, vielleicht als Mutter einer gleichaltrigen Tochter, konnte sie nur mit Mühe ihre Emotionen verbergen.

Zwei Tage später erfolgte die Urteilsverkündung. Im »Namen des Volkes« bekam ich 2 Jahre 8 Monate. Ich fragte mich, welchen Volkes eigentlich? Vielleicht sollte die Regierung sich ein neues Volk wählen, hatte Bertolt Brecht mal so schön gesagt. Ich war eher erleichtert, – wenigstens unter drei Jahren. Aber im Gesicht meines Vaters zuckte es, bevor seine Miene versteinerte. Vor der Begründung des Urteils wurden das »Volk« und die Angehörigen wieder des Saales verwiesen. Unbehelligt von etwaigen Sympathisanten konnte sich die Staatsanwältin nun richtig ausleben. Hatte sie ihren großen Schlussauftritt vorher zu Hause in ihrer zentralbeheizten Zweizimmerwohnung im 5. Stock eines Großplattenbaus vor dem kleinen Badspiegel geprobt? Ich schaltete auf Durchzug, überlegte vielmehr, ob ich Familie und Freunde noch einmal sehen oder sogar sprechen könnte. Alle Zuschauer hatten in der Zwischenzeit auf dem Gang gewartet und erlebten, wie wir vier nun »rechtskräftig« verurteilte Verbrecher in Handschellen an ihnen vorbeigeführt wurden. Die Stasi-Leute unterbanden jeden Kontakt. Niemanden durfte ich noch einmal zum Abschied umarmen, kein Wort sprechen. Trotzdem rief ich im Vorbeigehen: »Das schaffen wir schon, macht euch keine Gedanken!«, und versuchte alle mit Blicken aufzumuntern.

In der Zelle zurück überlegte ich, warum eine Diktatur wie die der DDR sich so lange halten konnte. Lag es an der Stasi, die mit der flächendeckenden Überwachung aller Staatsbürger und einem unvorstellbaren Aufwand damals zu den am perfektesten organisierten Geheimdiensten der Welt gehörte? Trug die Mentalität der Deutschen zur Verschärfung bei? Lässt man sich besser in eine Diktatur einbinden, wenn Tugenden wie Arbeit und Pflichterfüllung traditionsgemäß wichtiger sind als Lebensgenuss? Reichen der blinde Gehorsam und das reibungslose Funktionieren vieler Staatsdiener aus, um den jeweiligen Machtapparat entscheidend zu stützen? Diese Fragen gingen mir lange durch den Kopf.

## Tief unten

Am nächsten Tag wurde ich in die Dresdner Krimi-U-Haft in der Schießgasse transportiert. Durch die heruntergekommenen Gänge dieses überfüllten Gefängnisses brachte ein Wärter mich in eine 8-Mann-Zelle. Nie in meinem Leben hatte ich mit solchen Menschen zu tun gehabt. Sie tranken Rasierwasser wegen des darin enthaltenen Alkohols und holten das Stroh aus den Matratzen, um es zu rauchen, weil sie kein Geld für Zigaretten hatten. So roch es auch und außerdem nach

zunehmend gesellschaftspolitische Zusammenhänge. Ihre letztlich ausnahmslos egozentrische Denk- und Verhaltensweise steht in tiefem Widerspruch zur überwiegenden Mehrheit unserer jungen Menschen, die erworbenes Wissen und Können für die Stärkung unseres Staates einsetzen. Es soll auch nicht unerwähnt bleiben, daß die Angeklagten Irmgard und Mathias Ebert sowie der Angeklagte Proksch sich mit der Tat auch von ihren eigenen familiären Bindungen in unserer Republik lösen wollten.

*Aus dem Urteil des Kreisgerichts Dresden, Stadtbezirk Ost, vom 20.1.1984*

Schweiß und allen anderen menschlichen Ausdünstungen. Es gab dort alles, was man sich vorstellen konnte: Quartalsäufer, Schläger, Einbrecher, Triebtäter, Mörder. Kaum »Politische«. Viele waren schon zum wiederholten Male »eingefahren«, wie es im Knastjargon heißt, und vollkommen abgestumpft. Es herrschte ein sehr rauer Umgangston, auch bei den Wärtern. Im Vergleich dazu war der Umgangston bei der Stasi geradezu zivilisiert gewesen. Nun wurde ich nur noch angeschnauzt.

Es war ein schneeloser Januar. Im dunklen Gefängnishof mussten wir – häufig noch in der Morgendämmerung – im Kreis herumgehen, einer hinter dem anderen, damit man nicht miteinander sprechen konnte. Kalte Nässe kroch in die Glieder. Alte schmutzige Mauern, kein Baum, nichts. Ich suchte Trost, indem ich mir die Melodien von Schuberts ›Winterreise‹ in Erinnerung rief. Ein Bild von van Gogh, auf dem auch Häftlinge hintereinander in einem Gefängnishof laufen, fiel mir ein.

Eines Tages hörte ich plötzlich meinen Namen: Micha. Ich blickte auf und sah oben im Erdgeschoss die Augen meiner Schwester durch den kleinen Lüftungsspalt ihrer Zelle. Nur die Augen. Sie sagte, es sei durchgesickert, dass es am nächsten Morgen auf Transport gehe. In dieser Umgebung Dorothea noch einmal kurz zu sehen, berührte mich sehr stark. Sie war mir ganz nah, und ich habe mir solche Vorwürfe gemacht, weil ich nicht verhindern konnte, was auf sie zukam. Sie war so jung. Was würde sie noch alles durchmachen müssen. Wir durften ja nicht reden. Ich flüsterte ihr nur zu: »Halte durch!« Ihre Augen in diesem Spalt – den Moment werde ich nie vergessen.

Auch die Begegnung mit einem jungen Abiturienten berührte mich sehr. Er war völlig verzweifelt und konnte den Grund für seine Verhaftung einfach nicht akzeptieren. Ein ihm gegenüber wohnender ABV (Abschnittsbevollmächtigter) hatte ihn über Jahre mit Kleinigkeiten schikaniert, da seine Jeans aus dem Westen ihm ein Dorn im Auge waren. Er hatte es eilig und wollte mit dem Fahrrad zu einer Veranstaltung. Der Polizist hielt ihn an und begann provozierend langsam sein Fahrrad auf Verkehrstüchtigkeit zu prüfen. Sein Flehen, er komme zu spät und das Fahrrad sei doch vollkommen in Ordnung, wurde nicht erhört. Da konnte er sich nicht mehr beherrschen und ließ den Polizisten einfach stehen, als der begann, am helllichten Tag das Licht zu überprüfen. Es folgte eine Anklage wegen Widerstandes gegen die Staatsgewalt und er wusste, dass damit, abgesehen von den bereits verbüßten fünf Wochen in U-Haft, sein »ganzes weiteres Leben versaut« war. Nie würde er studieren, nie einen interessanten Beruf lernen dürfen. Sein Gesicht, in dem Resignation, Verzweiflung und Hass sich abwechselten, sehe ich heute noch vor mir.

Wer damals lange Haare hatte, war generell als Gammler und somit Feind des Sozialismus abgestempelt. Wie oft wurde ich auf der Straße von Polizisten angehalten, musste meinen Ausweis zeigen und ohne Grund genaue Auskunft geben, wohin ich ging. Jede Gelegenheit zur Schikane wurde genutzt. Einmal hatte ich am Stoppschild einer Kreuzung den Fuß angeblich nicht lange genug auf dem Boden gehalten. Obwohl mein Moped vollkommen zum Stillstand kam, erhielt ich Stempel und Geldstrafe und musste bei der Gelegenheit gleich noch meinen Rucksack und alle meine Taschen ausleeren. Dem seine Macht genießenden Volkspolizisten bereitete dies sichtlich Vergnügen. Auf allen Behörden herrschte eine fast aggressive Unfreundlichkeit. Die Beamten waren gewohnt, dass keiner ihnen zu widersprechen hatte. Selbst bei der Beantragung eines einfachen Reisevisums in ein »sozialistisches Bruderland« wurde man noch herumkommandiert. Ganz zu schweigen von den Musterungsgesprächen zur NVA.

## Erziehung

Wieder kam ein Transport auf mich zu. Keiner wusste, wohin es ging. Auf einem etwas abgelegenen Bahnsteig warteten schon Hundestaffeln, damit man gar nicht auf die Idee eines Fluchtversuches kam. Ich erkannte den Dresdner Hauptbahnhof im Hintergrund, bevor ich in einen der speziell für

Gefangenentransporte ausgebauten Waggons steigen musste. Alle wurden in enge Sechs-Mann-Abteile verfrachtet, die
jeweils von außen abgeschlossen wurden. Na, hoffentlich
bricht kein Brand aus, dachte ich. Es waren alte, abgewrack-
te Wagen, schmuddelig und kalt. Die Zugfahrt zog sich endlos, weil es überall Aufenthalt gab. Es war ein Sonderzug, der
an verschiedenen Orten Gefangene abholte, der sogenannte
Grotewohl-Express. Die Scheiben waren blind. Es gab keine
Möglichkeit, sich zu orientieren.

Spätnachts hält der Zug und wir müssen aussteigen. Wieder erwarten uns Hundestaffeln – wie in einem der vielen
DDR-Filme über die Nazizeit. Als wir den Bahnsteig entlang
laufen, fangen die Hunde wie wild zu bellen an, sodass sie
fest an die Leine genommen werden müssen, damit sie uns
nicht anfallen. Sie riechen unseren Angstschweiß.

Gegenüber erkenne ich flüchtig ein Schild mit der Auf-
schrift»Cottbus«. Also bin ich nicht im berüchtigten Bautzen.
Die Erleichterung hält nicht lange an, denn man bringt uns
in die sogenannten »Katakomben« des Cottbuser Zuchthau-
ses, wo alle von unserem Transport die erste Nacht verbringen müssen. Dort ist es kalt und feucht, die Decken klamm.
Das ganze Gebäude aus alten Backsteinziegeln, deren Rot
vor Dreck kaum noch zu erkennen ist, macht einen vollkommen heruntergekommenen Eindruck. An Schlaf ist bei
dieser kriechenden Kälte nicht zu denken. Durch Auf- und
Abgehen halte ich mich warm. Nach einiger Zeit kommen
weitere Häftlinge dazu. Was für ein Glück, auch Gerd und
Mathias sind dabei. Nach über fünf Monaten können wir
das erste Mal wieder miteinander sprechen. So tuscheln wir
die ganze Nacht miteinander. Jeder erzählt, was er von den
Regeln des Gefangenenfreikaufes gehört hat. Immer wieder
spekulieren wir, wie gut unsere Chancen stehen, wie lange wir ungefähr absitzen müssen. »Mehr als die Hälfte wird
es sicher nicht!« Davon ist Gerd fest überzeugt. Ich versuche auch, daran zu glauben. Prinzip Hoffnung. Bereits am
nächsten Morgen werden wir wieder getrennt.

Man bringt mich zum »Zugang«, wo wir »Neuen« mit
den Gefängnisregeln vertraut gemacht werden. Mir fallen

die dunkelblauen Uniformen der Wärter auf. Oft war ich als Jugendlicher verpflichtet, Kinofilme über die Nazizeit zu sehen. Es kommen sofort ungewollte Assoziationen zur SS und deren Gräueltaten auf. Auch die Schaftstiefel wirken einschüchternd. Für die systematische Brechung jedes, auch noch so kleinen Widerstands gibt es auf »Zugang« einen Spezialisten. Er wird von den Gefangenen hinter vorgehaltener Hand nur »RT« genannt, wie »Roter Terror«. Von Anfang an brüllt er uns zusammen, verbreitet durch unberechenbare Schikanen Angst und Schrecken. Am besten, man schaut immer demütig nach unten. Wer ihm die Stirn bietet, bekommt schnell eine Faust oder den Gummiknüppel zu spüren. Bei den kleinsten Anlässen, der geringsten Beschwerde reagiert RT mit verschiedenen Quälereien, z.B. Schlägen unter eiskaltem Wasser. Kälte verhindert das Entstehen blauer Flecke. Der andere aggressive Wärter, vor dem man sich sehr vorsehen muss, hat den Spitznamen »Arafat«. Jeder in Cottbus fürchtet seine Brutalität, die oft Verletzungen nach sich zieht und sich schnell herumspricht. Wie viele schwere Körperverletzungen wirklich auf sein Konto gehen, wird erst – lange nach der Wende – durch den Prozess 1997 bekannt, bei dem viele Geschädigte aussagen. Es gelingt ihm nicht, wie so manch anderem, dem leider mit rechtsstaatlichen Mitteln nicht beizukommen ist, sich mit »normaler Pflichterfüllung im Dienst« herauszureden. Auch bei RT sind die Beweislasten erdrückend und ziehen eine Haftstrafe nach sich. Im »Zugang« wird uns beigebracht oder besser eingetrichtert, wie wir uns zu verhalten haben und wie der Gefängnisalltag geregelt ist. Nach einer Woche erfolgt dann die Zuteilung auf die verschiedenen Häuser. Die auf einer Etage zusammengepferchten Arbeitskommandos heißen »Erziehungsbereich«. Als ich dieses Wort zum ersten Mal höre, muss ich fast schmunzeln, tue es dann aber doch nicht. Zu viel sagt die Wortwahl aus. Wenn die Parteiführung könnte, würde sie zur Heranbildung gehorsamer Staatsdiener, offiziell »sozialistische Persönlichkeiten« genannt, auch im zivilen Leben am liebsten ähnliche Bedingungen einführen: ständige Verfügbarkeit aller und uneingeschränkter

Einblick in die Privatsphäre jedes Einzelnen. Niemand hätte die Möglichkeit, sich auch nur im Kleinsten zu entziehen. Alles Individuelle könnte so am wirkungsvollsten ausgeschaltet werden und die Macht wäre durch totale Kontrolle gesichert.

Der Erziehungsbereich, oder kurz EB, in dem ich nun also erzogen werden soll, besteht aus einem breiten Flur, von dem verschiedene Zellen abgehen. Alle dort Gefangenen sind einer Arbeitsschicht zugeteilt. Ich werde in eine Zelle für 18 Mann geführt. Auf engstem Raum stehen sechs Drei-Stock-Betten. Verbrauchte Luft schlägt mir entgegen. Unsicher und ängstlich schaue ich mich um. Die meisten der Insassen liegen erschöpft auf ihren Betten oder lesen. Da geht Olaf auf mich zu, zeigt mir das kleine Fach im Spind, das zu meinem Bett gehört, erklärt einiges und nimmt mir so meine Befangenheit. Er ist ungefähr so alt wie ich, hat einen Charakterkopf mit blonden Haaren und hoher Stirn. Er strahlt eine große Kompromisslosigkeit aus. Wir werden gute Freunde. Achtzig Prozent der Gefangenen in Cottbus sind Politische. Erstaunlich viele Ärzte und Akademiker. Was für eine Wohltat, wieder interessante Gespräche zu führen, denke ich, um nach und nach festzustellen, dass das bestenfalls an den Wochenenden stattfindet. Zu ausgelaugt sind alle durch die Zwangsarbeit.

Es wird in einem Drei-Schicht-System gearbeitet. Jede Woche wechselt die Schicht. Mein Schlafrhythmus kommt vollkommen durcheinander. Ich habe das Pech gerade in eine Nachtschichtwoche hineinzugeraten. Nach sieben Tagen, als ich mich etwas auf das Schlafen am Tag eingestellt habe, muss ich mich wieder umgewöhnen. Mein Körper kann sich schwer darauf einstellen. Tiefschlafphasen werden weniger. Mit welcher Überwindung krieche ich aus dem Bett, wenn nach einer viel zu kurzen Nacht im lichtlosen Februar morgens um 5 Uhr das Weckkommando ertönt. Die Arbeit an den Drehmaschinen ist anstrengend. Im Akkord müssen kleine Einzelteile lupenrein gefräst werden. Nur wer äußerst geschickt und flink ist, kann die vorgeschriebenen hohen Normen schaffen. Das bedeutet zweitausend

Mal hintereinander den gleichen Bewegungsablauf ausführen: einspannen, eine Nut fräsen, ausspannen, in die Kiste sortieren. Angeblich sind die Teile für Kameras. Dafür erscheinen sie mir aber viel zu schwer. Ich bin sicher, dass sie vorrangig für die Rüstung produziert werden.

Die Ernährung ist äußerst einseitig, viele Mitgefangene ergänzen sie, z.B. mit Milchpulver. Während des Freiganges gibt es auf dem Hof hinter zwei geöffneten Fenstern Kleinigkeiten zu kaufen. Darauf muss ich allerdings noch vier Wochen warten. Erst am Monatsende bekomme ich meinen ersten Arbeitslohn – ausgezahlt in einer Art knastinterner Währung, einem Papiergeld, wie ich es aus der Kindheit vom Kaufmannsladen kannte. Bei einer Flucht würde man draußen nichts damit anfangen können. Als ich erfahre, dass die Höhe des Monatseinkommens von der Bewältigung der Arbeitsnorm abhängt, versuche ich diese zu erfüllen. Die Zeit auf Arbeit kann ich sowieso zu nichts Sinnvollem nutzen, mit dem Verdienst von ca. 80 Knastmark pro Monat aber wenigstens durch den regelmäßigen Kauf von Äpfeln genügend Vitamine zu mir nehmen, um nicht krank zu werden.

Für Sport bleibt keine Energie mehr. Die braunkohlegeschwängerte Luft, wie sie über allen Industriegebieten der DDR hängt, lädt nicht dazu ein. Ganz gemächlich drehen wir auf dem tristen Innenhof, ewigen Pfützen ausweichend, unsere Runden. Kein Baum, keine Farbe, der Blick bleibt an alten braunroten Ziegelmauern, an Hochspannungszaun und Stacheldraht hängen.

### Schicksale

Die ganze Tristesse kann ich durch Gespräche am besten ausblenden. So lerne ich das Schicksal anderer Häftlinge kennen. Dies relativiert auch das eigene Leid. Wenigstens bin ich ungebunden. Viele Familienväter leiden unter der Trennung von ihrer Frau und sorgen sich um ihre Kinder. Welche Zärtlichkeit überfliegt ihr Gesicht, wenn sie von ihnen sprechen. Und wie schnell gewinnt Ohnmacht wieder die Überhand. Weinend sehe ich einen Mann zusammen-

brechen, als er von den letzten gemeinsamen Ferien mit
seinen zwei Kindern spricht und sich danach vorstellt, wie
sie nun in einem sozialistischen Kinderheim umerzogen
werden. Dabei hatte er mit seiner Frau lediglich mehrere
Briefe an Amnesty International verfasst. Wegen »illegaler
Kontaktaufnahme zu feindlichen westlichen Organisationen« verhaftete die Stasi ihn direkt von der Arbeit weg und
holte gleichzeitig seine Frau ab. Seitdem hatte er seine beiden Kinder nicht mehr gesehen. Vermutlich waren sie ganz
normal von der Schule zurückgekehrt und fanden eine leere
Wohnung vor, aus der ein freundlicher »Onkel« sie später
abholte. Mit der Einhaltung der Menschenrechte, wie sie
1973 in der KSZE-Schlussakte von Helsinki formuliert wurden, hatte die DDR trotz offizieller Anerkennung nicht viel
im Sinn. »Jeder hat das Recht, sich innerhalb eines Staates
frei zu bewegen und seinen Aufenthaltsort frei zu wählen.
Jeder hat das Recht, jedes Land, einschließlich seines eigenen, zu verlassen und in sein Land zurückzukehren.« Da
hätten sie ja die Mauer abbauen müssen.

Stark beeindruckt mich auch das Schicksal eines Häft-
lings, der beim Versuch, die innerdeutsche Grenze zu überwinden, auf eine Tretmine gestiegen war. Bei der Explosion
wurde sein Bein zerfetzt. Als ob er nicht schon genug bestraft wäre, verurteilte man ihn trotzdem. Das Schlimmste
aber war, dass er nie in den Westen gelassen werden würde.
Sein fehlendes Bein wirkte wie eine stumme Anklage gegen
die DDR. Es war mir ein Rätsel, wie dieser Mensch mit seinen Krücken über den Hof humpelte und trotzdem keine
Resignation ausstrahlte. Starke Charaktere gab es im Zuchthaus Cottbus. Und die verschiedensten und verrücktesten
Fluchtgeschichten machten die Runde. Was für eine Kreativität der Drang zur Freiheit entfachte: aus den wenigen zur
Verfügung stehenden Mitteln entstanden die tollsten Dinge.
Not macht erfinderisch: Aus einer Art Harzmischung von
Bäumen wurden kleine Schiffsschrauben hergestellt, die
von einem Motor angetrieben einen Schwimmer voranzie-
hen sollten. Der Motor eines Mopeds diente als Antrieb für
eine Art Drachengleiter, der von einer Wiese aus gestartet

werden konnte. Nicht »Proletarier aller Länder, vereinigt euch«, sondern »Konstrukteure aller Ostblockländer, vereinigt euch« hätte es besser heißen sollen. Es war ein gewaltiges Potenzial, das in der bürokratischen Plan- oder besser Misswirtschaft verloren ging.

Viele dieser Fluchtpläne waren durch Verrat und Bespitzelung vereitelt worden. Das Netz der Überwachung war durch die vielen Informanten dicht geknüpft. Lutz war bereits verhaftet worden, als er nachts probeweise eine Stadtgasleitung zum Aufblasen eines selbst hergestellten Ballons anzapfte. Dieser war um vieles kleiner als die bekannten Heißluftballons, da Erdgas eine größere Aufstiegskraft entwickelt. Er hätte ihn bei günstigem Wind in die Freiheit gebracht, wäre da nicht ein Verräter in der unmittelbaren Umgebung gewesen. Die Stasi wartete nur darauf, Lutz auf frischer Tat zu ertappen und so ausreichend Gründe für eine hohe Haftstrafe zu sammeln. Seit der geglückten, spektakulären Ballonflucht waren landesweit alle Stoffverkäuferinnen angehalten, jeden Kunden, der auffällig viel festen Stoff kaufte, sofort zu melden. Jede gelungene Flucht wertete die Stasi genauestens aus, damit keiner es ein zweites Mal auf die gleiche Weise schaffen konnte. Mit Erfolg. Kaum jemandem gelang z.B. noch die Flucht über die Ostsee.

Anton etwa war bereits im Zug in Richtung Ostsee aufgeflogen, als die Polizei bei der Kontrolle seines Gepäcks ein selbst gebasteltes Atemgerät und einen Tauchanzug fand. Ich erfahre von einem Sportschwimmer aus einem anderen Erziehungsbereich, der bereits über zehn Kilometer rausgeschwommen war und doch noch von der Küstenwache entdeckt wurde. Sein Kamerad tauchte, um für die Scheinwerfer unsichtbar zu bleiben, und ertrank wegen Entkräftung oder Unterkühlung. Er wurde nie mehr gefunden. Schätzungsweise zweihundert mutige Menschen kamen über all die Jahre auf ähnliche Weise um. Aber der Wille treibt die Menschen zu immer neuen Ideen. So konstruierte Erwin ein kleines Ein-Mann-U-Boot und hatte in seinem Holzschuppen gerade die letzten Schrauben angezogen, als der Garten von Stasi-Leuten umstellt war. Bei den nachfolgenden Verhören wurde er zynisch gelobt: Sein U-Boot wäre getestet worden und hätte funktioniert. Leider müsse man das Strafmaß erhöhen, denn durch seine geplante, nicht angemeldete Fahrt mit einem nicht zugelassenen Transportmittel hätte er Grenzsoldaten verletzen können.

Beim Freigang lerne ich auch Christoph kennen. Er hat in Weimar Klavier studiert und ist mir sofort sympathisch. Der Beginn einer langen Freundschaft: Zwanzig Jahre später sollte ich in der wunderbaren Atmosphäre der von ihm gegründeten »Thüringischen Sommerakademie« konzertieren. Von seinen fein ausgebildeten Gesichtszügen und den dunklen Augen geht eine ruhige Gefasstheit aus. Trotz aller Verletzlichkeit verlässt ihn nie sein klarer Verstand. Christoph versucht, aus jeder Situation noch das Beste zu machen. Er erinnert sich an viele Vokabeln, die er während eines Französisch-Kurses gelernt hatte. Ich merke mir täglich einige und schreibe sie dann in der Zelle heimlich auf. Diese Zettel mit Vokabeln zu verstecken, wird ein schwieriges Unterfangen, da ständig Filzungen stattfinden.

## »1984«

Alle schriftlichen Aufzeichnungen sind strengstens verboten. Wir haben zwar Stift und Papier, aber nur wegen der dreimal pro Monat erlaubten Briefseite an Angehörige. Alles sonst Geschriebene wird sofort vernichtet. Damit man nicht etwa wie Ernst Toller während seiner Haftzeit ganze Dramen oder Theaterstücke verfasst. Was den Menschen im Namen des Sozialismus angetan wird, davon soll der Nachwelt nichts erhalten bleiben. Wieder kommt mir George Orwell in den Sinn. Wie genau hatte er es in seinem Roman beschrieben. Und gerade dieses gesamte Jahr 1984 muss ich hinter Gittern zubringen.

Oft kommen wir von der Nachtschicht und die ganze Zelle ist beim Filzen vollkommen verwüstet worden. Die Bettlaken sind heruntergerissen, zwischen den Matratzen hat man gesucht, in den Fächern ist alles zerwühlt und achtlos herausgerissen. Zu müde, um noch richtig wütend zu werden, müssen wir erst unsere Betten richten, um dann in den Schlaf zu fallen. Nachdem meine Vokabelzettel auf diese Weise einmal verloren gehen, fertige ich mir ein kleines Stofftäschchen an. Bei der Arbeit haben Findige selbst eine Art Nähnadeln hergestellt. Die Fäden reiße ich aus alten Putzlappen, mit denen sonst die Drehmaschinen gereinigt werden. So kann ich meine Vokabelzettel verstecken und an zwei Bändchen in die Unterhose eingenäht, zwischen den Beinen tragen. Dies sollte alle Filzungen überstehen, die wir von der Arbeit kommend regelmäßig über uns ergehen lassen müssen.

Eines Tages werde ich aus der Zelle abgeholt und in einen anderen Gebäudeteil gebracht. In einem tapezierten Zimmer mit Gardinen an den Fenstern erwartet mich ein freundlich lächelnder Mann. »Wollen Sie sich bitte setzen. Wie geht es Ihnen, darf ich einen Kaffee anbieten?« Monatelang hat sich keiner dafür interessiert, wie es mir geht, täglich bin ich gezwungen eine kaum genießbare dünne Teebrühe hinunterzuschlucken, und dieser Staatsdiener denkt wirklich, ein Kaffee würde nun genügen, um mich kooperativ zu stimmen. Ich lehne ab und er bringt sein Anliegen vor. An meinem Verhalten nach der Tat gäbe es nichts zu tadeln, auch die Arbeitsnorm würde ich schaffen, dies wären gute Voraussetzungen, um mich eher zu entlassen, wenn ich meinen Ausreiseantrag zurückziehen würde. Na prima, denke ich, meint der echt, das ich nach all dem Erlebten noch einmal in diesen Schweinestaat zurückwill? Ich versuche ganz ruhig zu bleiben und antworte, dass ich nur deshalb gut arbeite, um durch das verdiente Geld die schlechte Ernährung aufzubessern und so wenigstens halbwegs gesund im Westen anzukommen. Seine Freundlichkeit ist wie weggeblasen, das Gespräch schlagartig beendet. Er verpflichtet mich, mit niemandem über den Inhalt unseres Gespräches zu reden, und gibt sichtlich verärgert den Befehl, mich wieder auf die Zelle zu bringen. Dort wird mir klar, dass er sicher, wenn ich überlegt hätte, noch mit einer anderen »kleinen Bedingung für meine vorzeitige Entlassung« gekommen wäre. Der Hunger der Stasi nach neuen Informanten war wahrscheinlich nie zu stillen.

**Bus bauen**

Wer nicht zu sehr aneckt, bekommt die Chance, einmal pro Woche in einen Fernsehraum für die »Aktuelle Kamera«, die ostdeutsche Tagesschau und einen nachfolgenden Film geschlossen zu werden. Da es die Chance gibt, dort Mathias oder Gerd zu treffen, melde ich mich für diese »Vergünstigung« öfters an. Beide sind in anderen Erziehungsbereichen untergebracht, da man befreundete »Mittäter« immer trennt. Die oft schlechten Filme sind Nebensache, meist wird die ganze Zeit genutzt, um flüsternd Informationen auszutauschen. Einmal aber kommt ein historischer Film und die Kamera liegt lange ruhig auf dem schönen Nacken einer bezaubernden Schauspielerin. Wie ausgedurstet war ich nach sinnlichen Bildern, wie hat mich dieser Hals mit den blühenden Rosen eines Barockgartens im Hintergrund geradezu euphorisiert, nach all der Zeit ohne Frauen und Schönheit. Mit welch unglaublicher Sehnsucht schleiche ich danach wieder in die Zelle, in der 17 teils schon schnarchende Männer in ihren lumpigen Kojen dahinvegetieren. Und keine Aussicht auf Veränderung, nur das Wecken morgens um fünf ist sicher, wie die kreischenden Maschinen in der Werkhalle und die ewig gleichen Handgriffe.

Natürlich stauen sich sexuelle Bedürfnisse an, aber die Woche über sind alle durch die Arbeit und Mangelernährung so ausgelaugt, dass der Körper kaum noch Energie in die entsprechenden Regionen schickt. Zudem gibt es außer der Toilette bei der Arbeit keinen Rückzugsort. An den Wochenenden gehen alle nach der morgendlichen Zählung gleich wieder ins Bett, um endlich Schlaf nachzuholen. Erst nach und nach setzen erste leise Gespräche ein. Wer ungestört bleiben will, baut einen »Bus«. Dazu wird eine Überdecke unter die darüberliegende Matratze gesteckt. Die nun über die gesamte Länge des Bettes herunterhängende Decke bietet etwas Schutz. Es entsteht ein kleiner intimer Bereich. Gleichzeitig versteht jeder in unserem »Verwahrraum« dies als Signal, nicht angesprochen werden zu wollen.

In meinem Bus fühlte ich mich wenigstens etwas geborgen, kann ungestörter ein Buch lesen. Olaf über mir zeichnet unentwegt, trotz des Wissens, dass all seine Entwürfe auf dem billigen Briefpapier vernichtet werden. Auch das ist für mich eine Art Geborgenheit, zu spüren, ganz nahe beschäftigt sich ein Mensch mit wesentlichen, sinnvollen Dingen. Seiner Kreativität kann auch die Zeit im Knast nichts anhaben. Später wird er in Berlin studieren und als versierter Grafiker nach der Wende eine erfolgreiche Werbeagentur in Dresden aufbauen, die später nach Berlin expandiert. Neben seiner Arbeit initiiert er immer wieder politische Aktionen. Aufgrund seines absolut kompromisslosen Verhaltens lässt die Stasi ihn seine volle Strafe absitzen. Erst im letzten

Moment schiebt man ihn und seinen Bruder nach Westberlin ab. Zuvor erlaubt man sich noch ein Späßchen mit den
Eltern, die ihre beiden Söhne in Dresden abholen sollen,
aber vergeblich warten. Keiner der Beamten kann oder darf
ihnen sagen, wo sie geblieben sind.

Selten habe ich einen mutigeren Menschen als Olaf kennengelernt. Nie lässt er sich kleinkriegen. Immer sagt er
ihnen die Meinung voll ins Gesicht, koste es, was es wolle.
Und es kostet viel: volle dreißig Monate Zuchthaus. Als er
nach der Wende herausbekommt, wer seine geplante Republikflucht verraten hat, stellt er ihn zur Rede und bekommt
in einem Gespräch unter vier Augen zu hören, er solle sich
nur in Acht nehmen, denn die Verbindungen vieler ehema-
liger Führungsoffiziere untereinander wären intakt. Wenn
er nicht aufhöre, in der Vergangenheit herumzustochern,
brauche man nur die »Rote Faust« einschalten; eine Terror-
organisation, die ehemalige Stasileute schützte. Da könne
schnell mal ein Unfall passieren und er könne etwa vom
Balkon eines Hochhauses stürzen.

Die Freundschaft mit Olaf kann ich nicht lange genießen,
weil ich verlegt werde. Aber wir schaffen es noch, unsere Eltern zusammenzuführen: In einem kurzen unbeobachteten
Augenblick beim »Sprecher« gelingt es Olaf, einen kleinen
Kassiber in Form eines kleinen 5-Pfennig-Scheins rauszu-
schmuggeln. Darauf habe ich meinen Eltern geschrieben,
dass sie den Überbringern voll vertrauen können. Mit dem
Wissen, dass meine Eltern meine Handschrift gut kennen,
hoffe ich, dass beide Elternpaare dadurch in Verbindung
kommen werden. Sie teilen das gleiche Schicksal, mit je
zwei Kindern im Knast, haben ähnliche Erfahrungen und
könnten sich sicher austauschen – auch wenn geteiltes Leid
hier wahrscheinlich nicht halbes Leid bedeutete.

## Ins Ungewisse

Während einer Nachtschicht, um eins, kommt ein Wärter
und sagt zu mir: »Jacke anziehn, mitkomm'!« Er führt mich
zurück in die Zelle, wo ich die Sachen aus dem Fach meines

Spindes zusammenpacken muss. Was soll das bedeuten? Geht es jetzt schon Richtung Freiheit? Aber ich habe doch noch gar nicht die Hälfte »abgesessen«. Und wieso mitten in der Nacht? Eine Handvoll Mithäftlinge sind mit ähnlichen Gedanken beschäftigt, als wir in einem Raum neben der Effektenkammer, wo unsere bei der Verhaftung getragenen Zivilsachen aufbewahrt sind, zusammengeschlossen werden. Für Spekulationen bleibt kaum Zeit, denn ein LKW fährt vor. Keiner sagt uns, was los ist. Handschellen warten auf uns und der Befehl »Aufsteigen, aber dalli«. Wie ich diese stinkenden W 50 schon seit meiner Armeezeit hasse. Dicht gedrängt sitzen wir auf den seitlichen Holzbänken der hinteren Ladefläche unter der im Fahrtwind flatternden Plane. Kalte Nachtluft lässt mich frösteln. Ungute Gefühle kommen auf: zwar sagt mein Verstand, liquidieren werden sie dich nicht, aber ich spüre wieder diese absolute Ohnmacht. Mitten in der Nacht sitze ich in einem LKW, der irgendwohin fährt. Im Morgengrauen kommen wir an. Ja, es ist ein Grauen. Durchgefroren, übernächtigt, verängstigt führen wir die Befehle einer ständig brüllenden Stimme aus; müssen in Reih und Glied vor einem furcherregenden Tor antreten. Mit durch Mark und Bein gehendem Quietschen öffnet es sich ganz langsam: ein riesiges Maul, hinter dem viele Gebäudekomplexe liegen und in das wir nun hineinmarschieren. Als es sich wieder hinter uns schließt, bleibt das Gefühl: Hier komm ich nie wieder raus!

Ich befinde mich in Brandenburg, einem Zuchthaus für »Langstrafer«, einer kleinen in sich geschlossenen Stadt mit eigener Bäckerei, Fleischerei, Wäscherei und Großküche. Alles wird von Strafgefangenen betrieben, unter ihnen ca. 1500, die zu lebenslänglicher Haft verurteilt wurden, also Mörder und Gewaltverbrecher, auch LLer (von lebenslänglich) genannt. Hier ist alles vollkommen anders als im Cottbusser Zuchthaus. Es gibt eine klare Hierarchie, in der wir als Politische ganz unten stehen. Die Machtbereiche sind aufgeteilt, die Wärter zu den Big Bossen eher kumpelhaft. Ganz eigene Gesetze herrschen, die es zu durchschauen gilt, um zu überleben.

Wieder komme ich erst auf Zugang. Aus alten Fenstern kann ich durch angerostete Gitterstäbe auf den Hof schauen. Einige sind bis zum Haaransatz am ganzen Körper tätowiert. Ein breit grinsender Häftling, der über die gesamte Stirn eine Eisenbahn tätowiert hat, knallt uns »Zugangseiern« das dürftige Abendbrot hin und sagt ganz im Genuss seiner Macht: »Na, wohl noch neu hier, wir werden euch schon noch einreiten.« Es dauert über eine Woche, bis man entschieden hat, in welchem Arbeitskommando man mir am meisten schaden kann. Ich muss noch nicht arbeiten und so bleibt Zeit zum Nachdenken.

## Despoten und Widerrufe

In Ermangelung von Büchern warf ich manchmal auch einen Blick in das ›Neue Deutschland‹, der Pflichtlektüre jedes braven Parteimitgliedes, und wurde wieder bestärkt in meiner Entscheidung, wegzugehen. Ein Großteil der Informationen war gefiltert, zurechtgestutzt oder ideologisch gefärbt. Dazu die sich ewig wiederholenden Selbstbeweihräucherungen. Das Einzige, was ich dabei wirklich studieren konnte, war die Verarmung der Sprache oder die Widersprüche: Was etwa hat die Diktatur des Proletariats mit einer demokratischen Republik zu tun.

Wenn im Sprachgebrauch der von der Regierung gesteuerten Medien ständig das Adjektiv *wahrhaft* verwendet wird, so kann jeder Hobbypsychologe daraus schließen, dass es darum geht, allgegenwärtige Lügen zu verschleiern. Psychologie, etwa die von C. G. Jung, wurde übrigens von den Chefideologen immer sehr skeptisch betrachtet. Es konnte ja passieren, dass die Menschen anfingen, ihr Leben individuell zu betrachten, anstatt der geforderten Zurückstellung persönlicher Bedürfnisse zugunsten der gesellschaftlichen Verpflichtungen Folge zu leisten.

Einzig der Staat sollte den Menschen einen Lebenssinn geben. Im »revolutionären Bewusstsein« war kein Platz für Selbstfindung oder Selbsterkenntnis. Schnell klebte man das Etikett idealistische Philosophie über derartige »individualistische Denkansätze«. Was allein zählte und für alle Menschen im Sozialismus gültig sein sollte, waren die »objektiven Prozesse der gesellschaftlichen Entwicklung, welche von der SED auf lange Sicht geplant und geleitet wurden«. Wenigen wurde bewusst, dass man einen »objektiven Prozess« gar nicht planen, wohl aber die von der Partei beschlossenen Maßnahmen zur Machterhaltung dem Volk als Gesetz verkaufen kann.

Ich erinnerte mich an die Zeit in der achten Klasse. Obwohl ich solche Zusammenhänge noch nicht genau erkannt hatte, so hingen mir doch die leeren Worthülsen derart zum Halse heraus, dass ich mich in einer Situation nicht zurückhalten konnte: Wieder war es unsere Pflicht in der Freizeit die Wandzeitung zu gestalten, die in jedem Klassenzimmer hing und von keinem wirklich gelesen wurde. Dazu wurden die immer gleichen, den Sozialismus verherrlichenden Artikel zu einem vorgegebenen Thema zusammengestellt. Um meinem Ärger über diese ununterbrochene Litanei von Lobhudeleien Luft zu machen, dachte ich, eine Auflockerung täte allen gut und schrieb: »Kommunismus ist, wenn jeder von jedem genug hat.«

Politische Witze zu erzählen war zwar weitverbreitet, auch weil man damit Dampf ablassen konnte, aber nicht ungefährlich. Wir Schüler genossen den Reiz des Verbotenen, wenn wir auf dem Schulhof heimlich die neuesten Witze austauschten, aber einen Witz an eine Wandzeitung zu schreiben, war einfach leichtsinnig. Ich hatte das große Glück, dass es in meiner Klasse noch keinen Schüler gab, der Informationen an die Stasi weitergab. Der Direktor war in eigenem Interesse darauf bedacht, dass nichts nach außen drang; wurde er doch für alles, was an seiner Schule geschah,

Im Mittelpunkt der gesellschaftlichen und politisch-ideologischen Arbeit steht die Verwirklichung der Beschlüsse des VIII. Parteitages der SED (Juni 1971). Dieses Ziel bestimmt das Handeln der Werktätigen im ganzen Land. Durch die Aneignung des Marxismus-Leninismus, der einzig wahrhaften, wissenschaftlichen Weltanschauung ...

*Aus ›Neues Deutschland‹*

verantwortlich gemacht. Also lud er mich nur zu einer »persönlichen Aussprache« vor und hielt mir unter vier Augen »das Schändliche, Unverantwortliche meiner Tat« eindringlich vor Augen. Dann sollte ich mich ganz klar von dem Spruch distanzieren. Nur wenn ich meine Schuld einsähe und verspräche, dass so etwas nie wieder vorkommt, habe mein Vergehen keine weiteren Folgen. Etwas widerwillig, aber dann von Angst beherrscht – gerade vorher war die Zusage für meine Aufnahme an eine Spezialschule für Naturwissenschaften gekommen – bereute ich alles und kam mit dieser mündlichen Verwarnung davon. Zum ersten und nicht letzten Mal musste ich den entwürdigenden Prozess der Selbstbezichtigung und Reue über mich ergehen lassen. Drei Jahre später, an der erwähnten Spezialschule, ging es nicht so glimpflich für mich ab.

Schon bei der Begrüßungsveranstaltung merkte ich, was auf mich zukommen würde. Eine schuleigene Singgruppe bot einen nicht gerade einfallsreichen Song mit dem sich ständig wiederholenden Refrain dar: »Die FDJ flott, flott, flott,/ die FDJ flott, flott.« Fehlte nur noch, dass man das Publikum mit »Und alle!« traktierte. Es wurde viel davon gesprochen, dass die »Partei der Arbeiterklasse uns den Auftrag gegeben habe, durch gute schulische Leistungen zur Stärkung der DDR und zur Sicherung des Friedens beizutragen. Dies sei nur mit einem gefestigten, sozialistischen Standpunkt möglich. Auch in der Freizeit sollten wir uns bemühen, durch die Aneignung einer marxistisch-leninistischen Weltanschauung unsere persönlichen Interessen mit den gesellschaftlichen Anforderungen in Übereinstimmung zu bringen«.

Während der gesamten vier Jahre bis zum Abitur schwebte eine undefinierte, aber ständig wirkende Drohung über uns, denn bei den kleinsten Vergehen brachte man uns in Erinnerung, dass wir die EOS besuchen »durften«. Schon in der Wortwahl war klar, das dies ein Gnadenbeweis des Staates war, der jederzeit entzogen werden konnte, wenn wir der »Ehre nicht gerecht wurden, uns nicht als würdig erwiesen«. Mit dem nach außen stolz deklarierten Recht auf Bildung hatte dies wenig zu tun. Wer anfangs noch den

Versuch machte, ehrliche Fragen zu stellen, dem entgegnete man mit arroganter Selbstsicherheit, oft unter Verwendung schematischer Lehrsätze. Es waren Antworten, die keine weiteren Fragen mehr zuließen, ohne den Verdacht einer weltanschaulichen Abweichung oder gar Staatsfeindlichkeit aufkommen zu lassen. Solche ideologischen »Verirrungen« hatten disziplinarische Folgen. Der Satz »Sonst müssen wir uns von Ihnen trennen« brachte auch den letzten Aufrechten zum Umknicken. Weitere psychische Deformationen waren die Folge. Gerade, aufrechte Menschen wurden immer seltener. Das eigenständige, fantasievolle, kritische Denken einer ganzen Generation wurde begraben. Irgendwann begriff auch der Rebellischste, dass ehrlicher Gedankenaustausch nicht erwünscht war.

Durch ihren vorgeblichen Kampf gegen Ausbeuterei bekam die Partei das Recht, alle Andersdenkenden niederzubügeln. Ob an Schulen oder Universitäten, Institutionen oder volkseigenen Betrieben, überall wurden Menschen so geistig verblödet und zurechtgebogen.

Für mich wurde der Druck an der Schule noch größer, als ein neuer Direktor kam, der sich als absoluter Despot herausstellen sollte. Er liebte es, auf dem Balkon über dem Hauptportal der Schule stehend das Eintreffen »seiner« Schüler zu beobachten; oder sich direkt an der Eingangstür zu platzieren, um erhaben die Morgengrüße der laut Schulordnung dazu verpflichteten Schüler entgegenzunehmen. Wehe dem, der – im Gespräch mit Kameraden – aus Versehen ohne diese Ehrenbezeugung an ihm vorbeirannte. Sein Amtszimmer war akustisch durch eine Doppeltür isoliert. So konnte er bei sogenannten Aussprachen ungestört brüllen, wie ich noch

> Die Partei, die Partei,
> die hat immer recht,
> und Genossen, es
> bleibe dabei,
> denn wer kämpft
> für das Recht,
> der hat immer recht
> gegen Lüge und
> Ausbeuterei.
> Wer das Leben
> beleidigt,
> ist dumm und
> schlecht,
> wer die Menschheit
> verteidigt,
> hat immer recht.
>
> *Refrain aus dem ›Lied der Partei‹ von Louis Fürnberg (1950)*

erleben sollte. Wie viele Schüler mussten in seiner langen Amtszeit Repressalien über sich ergehen lassen.

Ein Aufbegehren war in meiner Zeit um 1975 undenkbar. Sehr fern noch waren die Demonstrationen Ende 1989, bei denen Schüler sich trauten, mit Plakaten »Gegen Verzwergungsängste« auf die Straße zu gehen. Sicher litten auch die Lehrer unter diesem Direktor. Ängstlichkeit und kleinkariertes Denken waren die Folge und erstickten oft jeden Humor. Selbst die harmlosesten Schülerstreiche führten zu politischen Anschuldigungen. Als einige Schüler am letzten Schultag die jahrelang getragene Schultasche gegen einen schlichten Eimer tauschten, wurden sie sofort zur Aussprache zitiert, denn der Klassenfeind könnte dies interpretieren als »Das DDR-Schulsystem ist im Eimer«. Wie recht hätte er gehabt!

Nur wenige Lehrer gab es, die zumindest durch die Blume zu verstehen gaben, dass sie auch eigene Gedanken hatten. Unser Chemielehrer etwa veranschaulichte uns die Tatsache, dass Fette nicht wasserlöslich sind mit dem schmunzelnd vorgetragenen Satz: »Wenn Sie in Dresden ein Stück Butter in die Elbe werfen, kommt es genau so in Hamburg an.« Jeder hatte die Assoziation, dass er auf dieser Reise auch gern dabei gewesen wäre, leider aber an dem die Elbe durchziehenden Eisengitter an der Grenze hängen bleiben würde.

Die Lehrer naturwissenschaftlicher Fächer hatten es durch die Objektivität ihres Lehrstoffes natürlich leichter. Sie boten uns oft einen hervorragenden Unterricht und waren fachlich ausgezeichnet. Viele kamen aus traditionsreichen Familien, die über Generationen in Forschung und Lehre tätig waren. Trotz der generellen Vorbehalte gegenüber »Intelligenzlern« – im Klassenbuch stand nicht ohne Grund hinter jedem Namen ein A für Arbeiter oder I für Intelligenz – hatte die SED-Führung doch erkannt, wie wichtig diese Menschen für die Wirtschaft des Landes wie auch für moderne Militärtechnik waren. Schwieriger war es in den Geisteswissenschaften. Ich musste erleben, wie der Direktor im Deutschunterricht hospitierte und unseren wunder-

baren Lehrer dazu zwang, in der nächsten Deutschstunde
seine Einschätzungen zu Thomas Manns ›Felix Krull‹ zu re-
vidieren: also dem »sozialistischen Klassenstandpunkt« an-
zupassen. Das hat mir damals richtig wehgetan. Ich spürte,
dass dieser vielseitig gebildete, feine Mensch, der uns so viele Literaturanregungen mit auf den Lebensweg gab, wider
das eigene Gewissen große Literatur klein reden sollte.

Warum müssen sich in der Geschichte der Menschheit die
schärfer Denkenden und tiefer Empfindenden vor den Groben und Machtgierigen beugen. Diese Gedanken kamen mir,
als wir den erzwungenen Widerruf Galileis vor dem Tribu-
nal der Inquisition im Unterricht behandelten.

## Aufgemuckt

Während der 11. Klasse wurden alle Jungen immer wieder
in Gesprächen agitiert, sich für den Beruf des Offiziers zu
entscheiden. In Zeiten technischer Aufrüstung brauchte die
Nationale Volksarmee dringend Spezialisten für Elektronik. Vorgabe war, pro Klasse mindestens einen Schüler zu
gewinnen. Bei uns war keiner bereit dazu. Das Schwierige
war, wie man eine Ablehnung bei diesen Werbegesprächen
unverfänglich begründen sollte. Immer wieder wurden mir
ideologische Fallen gestellt und so mit dem Vorwurf der So-
zialismusfeindlichkeit immenser Druck ausgeübt. Als man
mich zunehmend drangsalierte, schließlich bei einem er-
neuten Agitationsgespräch sogar nahelegte, wenigstens auf
meine Klassenkameraden positiv einzuwirken, reagierte
ich auf dieses absurde Anliegen spontan und verteilte kleine Zettel mit ironischen Sprüchen über den Offiziersberuf.
Diese Aktion hatte etwas Befreiendes für mich: Ironie als
Schutzfunktion infolge einer seelischen Verletzung. »Es gibt
kein größeres Glück auf Erden, als Offizier unserer NVA
zu werden.« Oder: »Dein im Kampf gestählter Körper wird
manche Jungfrau erröten lassen.«

Als die Zettel in Umlauf kamen, schlossen sich andere
Klassenkameraden an, und all die flotten Sprüche, die später als »verwerfliche Schandtat gegen unsere sozialistische

Armee« gewertet wurden, landeten, ohne dass wir es bemerkten, bei einer Mitschülerin. Sie erzählte uns, dass ihr Papi durch Zufall einen Zettel in ihrer Schultasche gefunden hätte. Klar, welchen Beruf ihr Vater hatte und welchen »Klassenauftrag« sie erfüllen sollte. Es stellte sich heraus, dass wirklich jeder noch so kleine Zettel bei der Stasi gelandet war. Der Direktor kochte vor Wut, als er uns zu sich bestellte und wir angeben sollten, wer welchen Zettel geschrieben hatte. Dabei war längst alles mit fünffachem Durchschlag protokolliert und mit kriminalistischer Energie die Urheberschaft über Handschriftenvergleich ermittelt worden. Eine Lawine von Aussprachen oder besser von Verhören rollte auf uns zu. Dem Direktor »ging die Muffe«. So unser Ausdruck für dessen ängstliches Einknicken. Schnell hatte sich unsere Zettelaktion in der ganzen Schule herumgesprochen. Viele Schüler fanden es insgeheim gut. Endlich hatte jemand etwas gegen diese ständige Drangsalierung unternommen! Der Direktor bekam Druck von der Stasi und Vorwürfe von seinem Vorgesetzten; hatte Angst um seinen Posten und leitete den Druck direkt an uns weiter. Auch meine Eltern wurden zum Gespräch in die Schule bestellt. Hier war mein Vater sehr mutig: Es sei doch ganz normal, dass junge Menschen derart reagierten, wenn man sie ständig zu einem Beruf überreden will, den sie nicht mögen, sagte er unverblümt zum Direktor. Er stärkte mir den Rücken und ich war stolz auf ihn. Aber der Druck auf mich wurde mit der Zeit größer. Ich bekam immer mehr Angst. Das Gerücht ging um, zwei Schüler sollen als abschreckendes Beispiel exmatrikuliert werden. Plötzlich tauchten in den Aussprachen manipulierende Fragen auf wie: »Wer hat dich denn auf die Idee mit den Zetteln ge-

*Sie haben durch Ihre Haltung die Ehre des Schulkollektivs verletzt. Durch schriftliche Äußerungen, die weitergereicht wurden und damit der Meinungsbildung und Beeinflussung anderer Schüler dienten, haben Sie gegen den Offiziersberuf in ironischer Weise Stellung genommen.*

*Aus dem Direktorverweis der Spezialschule für elektronische Industrie für Michael Proksch vom 2.7.1976*

bracht?« Ein Freund und ich sollten als Anführer dingfest gemacht werden. Aber alle beteiligten Jungs hielten zusammen und erhielten schließlich einen Direktorverweis. Vorher mussten wir eine Stellungnahme zu unserer Tat schreiben, in der wir alles bereuten, und ein klares Bekenntnis zum Sozialismus abgeben, in dem Sinne, »den Sozialismus stärken heißt den Frieden auf der Welt sichern«. Außerdem sei es unsere Pflicht, durch gute Taten und vorbildliches Benehmen in einem militärischen Sommerlager unsere positive Einstellung zum Staat zu untermauern! Beim Appell zum Schuljahresende wurde der Direktorverweis vor versammelter Schulbelegschaft verlesen.

Wir waren sechs Beschuldigte und erschienen alle in kurzen Hosen, was in unserem Alter damals unüblich war. Als wir dann auf die Bühne der Schulaula mussten, stellten wir uns in dezent lächerlicher Haltung etwas breitbeinig hin. Die Schüler lachten insgeheim, und wir genossen das, denn wir wussten, dass sie uns nicht alle von der Schule verweisen konnten: sechs Schüler aus einer Klasse von 20, das ist fast ein Drittel, und aufgrund unseres erweiterten Unterrichtsplanes mit einigen Extrafächern konnte man die Klasse nicht einfach mit anderen Schülern auffüllen. Die Sache verschaffte uns eine kleine Genugtuung, und ich vergesse nicht, wie der Direktor nach dem Appell innerlich wütend zu mir kam und schimpfte: »Proksch, wenn jetzt nicht Sommerferien wären, hätte das Ganze ein Nachspiel!« Normalerweise hätte er mich nicht mit Nachnamen angeredet. Vermutlich war er genauso ferienreif wie ich.

Allerdings waren unsere Ferien zwei Wochen kürzer, denn alle männlichen Jugendlichen mussten während ihrer Sommerferien nach der 11. Klasse in ein vormilitärisches Ausbildungslager fahren. Hier wurden wir für die Armeezeit vorbereitet oder besser gesagt gedrillt. Klein und gefügig sollten wir werden, ohne eigenen Willen, immer bereit, »im Klassenkampf dem sozialistischen Staat zu dienen«. Viel Selbstbeherrschung war notwendig, denn unser Verhalten wurde als »Wiedergutmachung« besonders beobachtet. Also versuchte ich, all diese Sinnlosigkeiten vorbildlich auszuführen; rannte stundenlang in der Augusthitze mit der schweißverklebten Gasmaske halb blind durch die Wälder. Aber der Wille durchzuhalten, um den Studienplatz nicht zu riskieren, half über alles hinweg, auch wenn ich nicht gerade sehr erholt in die direkt danach beginnende Abiturklasse startete. Auch die Gewissheit, dass ich von nun an bespitzelt würde, war nicht gerade schön.

## Abgeduckt

Nach acht Tagen auf Zugang kommt ein Schließer auf mich zu: »Sachen packen.« Ich werde in ein anderes Haus gebracht. Als ich eine hohe Halle betrete, klopft mir das Herz. Mehrere Stockwerke mit vielen Türen sind von unten aus zu sehen. Alles erscheint riesig und Furcht einflößend. Mit wem werde ich die Zelle teilen müssen, was kommt alles auf mich zu? Unendlich lang kommt mir der Gang im dritten Stock vor.

Ängstlich schaue ich über das Geländer nach unten, höre fernes Fluchen und Lachen, bis der Wärter stehen bleibt und krachend eine Tür aufschließt. Ich betrete eine kleine Drei-Mann-Zelle. Niemand ist da. WC direkt neben einem winzigen Tisch, gegenüber ein Spind und frontal das dreistöckige Bett. Beim Bettbeziehen stelle ich fest, dass ich nicht einmal im Bett sitzen kann. So nahe ist der obere Teil an der Decke. Die Zellen sind niedriger als in Cottbus.

Stunden vergehen und mit bangem Warten stelle ich mir vor, mit wem ich die Zelle teilen würde. Die Geräusche der auf- und zugeschlossenen Zellen kommen immer näher, bis zwei kalte Augenpaare mich erstaunt mustern. Der Ältere ist drahtig, kein Gramm Fett, hat ein total unsymmetrisches Gesicht und spricht kaum ein Wort. Dies ändert sich in den nächsten Tagen auch nicht. Ihn interessiert weder, wie ich heiße, noch, weswegen ich hier bin. Der Jüngere hat ein eher feistes, pickliges Vollmondgesicht, ist etwas redseliger, traut sich aber im Beisein des Alten nicht so richtig. Also schweige auch ich. Dies soll meine Taktik für die erste Zeit werden. Wenig von mir preisgeben, genau beobachten, wer hat das

Sagen, welche rivalisierenden Gruppierungen gibt es. Unauffällig bleiben, anpassen.

Die Erzählungen meines Vaters fallen mir ein. Genauso hatte er sich während seiner vierjährigen Kriegsgefangenschaft bis 1949 verhalten und gehörte so zu den 40 von 120 Soldaten, die Hunger, Kälte und schwerste körperliche Arbeit in einem jugoslawischen Bergwerk überlebten. Noch heute steige ich, ohne bewusst daran zu denken, im Zug immer in der Mitte ein. So fest haben sich die Erzählungen meines Vaters eingeprägt. Er entkam durch eine Typhuserkrankung Stalingrad. Auf der Rückfahrt fuhr der Zug auf eine Mine, durch die die vorderen Waggons vollständig zerstört wurden. Er überlebte in der Mitte des Zuges.

Nach und nach versuche ich zu erkennen, mit welchem Verhalten ich am besten durchkomme. Trotz meiner Versuche, immer diplomatisch zu sein und vorerst aus der Distanz zu beobachten, lassen sich anfangs Fehler kaum vermeiden. So beim ersten Mittagessen. In einem nach schlechten Essensresten stinkenden großen Speisesaal stehen lange Tischreihen, deren Oberfläche jedem Labor zur Züchtung von Bakterienkolonien größte Freude gemacht hätte. Ich muss anstehen und bekomme dann aus großen Kübeln das Essen auf den Plasteteller (in der DDR sagte man Plaste und nicht Plastik) geklatscht. Zermatschte Kartoffeln, zerkochtes Kraut und Fettränder, die das einmal vorhandene Schweinefleisch noch erahnen ließen. Ich setze mich auf einem der unter den Tisch geschobenen, quadratischen Hocker an ein noch freies Tischende und versuche unauffällig alles um mich herum wahrzunehmen.

Bald darauf setzen sich andere zu mir und beginnen mich auszufragen. Wahrscheinlich testen sie, ob ich zu ihrem Clan passe. Mittendrin sagt ein mir gegenüber sitzender schmalbrüstiger, zynischer Zwerg: »Aha, der feine Herr isst mit Messer und Gabel.« Nun sehe ich erst, dass alle nur einen Löffel besitzen. Der ist an der Unterseite scharf angeschliffen und wird auch zum Schneiden benutzt. Mit Messer und Gabel zu essen ist einfach nicht üblich.

Rasch wird mir klar, ich muss genauer beobachten und

möglichst unscheinbar und unauffällig bleiben. Egal, wie viel Beherrschung und Umsicht es mich noch kostet, ich werde da durchkommen. Im Gegensatz zu manch anderen gelingt es mir mit der Zeit immer besser. Viele der Gefangenen haben nur einen sehr beschränkten Sprachschatz, mit etwa dreißig Wörtern kommen sie aus. Probleme werden nicht ausdiskutiert. Wenn einem etwas nicht passt, »wenn du aufmuckst«, dann kommt schnell mal eine Faust. So etwas wie richtige Gespräche kennen sie nicht und schon gar nicht, dass man damit einen Konflikt lösen kann. Ich verwende sehr viel Energie darauf, meinen Sprachgebrauch zu reduzieren und möglichst nur ganz einfache Wörter zu verwenden. Wie oft bin ich anfangs erstaunt, wenn eine mir ganz geläufige Redewendung mit »Red nicht so geschwollen« kommentiert wird.

Hier haben kaum nachdenkende oft auch einfach primitive Menschen von oben grünes Licht bekommen, uns Politische zu drangsalieren. Das ist gefährlich. Auf diese Weise braucht sich die Stasi die Finger nicht mehr selber schmutzig zu machen. Man überlässt uns einfach den Schikanen und Demütigungen durch die Kriminellen. Als Anweisung genügt, pro Zelle nur einen Politischen zuzulassen. Damit sind wir isoliert und den Kriminellen ausgeliefert, können uns kaum gegenseitig stützen. Schutzlos müssen wir alles über uns ergehen lassen. Nie werden wir recht bekommen. So eröffnet auch der Leiter meines »Erziehungsbereiches« sein erstes Gespräch mit mir: »Damit das gleich klar ist, mir ist einer lieber, der im Affekt jemanden umbringt, als einer wie Sie, der bewusst unseren Staat verrät.«

### Durchtrieben

Mein Aufenthalt in der Dreierzelle währt nur einige Tage. Wahrscheinlich hat der Alte sich beschwert, dass so ein unwürdiger »Kurzstrafer« ihm die Luft zum Atmen nimmt. Ich komme auf eine kaum größere Sechserzelle. Hier wird zumindest gesprochen. Regie führt ein ca. vierzigjähriger Gewalttäter; eher untersetzt, aber durchtrainiert und vor allem sehr schnell in seinen Bewegungen. Er hatte seine Frau beim Fremdgehen in flagranti überrascht und wollte den »flotten Freier um einen Kopf kürzer machen«. Beim entstehenden Handgemenge schlug er »aus Versehen beide krankenhausreif«. Natürlich habe ich anfangs ziemlichen Respekt vor ihm, bis ich nach und nach merke, dass sein cholerisches Verhalten wohl nur von Eifersucht angestachelt wird und er sonst ein umgänglicher Mensch ist, der vor allem Sinn für Gerechtigkeit hatte. Ein Glücksfall für mich, denn es gibt in Brandenburg auch ganz andere Verbrecher, die vollkommen unberechenbar sind und die zudem nichts zu verlieren haben. Einem Doppelmörder ist klar, dass er wahrscheinlich nur im Sarg hier wieder rauskommt. Hinzu kommen Typen mit einer Veranlagung zum Jähzorn, die sich sowieso selten im Griff haben. Je länger ich hier bin, desto klarer wird mir, dass ich mit meiner Zelle eher Glück habe.

Der Zweite in der Hierarchie ist »Puste«, ein ca. Dreißigjähriger mit nahe beieinanderliegenden Augen, einer Igelfrisur, die er sehr pflegt, und fleischigen Lippen. Er hat eine breite Nase und seine Stirn ist ständig gerunzelt. Sein Lebenslauf entbehrt nicht einer gewissen Logik. Mit sechzehn hatte er das erste Mal ein gleichaltriges Mädchen vergewaltigt. Nach einem Jahr in der Jugendhaftanstalt war er die gleiche Zeit wieder draußen, bis ihm Ähnliches »passierte«. Das Mädchen war nach seinen Aussagen einfach zu appetitlich und wollte das Liebesmahl partout nicht freiwillig mit ihm teilen. Im selben Maße, wie die Haftstrafen sich nun vergrößerten, wurde die Zeit, die er in Freiheit verbrachte, immer kürzer. Zuletzt hatte er bereits nach einer Woche »zugeschlagen« und musste nun zehn Jahre auf ein neues »Abenteuer« warten. Die Art, wie er über Frauen redete, war mir zutiefst zuwider. In Gesprächen vor der jeweiligen Entlassung gelobt er, durch*trieben* wie er war, Besserung und folgte draußen sofort wieder ausschließlich seinen Trieben. Warum eine Gesellschaft nicht in der Lage ist, solche Menschen aus dem Verkehr zu ziehen, ist mir auch hier im Westen unverständlich. Jedes Mal muss eine junge Frau dafür büßen und trägt irreparable seelische Schäden davon. Alle in meinem neuen »Erziehungsbereich« sind zur Zwangsarbeit einem Werk der Deutschen Reichsbahn zugeteilt. Mit Bedacht hat die Stasi also schwerste körperliche Arbeit für mich ausgewählt, die später eine Fortsetzung des Klavierstudiums im Westen unmöglich machen soll. Nach meiner Entlassung werde ich wegen der dicken Schwielen auf den Händen nicht in der Lage sein, auch nur eine einfache Tonleiter gleichmäßig zu spielen.

Morgens um halb sechs werden wir aus den Zellen geschlossen und müssen draußen in Marschkolonne antreten. Mit müdem Schritt schlürfen wir dann über Wege mit altem Kopfsteinpflaster bis zu einer Schleuse. Wie viele Generationen an Häftlingen wohl bereits über dieses Pflaster gegangen sind. Nach Verlassen des innersten Sicherheitsbereiches gelangen wir zu einer großen Werkhalle. Beißender Schwefelgeruch schlägt mir entgegen, als ich die Halle betrete. Auf drei parallelen Gleisen stehen die zu reparierenden Güterwaggons. Der Brigadeleiter weist mich ein. Ich muss defekte Puffer auswechseln. Die Muttern sind oft eingerostet und lösen sich nicht; selbst wenn ich mich mit dem ganzen Körpergewicht gegen den Schlüssel stemme. Da jede Brigade auf Akkord arbeitet, stehe ich unter großem Druck. Die anderen schuften wie die Tiere. Sie brauchen Geld für Tee als Aufputschmittel und Zigaretten, nach denen sie süchtig sind. Geld verdient nur, wer die Norm schaffte, soundso viele Waggons pro Schicht.

In meiner Not schnappe ich mir oft heimlich einen Schweißbrenner und trenne so die Mutter vom Bolzen. Die Funken fliegen nur so um mich herum, sodass ich kaum sehen kann, wann der schwere Puffer plötzlich herunterknallt. Meinem Vorgänger hat es dabei den linken Fuß zertrümmert. Auch droht immer Gefahr von nebenan, wo mit riesigen Vorschlaghämmern und Schweißbrennern hantiert wird. Keiner nimmt Rücksicht auf den anderen. Die Unfallrate ist dementsprechend hoch. Immer gilt es äußerst wachsam zu sein, besonders in den Nachtschichten, wo ab drei Uhr eine bleierne Müdigkeit viele lähmt. Dazu kommt die körperliche Anstrengung, wenn wir zu zweit den neuen

Puffer mit seinen 70 Kilo hochwuchten, anschrauben und dann den Waggon mit reiner Menschenkraft weiterrollen müssen.

Als einmal ein abgerutschter Hammerschlag mich beinahe am Kopf erwischt, überlege ich, ob es nicht klüger wäre, die Arbeit zu verweigern. Aber man rät mir davon ab. »Du kommst dann sofort für 21 Tage in die ›Mumpe‹, eine feuchte Zelle im Keller ohne Licht. Das hältst du nicht lange aus, dort gehst du kaputt.« So »maloche« ich also weiter und nutze wenigstens so oft wie möglich die größere Bewegungsfreiheit. In den Pausen dürfen wir auf dem großflächigen Betriebsgelände vor der Halle frische Luft schnappen. Ich leide immer an Sauerstoffmangel.

Da meine Arbeit durch die entstehenden Schwefelgase beim Schweißen sehr gesundheitsschädlich ist, bekomme ich wenigstens einen Viertelliter Milch pro Tag. Später kann ich gegen Zigaretten noch eine zweite Flasche dazu eintauschen. Noch wichtiger ist der Knoblauch, den ich mir auf gleiche Art »organisiere«. Es gelingt mir, drei andere in der Zelle davon zu überzeugen, dass durch Knoblauch Haare und Zähne besser erhalten bleiben. Manche haben durch die äußerst schlechte Ernährung schon lockere Zähne. Hier kann ich einhaken: »Du willst doch nicht, dass deine neue Flamme beim Küssen in einer Zahnlücke hängen bleibt.« Natürlich stinkt es in unserer Zelle von nun an, aber der Geruchssinn ist sowieso abgestumpft. Allein durch die Tatsache, dass jeder fünfmal pro Tag ertragen muss, wie in unmittelbarer Nähe die Notdurft verrichtet wird. Wegschauen kann man leicht, wegriechen kaum. Als ich mich das erste Mal, vor den Augen aller andren, auf dem WC direkt neben dem Esstisch niederlasse, tönt schon im Chor: »Ziehen!« Jede Sekunde zählte.

Trotz all dieser Umstände gibt es doch ab und zu sehr skurrile Situationen, mit Puste etwa. Puste ist Stotterer. Wenn er Geschichten von seinen »Abenteuern« draußen erzählt, so fängt er immer ganz normal an, steigert später die Sprechgeschwindigkeit und an den Höhepunkten kommt er dann

immer mehr ins Stocken. Ein Kabarettist hätte die Drama-
turgie nicht klüger aufbauen können. Die ganze Zelle liegt
am Boden vor Lachen, wenn er dann die entscheidenden
Wörter vor Stottern einfach nicht mehr herausbringt: »Da
ha-a-a-b ich ihr einfach an an an d-den Bu-bu-bu-busen
ge-ge-ge-ge.« An dieser Stelle feuern ihn alle an, wodurch
er gar kein Wort mehr herausbringt. Trotz des makabren Inhalts steckt auch mich das Lachen immer mehr an – bis ich
wirklich Tränen lache.

Ja, im berüchtigten Brandenburger Zuchthaus kann man
auch lachen. In dieser in sich abgeschlossenen Zwangsge-
meinschaft gibt es die gesamte Gefühlspalette der menschlichen Spezies. Hier liegt alles blank. Nie habe ich schneller
mehr über Menschen erfahren als hier im Gefängnis. Der
Habgierige ist eben habgierig und sieht keinen Grund, dies
zu verstecken. Dazu fehlen ihm auch die klugen, verschlei-
ernden Worte heutiger Bankdirektoren. Der Eifersüchtige
fährt dem Rivalen einfach die Faust ins Gesicht. Der Gei-
zige schämt sich nicht für seinen Geiz, hat er doch auch
in schlechten Zeiten immer Geld. Der Eitle ist sowieso als
Tunte verschrien, also lebt er seine Eitelkeit voll aus. Es gibt
Treue bis in den Tod; Falschheit aus destruktiver Lust, andere zu verletzen; Intrigen, die von Machtinstinkt geleitet werden; das Faustrecht des Stärkeren, Hochzeitszeremonien
zwischen schwulen Paaren, Scheidung oder Liebeskummer,
der zum Abmagern führt. Oft musste ich an Freuds Thesen
aus ›Das Unbehagen in der Kultur‹ denken, die sich hier bestätigten: Kultur ist eine dünne Schicht, die sehr schnell von
Instinkten und Trieben durchstoßen wird.

## Mephisto

Bei der Freistunde auf dem Gefängnishof gibt es manchmal
die Chance, politische Häftlinge aus anderes EB's kennenzulernen. So begegne ich dem fünf Jahre älteren Micha. Er
ist eher klein und hat ein asketisch wirkendes Gesicht, aus
dem wache, scharf blickende Augen alles genau beobachteten. Wir stellen fest, dass wir in der Berliner Stasi-U-Haft

lange Zeit in der Nachbarzelle gelegen und uns nachts fleißig über Klopfen ausgetauscht hatten. Eine richtige Wieder-
sehensfreude kommt auf, obwohl wir uns noch nie gesehen
haben. Nun steht er also leibhaftig vor mir und es ist, als ob
wir uns schon immer gekannt hätten.

Micha wird ein wichtiger Freund und inspirierender Ge-
sprächspartner für mich, auch wenn wir nur höchst unregelmäßig aufeinandertreffen. Ich erfahre mehr über den
Inhalt des von ihm verfassten Artikels über »Abrüstung und
Wiedervereinigung«. Damals hatte die NATO in Brüssel mit
dem Hinweis auf eine erneute Stationierung sowjetischer
Mittelstreckenwaffen beschlossen, in Europa einschließlich
der Bundesrepublik nukleare Mittelstreckensysteme nach-
zurüsten, wenn in Genf bei Verhandlungen über den beider-
seitigen Abbau von Mittelstreckenwaffen bis Ende 1983 kein
positives Ergebnis zustande käme. Von sowjetischer Seite
erklärte man darauf, falls der Westen in Europa amerika-
nische Raketen stationiere, werde man Deutschland durch
Raketen teilen, und kündigte als Gegenmaßnahme an, auf
dem Gebiet der DDR Kurzstreckenraketen mit atomaren
Sprengköpfen aufzustellen.

Gegen die Aufrüstung und den Doppelbeschluss der
NATO kam es überall im Westen zu gewaltigen Demonstrationen mit bis zu 400.000 Menschen. Innerhalb der DDR
durften sich Gegenstimmen allerdings nicht derartig frei
artikulieren. Stattdessen veröffentlichte man wochenlang
in der gesamten Presse Leserbriefe, in denen DDR-Bürger
ihre wütenden und »flammenden Proteste gegen die NATO«
kundgaben. Mit der Inszenierung solcherlei »spontaner Em-
pörung« hatte man nach der Ausbürgerung von Wolf Biermann oder des Literaturnobelpreisträgers Solschenizyn
bereits Erfahrungen gesammelt. Natürlich fand sich kein
Wort über den Anlass des Doppelbeschlusses oder über die
bereits stationierten sowjetischen Raketen. Micha hatte nun
ebenfalls einen Artikel gegen die Raketenstationierung geschrieben, pikanterweise speziell gegen die der NATO, also
eigentlich im Sinne der offiziellen DDR-Propaganda, allerdings mit etwas anderen Schlussfolgerungen: Nach einer

Analyse der sowjetischen Interessenlage prognostizierte er
das Scheitern der Genfer Verhandlungen über die Begren-
zung von Mittel- und Kurzstreckenwaffen in Mitteleuropa.
Als einzigen Ausweg, eine Eskalation des Ost-West-Konfliktes zu verhindern, sah er eine vollkommene Abrüstung
beider deutscher Staaten bis zum Jahr 2000. Durch Wiedervereinigung mit anschließendem Friedensvertrag könnte so eine neutrale, atomwaffenfreie Zone in Mitteleuropa
gebildet werden. Sein für damalige Denkschablonen revo-
lutionärer Artikel landete nicht, wie vorgesehen, bei einem
westlichen Nachrichtenmagazin, sondern leider in einem
Panzerschrank der Stasi. Erich Mielke, der Minister für
Staatssicherheit, ließ sich persönlich berichten und unter-
schrieb den Haftbeschluss, wonach Micha unter dem Code-
namen »Mephisto« in der Haft zu »bearbeiten« sei.

Ruhig dreht Micha mit mir auf dem Gefängnishof seine
Runden. Verurteilt zu vier Jahren wegen sogenannter staatsfeindlicher Hetze im schweren Fall hat er das tatsächliche
Scheitern der Genfer Verhandlungen bereits hinter Gittern
erlebt. Aber es bleibt keine Genugtuung. Zu sehr sind seine Gedanken bei seiner Frau und den drei kleinen Kindern.
Das Jüngste, kaum ein Jahr alt, wird ihn als Vater bei seiner
Entlassung in vier Jahren kaum erkennen. In unseren Gesprächen relativiert sich vieles für mich. Denn Micha ist im
Haus 1 untergebracht, der am besten isolierten Abteilung
in Brandenburg mit einem extrem hohen Anteil an LL-ern.
Was er von den Zuständen dort und von seinen Zellennachbarn erzählt, ist haarsträubend. Da habe ich noch Glück. Bei
mir auf der Arbeit gibt es kaum LLer. Zwar sind die meisten eher dumpfe, grobschlächtige und langsam denkende
Typen, aber sie sagen jedem direkt ins Gesicht, was ihnen
nicht passt. Mit ihnen ist einfacher umzugehen. Sie sind
nicht hinterhältig und deswegen leicht berechenbar.

Bei Micha dagegen befinden sich gefährliche Psychopa-
then unter den Kriminellen, die in der Hierarchie immer
über den Politischen stehen. Erstaunlich viele sind An-
alphabeten. Über allem herrscht die Staatssicherheit mit einem ausgeklügelten System von Druckmitteln, Strafen und

Vergünstigungen. Sie bedient sich dabei vor allem gern der Homosexuellen. Vornehm im Hintergrund bleibend, steuert sie die Zellenbelegung und kann z.b. einen Gefangenen in eine Zelle einweisen lassen, in der Neuzugänge regelmäßig vergewaltigt werden. Auch lassen sich homosexuelle LLer leicht erpressen, die einen festen »Spanner«, so der Knastjargon für Freund oder Geliebten, haben. Man braucht nur übermitteln zu lassen, dass es eine Verlegung vom Partner weg in einen anderen Erziehungsbereich geben könne: »Dann ist dein Lebensglück dahin, dann siehst du deinen Darling nie wieder!« Also tut der Bedrohte sein Möglichstes, um solches Unglück zu verhindern, egal, was man von ihm verlangt. Bereitwillig erzählt er, was über diesen und jenen Mithäftling in Erfahrung zu bringen ist. Oder er stiehlt aus dem Spindfach eines brutalen Gewaltverbrechers eine Kleinigkeit und verstaut sie in dem Fach eines missliebigen Mitgefangenen. Dann nehmen die Dinge garantiert ihren vorgesehenen Lauf – eine gängige Art der Intrigen unter Kriminellen.

Micha leidet sehr unter diesen ständigen Bedrohungen und ich versuche, ihn wenigstens finanziell regelmäßig zu unterstützen. Er bekommt kaum Arbeitslohn, da die Normen unmenschlich hoch sind und gerade ohne jegliche technologische Veränderung verdoppelt worden sind. Unter gesundheitsschädlichen Arbeitsbedingungen müssen die Gefangenen mit der Hand Elektromotoren wickeln, die wohl in das westliche Ausland exportiert werden. In der Werkhalle bleiben Lüftungsanlagen ausgeschaltet. Im Sommer herrschen Temperaturen von über 35 Grad Celsius. Es fehlt ständig an Material und Werkzeugen, was alltäglich zu Schlägereien unter den Gefangenen und zu Auseinandersetzungen zwischen ihren mafiösen Gruppen führt. Mehr als die Hälfte der Häftlinge schafft die Arbeitsnorm nicht und wird auf vielfältige Weise bestraft. Es drohen z.B. drei Wochen »Mumpe«, oder eine Reduzierung des Essens, oder das Verbot der Besuche von Angehörigen. Micha erhält die sogenannte »Nichtarbeiterverpflegung«. Was das bei dem sowieso schon schlechten Essen bedeutete, mag ich mir gar nicht ausmalen. Auf Arbeit ist es durchaus üblich, dass der jeweilige Schichtleiter, ein schwergewichtiger Mörder, zuweilen Gefangene, welche die »Norm nicht geleistet« haben, unter dem Beifall seiner Lakaien im Keller der Werkhalle verprügelt. Er fürchtet ja auch um seinen Posten, wenn das Soll nicht erreicht wird.

Ich habe vergleichsweise bessere Umstände. Mein Brigadeleiter, ein zwei Meter großer Kraftprotz, ist zwar auch bedacht, dass seine Truppe die Norm schafft und begegnet mir anfangs sehr skeptisch, weil er schlechte Erfahrungen mit »Politischen« hinsichtlich der körperlichen Robustheit gemacht hat. Als er dann aber merkt, dass ich die schweren Puffer stemme und somit seiner Brigade nichts »vermassele«, ist er zufrieden. Ohne es vorerst zu bemerken, werde ich als unproblematischer Untergebener eingestuft, der nun zu seinem Machtbereich gehört. Das ist überlebenswichtig, denn er wird mich vor Angriffen anderer schützen.

Während unserer intensiven Gespräche überrascht mich Micha immer wieder mit seinen unglaublich scharfen Analysen von Gesellschaftsstrukturen und menschlichen Verhaltensmustern. Auch wie er über die ihn umgebenden Umstände resümiert, verlangt mir Respekt ab. So verbringt er den Weihnachtsabend 1984 auf seinem Bett liegend, indem er ein Gedicht über den momentanen Zustand in seiner Zuchthauszelle verfasst, natürlich nur im Kopf. Erst später wird er sich wagen, es aufzuschreiben.

Um auf andere Gedanken zu kommen, tauschen wir uns zunehmend

Zwei schwule Mörder cremen kreischend ihre Häute im Bette unter mir und ficken sich auch heute. Ein Schläger formt für seines Transis Akku Plaste, erhitzt sie, und das stinkt, wie ich es immer hasste. Ein Nazi raucht und tätowiert sich Runenzeichen, ein Sittenstrolch sitzt auf dem Klo, doch nicht zum Seichen. Die Tische sind mit Muckefucke übergossen, das Licht ist schmerzhaft karg, die Fenster sind geschlossen. O! Wo bist du, mein Himmel? Wo sind deine Sterne? Ich kann nicht schlafen, und ich möchte es so gerne.

*Michael Verleih*

über schöngeistige Themen aus, entdecken unsere Vorliebe für Hölderlin und erzählen von unseren Lieblingsbüchern. Micha kennt sogar einige Gedichte, wie »Andenken« auswendig. Bei der letzten Strophe dieses späten Gedichtes von Hölderlin weht mich immer wieder etwas tröstend Ewigliches an: »...was bleibet aber, stiften die Dichter.« Auch ich erinnere mich an Gedichte. Heinrich Heines »Nachtgedanken« hatten mich früher beeindruckt, sodass ich sie größtenteils noch aufsagen kann: »Denk ich an Deutschland in der Nacht, dann bin ich um den Schlaf gebracht. Ich kann nicht mehr die Augen schließen und meine heißen Tränen fließen...« Wenn dann am Schluss »durch die Fenster das französisch heitre Tageslicht bricht«, stelle ich mir wieder eine Reise nach Paris vor und bin motiviert, weiter Französisch zu lernen.

Hierbei kann mir Micha helfen. Er durfte während der Schulzeit neben dem obligatorischen Russisch auch Französisch lernen, was keine Selbstverständlichkeit in der DDR war. Auch in seiner Freizeit beschäftigte ihn die französische Sprache und Denkweise. Er studierte Texte von Chansonniers wie Jacques Brel und konnte auch Volkslieder auswendig. Eines davon lerne ich von ihm. Heute noch kann ich es singen: »Jeanneton prend sa faucille, larirette, larirette ...«

Wie in Cottbus gibt es auch hier für uns politische Häftlinge keine Fachbücher, mit denen wir uns ja weiterbilden könnten. Ich finde aber in Tolstois ›Krieg und Frieden‹ seitenweise Konversationen in französischer Sprache, die im 19. Jahrhundert in den russischen Adelskreisen üblich war. Voller Hoffnung suche ich im Anhang die Übersetzungen ins Deutsche, um festzustellen, dass sie all fein säuberlich herausgetrennt sind. Deutsche Perfektion in der Umsetzung von Anweisungen! Gemeinsam versuchen Micha und ich einzelne Wendungen zu übersetzen und ich fertige mir wieder Vokabelzettel an. Die alten waren beim Transport von Cottbus nach Brandenburg natürlich alle verloren gegangen. Leider sehen wir uns nur höchst unregelmäßig auf dem Hof, sodass ich mit der Aussprache der Wörter nicht so recht vorankomme. Als sich später ein Traum verwirklichen sollte und ich meine ersten 100 DM für eine Busfahrt nach Paris aufbringen kann, musste ich enttäuscht feststellen, dass ich kaum ein Wort der schnell sprechenden Franzosen verstehe. Erst während meines Studiums in Genf lerne ich hinzu und kann endlich von meinen Bemühungen im Gefängnis profitieren.

## Kreisläufe

Wie in Cottbus bekommen wir auch in Brandenburg für die Arbeit einen Lohn in Form von Papiergeld. Wahrscheinlich wegen der freien Kost und Logis gewährt man uns ungefähr 40 bis 60 Mark pro Monat. Karl Marx hätte hier von frühkapitalistischen Ausbeutungsmethoden gesprochen. In einem kleinen Laden bekommt man für 4 Mark Milchpulver, für 2 bis 3 Mark Zigaretten oder Tee und für 1 Mark Schokolade, Bonbons oder andere Süßigkeiten. Als ich beobachte, wie scharf viele auf Zigaretten sind, kaufe ich immer ein paar Schachteln auf Vorrat. So bin ich im Besitz eines begehrten Tauschobjektes, dessen Wert steigt, wenn wegen DDR-typischer Lieferschwierigkeiten die Produktion stockt und gerade wieder Mangel herrscht. Es gibt auch Gefangene, die Geld gegen hohe Zinsen verleihen. Diese sind aber bei vielen schlecht angesehen und leben vor allem gefährlich. Zwar haben sie eigene Bodyguards, die am Gewinn beteiligt sind, und lassen immer andere, eher breitschultrige Diener die Schulden für sich eintreiben, aber dies ist keine Garantie, dass nicht doch ein Messer den Weg zwischen ihre Rippen findet, weil ein LL-er auf diese Weise schuldenfrei werden will. Zu meiner Erleichterung muss ich nur die Erzählungen verdauen und einen Ernstfall nicht miterleben.

Geld wird für mich, außer für die Beschaffung von Nahrungsmitteln, vor allem für den Kauf der sogenannten »Transis« auf dem knastinternen Schwarzmarkt wichtig. Wie erstaunt bin ich, als ich einen dieser oft nur dreifingerbreiten, flachen Radioempfänger das erste Mal bei einem Zellennachbar sehe. Unter der strengeren Bewachung in Cottbus wegen der großen Mehrheit von »Politischen« wäre dies dort undenkbar gewesen. Nur in Brandenburg gelingt es Häftlingen, heimlich kleine Transistorradios zusammenzubasteln. Hier kennen die Kriminellen durch ihre langen Strafen ihre Wärter gut. Wer sich zehn, fünfzehn Jahre lang jeden Tag sieht, gerät zwangsläufig in eine eher kumpelhafte Beziehung. Anzunehmen, dass einige Wärter auch korrupt sind. Ich höre von Fällen, wo Kriminelle von der Zelle aus wichtige Ersatzteile von Autos, die es sonst nur unter dem Ladentisch zu kaufen gibt,»organisieren« und einem Wärter dann über irgendwelche Kanäle zukommen lassen. Dieser zeigt sich dann selbstverständlich erkenntlich und so gelangen viele Dinge ins Innere der Gefängnisstadt: Transistoren, Kondensatoren, Widerstände und andere Radiobauteile oder auch die notwendigen kleinen Batterien. Offiziell sind die Transis natürlich verboten und werden bei Filzungen oft »hochgezogen«. Aber bereits nach kurzer Zeit tauchen sie meist in anderen Erziehungsbereichen wieder auf. Ein Kreislauf, an dem bestimmt viel verdient wird. Auch mich erwischt es. Gerade mal drei Wochen habe ich Freude an meinem Transi, da wird es bei einer unerwarteten Blitzkontrolle entdeckt. Einige Wochen brauche ich, bis genügend Geld angespart ist. Als ich mich dann auf dem Schwarzmarkt nach einem neuen umsehe, wird mir u. a. genau jenes angeboten, das schon einmal in meinem Besitz gewesen ist.

**Männer unter sich**

Natürlich ist Sexualität ein großes Thema im Gefängnis. In Cottbus blieben die meisten »Politischen« ein bis drei Jahre. Da gab es so gut wie keine Homosexualität. In Brandenburg dagegen sind etwa 80 Prozent »knastschwul«, nicht aus Veranlagung, sondern durch die vielen Jahre hinter Gittern. Wer jahrelang keinen Kontakt mehr mit Frauen hat, fühlt sich – ohne es vorerst bewusst wahrzunehmen – auch von Männern angezogen, bei denen vielleicht die feminine Seite ausgeprägter ist. Nach über einem Jahr geht es mir ähnlich, als ich merke, wie ich die Nähe zu einem eher sanften Mitgefangenen aus dem benachbarten Erziehungsbereich suche und in unseren Gesprächen auf dem Gefängnishof durchaus eine gewisse verborgene Erotik genieße. Weit entfernt davon wirklich schwul zu werden, so kann ich mir doch vorstellen, wie es anderen Häftlingen nach fünf oder zehn Jahren gehen muss. In meinem »Erziehungsbereich« wird nach außen hin eher verächtlich über solche Themen gesprochen. Die meisten fühlen sich als »harte Kerle« und es gibt eher eine versteckte Homosexualität. Die einen oder anderen gehen während der Arbeitspausen eben mal heimlich nach draußen in einen der alten Waggons, um ihre Triebe auszuleben. Micha dagegen erzählt mir, dass es in seinem »Erziehungsbereich« ganz normal ist, es in der Zelle vor den Augen der anderen zu treiben. Es gibt dort auch Prostituierte. Für eine Packung Milchtrockenpulver, das sehr nährstoffreich und daher begehrt ist, kann man sich eine männliche Nutte kaufen, die dann zu verschiedenen Dienstleistungen bereit ist.

In den ersten Wochen werden mir immer wieder mal versteckte »Anträge« gemacht. »Kommst du mal mit in den Waggon« oder so. Allerdings nie auf brutale Weise. Vielleicht ist die schützende Hand des Brigadeleiters im Hintergrund. Oder es ist hilfreich, dass ich bei der Armee lange durch Kraftsport Muskeln aufgebaut habe. So bin ich durchtrainiert und auch mit meinen knapp 1,90 Körpergröße äußerlich nicht der Typ, mit dem man alles machen kann. Dies steht im großen Widerspruch dazu, wie ich mich innerlich wirklich fühle. Dieser Muskelpanzer stellt zwar einen Schutz dar, kann aber nur abwehren, was von außen kommt; nicht die von Angst getriebenen Gedanken.

Später bekomme ich noch einen unerwarteten Antrag, als Puste und ich durch Zufall einmal kurz allein auf der Zelle sind, weil die anderen beim Sprecher sind oder »Friseur haben«. Er schaut mich mit breitem, stirnrunzelndem Grinsen an, neigt den Kopf zur Seite wie ein bettelnder Hund und raunt: »Du kannst mi-mit mir ma-ma-machen, wa-wa-wa-was du w-w-w-w-willst«. Ich will gar nichts und lehne sein Angebot dankend ab. Monate später erlebe ich Ähnliches, als ich auf der Kleiderkammer nach einem zusätzlichen Pullover für die einbrechende Winterkälte frage, der mir »offiziell leider nicht zusteht«, es sei denn, ich würde mich zu einer Dienstleistung auf einem hinter Regalen versteckten Deckenhaufen hergeben. Frierend frage ich mich einige Tage lang, ob ich wirklich das kleinere Übel gewählt habe. Dann gelingt es mir aber, über meinen Zigarettenvorrat andere Kanäle anzuzapfen und doch noch den lebensnotwendigen zweiten Pullover zu organisieren.

## »Frei«zeit

Ziemlich weitverbreitet in Brandenburg war das Schachspielen. Gutes Gehirntraining dachte ich und spielte laufend Fernschach, da sich auf meiner Zelle kein Schachspieler fand. Meist im Speisesaal wurden die nächsten Züge ausgetauscht. Ab und zu gab es an Sonntagen auch Turniere. Da ich bei Schulmeisterschaften immer vordere Plätze belegt hatte, dachte ich, auch hier weit zu kommen. Ein Trugschluss. Ich traf auf echte Meister, gegen die ich nicht die geringste Chance hatte. Gerade unter den Bankräubern gab es faszinierende Strategen. Wenn sie nicht am nächsten komplizierten Einbruchsplan tüftelten, dann spielten sie in der freien Zeit Schach.

In den wärmeren Jahreszeiten wurde für die Kriminellen auf dem Gefängnishof ein Volleyballnetz angebracht. Oft schaute ich bei den Spielen sehnsüchtig zu – gerade an den arbeitsfreien Wochenenden. Da es sich um eine sogenannte »Vergünstigung« handelte, sah ich kaum eine Chance, teilnehmen zu dürfen. Der Zufall kam mir zu Hilfe. Ein Spieler war ausgefallen und ich traute mich zu fragen, ob ich einspringen könne: ich sei ganz gut. Da ein Turnier anstand, das jeder EB für sich entscheiden wollte, durfte ich probeweise mitspielen. Durch den Leistungssport in meiner Kindheit hatte ich gute Kondition und konnte gerade am Netz durch meine Sprungkraft punkten. Nach und nach duldete man mich. Durch das Spiel vergaß ich für kurze Zeit all das Elend um mich herum; die Bewegung an der frischen Luft härtete mich ab und die Kriminellen begannen langsam mich zu akzeptieren.

Der andere Mitspieler war übrigens ausgefallen, weil er ins Krankenhaus musste. Er hatte sich ein Hakenkreuz tätowiert, vielleicht um mal etwas Abwechslung in seinen Gefangenenalltag zu bringen oder um sich von den anderen stark Tätowierten abzuheben. Da aber das Hakenkreuz in der DDR als nationalsozialistisches Symbol strengstens verboten war, wurde das betreffende Stück Haut herausoperiert. Schließlich hatte die DDR ja den »Faschismus im Gegensatz zur BRD vollständig besiegt und ausgerottet«, wie es immer wieder in den Zeitungen verkündet wurde.

> ... die DDR, mein
> Vaterland ist
> sauber ohnehin,
> die Wiederkehr
> der Nazizeit ist
> absolut nicht drin,
> so gründlich haben
> sie geschrubbt mit
> Stalins hartem Besen,
> daß rot verschrammt
> der Hintern ist,
> der vorher braun
> gewesen.
>
> *Wolf Biermann*

Im Gefängnis von Brandenburg hatte in der Nazizeit auch Erich Honecker eingesessen. Hartnäckig hielten sich Gerüchte, er habe beim Prozess einen Mitangeklagten verraten, welcher daraufhin eine höhere Haftstrafe bekam. Auch sei ihm Anfang 1945 durch ein Verhältnis mit einer »Wachtel«, so der gängige Ausdruck für Gefängnisaufseherin, sogar die Flucht gelungen. Diese hätte ihn in der Stadt versteckt, aber aus Angst sei er wieder heimlich zurückgeschlichen. Mich interessierten solche sich oft auch widersprechenden Geschichten damals wie heute eher am Rande. Dieser Mensch, der für all die Toten an der Mauer mitverantwortlich war, hatte sich schon genügend Aufmerksamkeit in meinem Leben erzwungen. Die Zelle, in der Honecker seine Haftzeit verbracht hatte, war übrigens genauso groß wie meine. Damals standen allerdings nur zwei einfache Betten drin. George Orwell hat in seiner ›Farm der Tiere‹ treffend beschrieben, wie an die Macht gekommene »Revolutionäre« sich entwickeln. Unser Staatsratsvorsitzender hatte also angeordnet, in den Zuchthäusern die dreifache Menge von Gefangenen auf gleichem Raum zusammenzupferchen. Ich konnte in meiner oberen »Etage« des Stockbetts, direkt unter der Decke, gerade mal den Ellenbogen unter den Kopf stützen, ohne anzustoßen. Selbstverständlich mussten politische Häftlinge immer oben schlafen. Wer das einfache physikalische Gesetz kennt, wonach warme Gase nach oben steigen, kann sich vorstellen, was es bedeutete, wenn zwei Mann direkt darunter schlafen. Dazu kamen die Gesetze der Hebelwirkung: Wälzte der ganz unten Liegende sich im Schlaf hin und her, wurde man ganz oben bald seekrank. Leute, wie Chris träumten dann vielleicht, ihre Flucht scheitere wieder an zu hohen Wellen.

### Brandenburger Konzerte

Ein großer Trost war mir in Brandenburg das heimliche Radiohören. Durch die Nähe zu Westberlin konnten wir mit unseren Transis auf Mittelwelle RIAS empfangen. Schon als Jugendlicher hatte ich viel gebastelt und dabei Radios aus einzelnen Bauteilen zusammengelötet und z.B. in Seifendosen eingebaut. Dadurch war ich in der Lage, Reparaturen und kleinere Verbesserungen vorzunehmen. Entscheidend für die Hörqualität war der Kopfhörer. Das Blech einer Florena-Dose (Pendant zu Nivea) wurde als Membran benutzt, eine kleine Eisenschraube diente als Spulenkern. Mit dieser konnte durch minimale Veränderung des Abstandes zur Membran die Lautstärke geregelt werden. Gewitzte Köpfe hatten über Jahre hinweg die besten Behelfsmaterialien und Varianten ausgetüftelt. So war die akustische Qualität ausreichend und bescherte mir, rein subjektiv, ähnliche Hörerlebnisse wie später mit meiner ersten High-End-Anlage.

Insbesondere wenn ich nach einem Schichtwechsel nicht schlafen konnte, verkroch ich mich oben auf mein Bett und hörte alles, was von diesem hervorragenden Sender ausgestrahlt wurde. Ein Ohr schirmte ich vor Schnarchern und Gesprächen ab, am anderen hatte ich diesen kleinen Hörer. So begeisterte mich eine Sendereihe mit Musik von Bach, und ich entdeckte das Hörspiel für mich. Wie schön war es, wenn durch gute Sprecher starke Bilder in mir wach wurden und mich emotional in eine andere Welt mitnahmen. Später in München sollte ich selber viele Hörbücher mit meinen Kompositionen musikalisch gestalten.

Im Oktober 1984, als ich schon über ein Jahr hinter Gittern war, gab es Gerüchte, es werde zum 35. Jahrestag der DDR-Gründung eine Amnestie geben. Das elektrisierte alle. In jeder freien Minute hörten wir heimlich Nachrichten mit unseren Transis. Franz Joseph Strauß war nach Dresden gekommen und hatte für seinen Milliardenkredit den Abbau der Selbstschussanlagen sowie die Freilassung von politischen Gefangenen ausgehandelt. Die Dresdner gingen auf die Straße, einige durchbrachen die Absperrung und warfen ihm Zettel zu. Sie wurden zwar sofort inhaftiert, dank Strauß aber nach kurzer Zeit in den freiheitlichen Westen entlassen. Er war ein politischer Fuchs, der die DDR-Führung besser durchschaute als manch anderer Politiker und so viel mehr bewirkte. Ein verlogenes System, wie die DDR, das sich an Verträge nur scheinbar hielt, konnte man nur mit anderen Mitteln bekämpfen. Wir hofften, dass die DDR-Führung nach den vielen Berichten über unzufriedene Bürger, eventuell durch eine Amnestie nach außen ihren Ruf aufpolieren wollte. Aber all unsere Hoffnung war vergebens. Es blieb beim Gerücht.

Was muss in den vielen politischen Gefangenen im Herbst 1989 vorgegangen sein. Nach den ersten Unruhen wagte sicher keiner zu hoffen, dass das System wirklich zerbrechen würde. Aber dann die immer größer werdenden Demonstrationen in Berlin und Leipzig, ohne Blutvergießen. Wie mögen sie an ihren Transis gehangen haben, welche Freudenschreie, als die Nachricht von der Grenzöffnung durchkam. Alles, wofür sie gekämpft, was sie jahrelang herbeigesehnt hatten, wurde plötzlich wahr. Bei diesen Gedanken geht mir auch heute noch ein Schauer über den Rücken.

Für mich hieß es damals aber weiter ausharren. Tag für Tag die gleichen stumpfen Gesichter, die gleichen kargen Räume. Kalte Novembernebel empfingen uns, wenn wir auf Arbeit trotteten. Die ersten Fröste ließen die nach beiden Seiten offene Werkhalle schnell auskühlen; von draußen kommende

Güterwaggons waren gefroren; unsere Arbeitshandschuhe nicht gefüttert. Heimlich wärmten wir uns an den Schweißbrennern. Manch einer zog sich dabei Verbrennungen zu, weil die Finger bereits gefühllos waren.

Wieder kamen Erinnerungen an die Generation meiner Eltern und die Erzählungen meines Vaters, wie er den Kriegswinter 44/45 in der kalten Gebirgslandschaft Serbiens überlebt hatte. Als Kind hörte ich interessiert zu, wenn er mir etwa Tipps gab, dass Birkenzweige im Winter zum Entfachen eines Feuers am besten geeignet sind und man es mit Ahorn gar nicht erst versuchen sollte. Manchmal war es aber auch sehr belastend, ihn so erzählen zu hören. Jetzt aber halfen mir diese Erinnerungen beim Relativieren der eigenen Lebensbedingungen. Immerhin konnte ich nach neun Stunden in der Kälte in eine beheizte Zelle zurück.

## Parallelen

Vielleicht funktionierte die schrittweise Einschränkung der Menschenrechte in der Anfangszeit der DDR nur, weil die Menschen in der Zeit des Nationalsozialismus groß geworden waren und eine wirkliche Demokratie nie kennengelernt hatten. Sie waren aufgewachsen in dem Zwang, sich übermächtigen Gegnern anpassen zu müssen. Als meine Mutter, wie viele andere, die sich für einen demokratischen Neuanfang einsetzten, in die SPD ging, erlebte sie kurze Zeit später, bereits 1946, die diktatorisch verordnete Zwangsvereinigung mit der zahlenmäßig viel kleineren KPD. Wer sich dagegen aussprach, wurde mundtot gemacht. In der daraus entstandenen SED hatten von nun an nur die wenigen, Stalin-treuen Genossen der vormaligen KPD, die in Moskau ausgebildet wurden, das Sagen.

Ich glaube, dass auch mein Vater durch seine Erfahrungen in vier langen Kriegsjahren und weiteren vier Jahren in Kriegsgefangenschaft verinnerlicht hatte, dass es gefährlich und vor allem zwecklos war, sich mit den Machthabern anzulegen. Er passte sich also nach Beendigung seines Studiums an und versuchte, sich so gut wie möglich zu arrangieren.

Sicher ging es auch an ihm nicht spurlos vorüber, als er nach dem Aufstand 1953 in Berlin von den Schauprozessen und nachfolgenden Todesurteilen gegen beteiligte Demonstranten hörte. Die Angst machte sich damals breit, denn viele Oppositionelle verschwanden für Jahre im Zuchthaus. Gerüchte gingen um, dass die Konzentrationslager unter russischem Befehl weitergeführt wurden. Mit brutaler Gewalt wurde gegen Bauern vorgegangen, die sich der Zwangskollektivierung in der Landwirtschaft widersetzten.

Warum war mein Vater nicht bereits vor dem Mauerbau in den Westen gegangen? Wollte er in der Nähe seiner Eltern wohnen, die in ihrem sudetendeutschen Heimatdorf geblieben waren? Oder war es die Sehnsucht nach den friedlichen Wiesen seiner Kindheit inmitten der böhmischen Wälder? Mir fiel die Parallele in unser beider Leben auf. Vier Jahre Krieg und vier Jahre Gefangenschaft hatte er ertragen müssen. Bei mir waren es nur anderthalb Jahre Militär und nun wahrscheinlich anderthalb Jahre Gefängnis. Und auch er war zu nächtlichen Grenzgängen gezwungen, weil er in den 50er-Jahren keine Genehmigung zur Einreise in die ČSSR bekam. So beim Tode seines Vaters. Trotz der Gefahr auf patrouillierende Grenzer zu treffen, lief er stundenlang in dem dicht bewaldeten Gebiet von Zittau bis in sein Heimatdorf und versteckte sich in der Dachstube seines Geburtshauses. Von dort verfolgte er heimlich, wie sein Vater zu Grabe getragen wurde. Erst nachts ging er dann auf den Friedhof, um Abschied zu nehmen.

### Kunst und Klassenkampf

Wie viele Bevormundungen hatte mein Vater in seinem Beruf als Kunsthistoriker sein Leben lang ertragen müssen. Immer wieder sollte er nachweisen, dass seine Vorlesungen auch vom marxistisch-leninistischen Standpunkt geprägt waren, dass er die Aufgabe der Kunst im Klassenkampf richtig darstellte. Dabei musste er sich von ideologietreuen Kollegen belehren lassen, die ihm fachlich nicht das Wasser reichen konnten. Diesen war es ein Dorn im Auge, dass seine Vorlesungen immer freiwillig besucht wurden. Bei den Studenten war er sehr beliebt und viele meinten, er sei der Einzige, der den Titel eines Professors verdiente. Er war der Einzige, dem er vorenthalten blieb. Dafür schickte man regelmäßig Spione in seine Vorlesungen, rügte ihn, da er sich nicht an den vorgegebenen Lehrplan hielt und zu wenig auf sozialistische Gegenwartskunst einging. Mit den Jahren staute sich immer mehr Wut in ihm auf, sodass er sich öfters nicht beherrschen konnte und offen Kritik äußerte. Das war gefährlich. Er musste einen kühlen Kopf behalten und seine Wortwahl genau überlegen, um nicht als Abweichler mit revisionistischen Tendenzen abgestempelt zu werden und so seine Anstellung zu verlieren. Immerhin hatte er eine fünfköpfige Familie zu ernähren. Ich erlebte seinen Vorlesungsstil, als er zum vorgeschriebenen Thema »Kunst ist Waffe im Klassenkampf« vor unserer 11. Klasse sprechen sollte. Ständig mussten wir in der Schule Veranstaltungen organisieren, die uns auch nach dem Unterricht weiter ideologisch beeinflussen sollten. Mein Vater schrieb an die Tafel Kunst = Waffe, zählte dann auf, wie viel mehr Kunst sein konnte, auf wie vielen Ebenen sie wirkte und kam zu dem Schluss: »Kunst kann als Waffe eingesetzt werden, Kunst ist aber nicht gleich Waffe!« Demonstrativ strich er dann an der Tafel das Gleichheitszeichen durch. So blieb am Ende seines Vortrages nur die gegenteilige Behauptung stehen. Ohne es mir anmerken zu lassen, war ich stolz auf ihn.

Als Prämie für viele Dienstjahre bekam mein Vater einmal einen Erholungsurlaub geschenkt. Abgesehen davon, dass die Großzügigkeit des Staates nicht so weit reichte, etwa seine Ehefrau mitfahren zu lassen, war es für die Behörden vollkommen normal und selbstverständlich, dass ein Hochschullehrer kurz vor der Pensionierung sein Ferienzimmer mit einem Kollegen, den er privat kaum kannte, teilen musste. Die Würde des Menschen zählte nicht viel im »Arbeiter- und Bauernstaat«. Weder den Ferienort noch den Zeitpunkt der Reise durfte er dabei auswählen. Vorher musste er lange Wartezeiten bei der Beantragung eines Visums in Kauf nehmen, denn das FDGB-Heim (Freier Deutscher Gewerkschaftsbund) lag direkt im Grenzgebiet, nahe eines Dorfes mit dem bezeichnenden Namen Elend. Dort spazierte er dann zwei Wochen lang auf matschigen Wegen durch die im März noch kahlen Wälder. Eine andere erholsame Beschäftigung existierte nicht. An Sauna oder Schwimmbad war nicht zu denken. Dafür patrouillierten ganz in der Nähe bewaffnete Grenzsoldaten mit scharfen Hunden, deren Gebell oft die Nachtruhe störte.

Ich erinnere mich an die zunehmende Verbitterung meines Vaters. Als ich ihn in Brandenburg nach vier Monaten das erste Mal beim Sprecher wiedersah, war etwas in ihm abgestorben. Seine tiefe, unterschwellige Resignation, die ich deutlich wahrnahm, löste unendliches Mitgefühl in mir aus: Was für ein von außen beschnittenes Leben. Um acht Jahre seiner Jugend war er vorher schon betrogen worden. Im Alter von 18 Jahren in den Krieg befohlen, kehrte er mit 26 heim, um wieder in einer Diktatur zu landen. Wie viele Männer seiner Generation hatten ähnliche Schicksale.

## Innere Beben

Die folgende Adventszeit ohne Schnee habe ich als durchgehend dunkel in Erinnerung: keine Kerze, nichts Heimeliges. Ich versuchte, mir den Duft von Tannenzweigen oder frisch gebackenen Plätzchen vorzustellen. Vergebens. Bilder und Töne konnte ich in mir entstehen lassen, aber keine Gerüche. Nicht verzagen, durchhalten, an die Freiheit denken. Gebetsmühlenartig gingen mir diese Wörter durch den Sinn. Weihnachten brachte zumindest Entlastung, weil wir nicht arbeiten mussten. Die DDR-Führung war noch nicht so weit gegangen, diese christlichen Feiertage abzuschaffen, aber man fing bereits an, sie erst einmal umzubenennen. Wenn ich meinen Eltern schrieb, versuchte ich durch Ironie Distanz zu den eigenen Gefühlen zu schaffen. Das heimliche Radiohören half wieder etwas. In kostbaren Stunden, in denen die anderen nicht beim Kartenspiel herumgrölten, konnte ich auf diese Weise auch Musik hören. Dabei fiel mir auf, dass nicht Liszt oder Rachmaninoff mit ihren ausufernden Gefühlskaskaden, sondern eher Händel mit seiner vitalen Klarheit oder am meisten Bach mich trösteten. Bei Bachs Musik fühlte ich mich nicht weggespült, sondern innerlich gefestigt, von einer ruhigen Glut weitergetragen. Es gab Leid und Tiefe, aber nie Verzagen oder Selbstmitleid. Das Gefühl wurde von Sentimentalität rein gewaschen. Nach dem Hören dieser Musik empfand ich mich oft als Teil einer höheren Ordnung und somit stärker, unantastbarer. Immer wieder kamen auch die Gedanken an meine Schwester. Wie würde es ihr ergehen in der feuchten, kalten Gefängnisburg. Zwar erzählten meine Eltern beim Sprecher, dass sie sehr tapfer sei, aber es sickerten schlimme Nachrichten durch, wie jene von einer verzweifelten Frau, die sich heimlich eine Plastetüte über den Kopf gezogen und damit selbst erstickt hatte. Wie viel musste mit einem Menschen geschehen sein, damit er diesen ungeheuren Willen zur Selbsttötung aufbrachte.

Silvester rückte heran. Das »Orwell-Jahr« 1984 ging zu Ende. Trotz der tristen äußeren Umstände wollten einige zwanghaft in Feierstimmung kommen. Toilettenpapierrollen wurden durch den Fensterschlitz geworfen oder es wurde einfach nur rumgebrüllt. Um Mitternacht dann hallte eine laute Stimme über den Gefängnishof: »84 ist vorbei, 94 sind wir frei!« Eine unfassbare Vorstellung für mich. Da war einer wahrscheinlich zu 15 Jahren verurteilt, also eine abgeschwächte Form von lebenslänglich, und freute sich, dass er nun nur noch zehn Jahre aushalten musste.

*Nur* zehn Jahre! Wie alles von unserer individuellen Perspektive abhängt. Wie es dem Menschen gelingt, sich auf die verschiedensten Situationen einzustellen, um zu überleben. Dennoch fiel es mir dadurch nicht leichter, wenn ich an meine noch verbleibenden sechzehn Monate dachte, trotz Möglichkeit, bereits eher freigekauft zu werden. Der Gefängnisalltag begann mich einfach zu zermürben. Tag für Tag, Stunde für Stunde immer mit denselben Menschen auf engstem Raum – zwei Stühle, ein kleiner Tisch, direkt daneben die offene Toilette. Jeder konnte jeden bei allem beobachten. Alles auf etwa neun Quadratmetern. Ohne die Möglichkeit, auch nur mal ein paar Schritte hin- und herzugehen; dazu die ständigen Schichtwechsel mit den nachfolgenden Schlafstörungen. Ein Wunder, dass ich nie krank wurde. Seit meiner Kindheit war ich anfällig für Halsschmerzen, die mich regelmäßig plagten. Hier, trotz der widrigen Umstände nichts. War es das Wissen, dass niemand auf mich Rücksicht nehmen würde, dass ich auch bei Krankheit arbeiten müsste? Der zuständige »Pferdedoktor« schrieb einen Politischen niemals krank. »Der Simulant auf Zelle 17 ist gestorben«, hieß es dann. Offenbar aktivierten diese Gedanken meine körperlichen Selbstheilungskräfte in ungekannter Weise. In 18 Monaten hatte ich keinen Schnupfen, keine Halsschmerzen, nichts, trotz Mangelernährung und harter körperlicher Arbeit! Ich wusste, ich durfte nicht krank werden, und ich wurde nicht krank.

Schon wenige Tage nach Silvester dann der unfassbare Augenblick. Ich habe Frühschicht und bin gerade im Umkleideraum der Werkhalle angekommen. Es ist Montagmorgen und bitterkalt. Wieder liegt eine lange Arbeitswoche mit all ihren Gefahren vor mir. Mich ekelt es, die klamme, nach Schweißbrennern stinkende und vor lauter Dreck bereits steife Arbeitskleidung anzuziehen. Monatelang ist sie nicht gewechselt worden. Unerwartet kommt ein Wärter und sagt: »Umziehen, Sachen packen!« Ich fange innerlich an zu beben. Das kann nur »Transport« bedeuten, denn es sind gerade anderthalb Jahre, die Hälfte meiner Haftzeit, vergangen. Das magische Wort *Transport*, bei dem alle sich fragen: *Bin ich dabei?* Immer, wenn in Cottbus einige Gefangene abgeholt wurden und der Ruf »Transport« über den Hof hallte, entstand bei allen eine elektrisierende Stimmung. Denn es war durchgesickert, dass fast alle »auf Transport Gegangenen« später im Westen angekommen waren. Harmlos formulierte Urlaubskarten an Oma und Opa – mit vorher abgesprochenen falschen Namen unterschrieben – kamen durch. Beim Sprecher wurden dann nur »viele Grüße von …, der uns aus dem Urlaub eine Karte geschickt hat«, weitergegeben. »Transport«, wie eine Fata Morgana schwebt das Wort über mir. Bin ich nun wirklich dabei? Oder erlebe ich wieder eine Enttäuschung wie in jener Nacht in Cottbus, als ich mit einer leisen Hoffnung auf den LKW stieg, um dann doch nur in einem noch schlimmeren Gefängnis zu landen? Zwischen Jubel und Angst schwanken meine Gefühle. Pochende Unsicherheit macht sich breit. Wohin werde ich jetzt gebracht? Sehe ich diese verhasste Werkhalle, in der ich so viele quälende Stunden verbracht habe, wirklich zum letzten Mal? Werde ich nie wieder im Morgengrauen aus dem Schlaf gerissen, um zur täglichen Zählung strammzustehen, nie wieder vor anderen in der Zelle die Notdurft verrichten müssen?

Wie benommen laufe ich hinter dem Wärter her. Vor der Effektenkammer, wo meine wenigen Habseligkeiten aufbewahrt werden, muss ich warten. Ist es ein gutes Zeichen? Die Zeit will nicht vergehen. Wieder heißt es mitkommen. Handschellen, durch die Schleuse, dahinter wartet ein kleines Fahrzeug, wie ich es von der Berliner Stasi kenne, und von da an ist mir klar, das kann nur »Transport« bedeuten. Äußerlich bleibe ich unbewegt, aber in mir fangen tausende Lerchen an zu jubilieren. Ihnen ist egal, ob die Raubvögel noch in der Nähe sind, denn sie sehen schon einen Horizont ohne Grenzen. Wieder eine lange Fahrt in diesen kleinen Kabinen. Aber wie gut halte ich diese Enge jetzt aus, wie lässt die Hoffnung alles andere verblassen.

## Vogelhaus

Das Gefängnis, in das ich nun gebracht werde, heißt unter den Gefangenen »Vogelhaus«. Denn alle Gefangenen dort sind für den Freikauf durch Vermittlung des Ostberliner Rechtsanwaltes Wolfgang Vogel bestimmt. Und: alle sind derart überdreht, dass eine ganz eigene, aufgeregt zwitschernde Stimmung in der Luft liegt. Die Stasi überprüft noch einmal alle Unterlagen und versucht auch materiell noch etwas aus den Häftlingen herauszuholen. Wer z. B. ein kleineres Einfamilienhaus besitzt – größere Besitztümer gab es seit der zweiten Enteignungswelle 1972 kaum noch –, muss es zum Schleuderpreis verkaufen. Dabei wird der neue

Besitzer vorgeschrieben und kommt natürlich aus den Reihen korrupter Staatsdiener. Wer weg will, hat keine andere Wahl und unterschreibt alles. Außerdem will die Stasi sicher sein, dass keine zu radikalen Oppositionellen in den Westen kommen, die dann jede Möglichkeit nutzen würden, um in den Medien all das Unrecht und all die Unmenschlichkeit in der DDR anzuprangern.

Dies alles dauert noch einmal ungefähr eine Woche. Eine Zeit, die schnell verfliegt, auch durch die Tatsache, dass im Vogelhaus zum ersten Mal wieder Männer und Frauen im selben Gebäude untergebracht sind. Allein die Vorstellung, dass nur die Decke uns von den Frauen in den Zellen direkt darüber trennt, war euphorisierend. Jeder, der sich im Vogelhaus befand, hatte genügend Knasterfahrung und kannte alle Tricks. Also klopfen wir abends vom obersten Bett aus an die Decke »WC«, warten, bis die Frauen es verstanden haben, und pumpen das Wasser aus dem Knie des WC. Da die Abflussleitung den Schall auch über abgewinkelte Zwischenstücke weitertransportiert, ist eine Unterhaltung möglich. Wieder bin ich erstaunt, wie deutlich man doch jedes Wort verstehen kann. Nach fast achtzehn Monaten habe ich zum ersten Mal wieder Kontakt zu Frauen. Allein das Hören einer hohen Stimme ist schon aufregend. Wie lange hat mir alles Weibliche gefehlt! Anfangs bin ich ziemlich gehemmt und weiß nicht so recht, was ich sagen soll. Ist ja auch eine skurrile Situation: Ich knie vor dem WC, spreche schüchterne Worte in Richtung einer Toilettenbrille und versuche eine Unbekannte kennenzulernen. Verschämt tauschen wir Namen und Alter aus, fragen uns gegenseitig, warum wir »eingefahren« waren. Dann wollen die anderen aus der Zelle auch einmal sprechen.

Manche, die sich sympathisch sind, verabreden sich für die Zeit nach der Freilassung. Leicht zu merken ist zum Beispiel der 17. Juni, als Gedenktag für die Opfer des Aufstandes in Berlin, und das Brandenburger Tor, dem sich von der Westseite jeder nähern konnte, ohne erschossen zu werden. Neben ersten Annäherungen werden aber auch Informationen weitergegeben. Verheiratete z.B. fragen nach ihren

Ehefrauen. Ich werde meiner Gesprächspartnerin nie begegnen. Auch wir einigen uns vage auf ein Treffen in Westberlin, aber in München angekommen, muss ich mit so viel Neuem fertig werden, dass an eine Fahrt nach Berlin, noch dazu über die DDR-Transitstrecke, nicht zu denken ist. Aber ich werde sie nie vergessen, diese weibliche Stimme aus dem WC, der ich, über eine Kloschüssel gebeugt, lauschte.

Da wir im »Vogelhaus« nicht mehr arbeiten müssen, verbringen wir die ganze Zeit gemeinsam auf der Acht-Mann-Zelle. Viele können vor Aufregung nicht schlafen. Ich auch nicht, denn nach über einer Woche verschwinden immer mehr meiner Nachbarn, neue kommen hinzu, aber ich bleibe. Auch die zweite Woche geht herum, ohne dass etwas passiert. Ich »klemme«, so der Ausdruck für all jene, die von hier nicht wegkommen. Ratlos fange ich an, mit dem Schicksal zu hadern. Was könnte nur der Grund sein, dass sie mich nicht in den Westen entlassen? Ist es eine letzte Schikane der Stasi? Fragen, die anfangen mich zu martern und auf die ich – auch später – nie eine Antwort finden werde. Inzwischen ist schon die dritte »Generation« von Gefangenen bei mir auf der Zelle. Ich muss mich ablenken, und so fange ich eines Abends, als nach dem Löschen des Lichtes alle still im Bett liegen, spontan an, erotische Geschichten zu erzählen. Sie beginnen eher harmlos – wie ich ein Mädchen kennenlernte, ihr näher kam, der erste Kuss, die Entdeckung der Schönheit ihres Körpers, ihr Aufblühen, Streicheln und mehr, die erste gemeinsame Nacht. Ich bin hier unter meinesgleichen und muss meinen Wortschatz nicht mehr bewusst reduzieren. Andeutungen und eher poetische Umschreibungen werden verstanden. Sehnsucht lässt bei jedem ganz eigene erotische Fantasien entstehen. Von da an wollen meine Zellennachbarn jeden Abend etwas hören. Also spinne ich die Geschichten immer weiter, verknüpfe dabei Erlebtes mit Erfundenem, erinnere mich später auch an gelesene Bücher, wie D. H. Lawrence' ›Lady Chatterley‹. Diese »Märchenstunden« werden zu einer unerwartet schönen Erfahrung für mich: Manchmal nehme ich meine in die Stille gesprochenen Worte wie von außen wahr; spüre, wie offen alle sind und sich ganz dem Lauschen hingeben.

### Bus fahren

Ende Januar achte ich schon gar nicht mehr darauf, wenn die Schließer jemanden aus unserer Zelle holen. Doch dann fällt mein Name und ich muss mitkommen. Erfolgt jetzt endlich die Ausbürgerung, von der mir die anderen alle erzählt haben, oder gibt es Probleme? Bange betrete ich das Zimmer. Wie sich diese Zimmer alle gleichen! Vorbereitete DIN-A4-Blätter liegen auf dem Tisch. Ja, ja, ja, es ist eine Erklärung, dass ich aus der Staatsbürgerschaft der DDR entlassen werden möchte und keinerlei Ansprüche mehr an die DDR habe. Bevor ich unterschreibe, weist der Stasimann mich tatsächlich noch darauf hin, dass ein Zurück in die DDR-Staatsbürgerschaft danach nie mehr möglich sein werde und ob mir das klar sei. Bildet er sich wirklich ein, ich würde jemals wieder diesen Wunsch verspüren? Noch nie habe ich eine Unterschrift so gern geleistet! Darauf händigt er mir einen Entlassungsschein mit Passfoto aus: das einzige Schriftstück, das ich mit in den Westen nehmen kann, um mich zu legitimieren. Mit aller Deutlichkeit wird mir noch einmal nahegelegt, im Westen weder über die DDR zu erzählen noch mich an irgendwelche Medien zu wenden. »Sie wissen, Ihre Eltern leben noch hier. Sobald Sie Aktionen gegen die DDR organisieren, wird Ihre Familie die Konsequenzen tragen.« Eine eindeutige Drohung. In München muss ich dann tatsächlich ein Angebot des Bayerischen Fernsehens, in einer Jugendsendung zum Thema DDR aufzutreten, ablehnen.

Als Letztes bekomme ich meine während der Flucht getragenen Kleidungsstücke und es erfolgt der sogenannte »Abverkauf«. Ich muss den Rest meines während der Zwangsarbeit verdienten Geldes ausgeben. Da ich im Sommer verhaftet wurde, brauche ich warme Bekleidung für den Februar und kaufe mir Hose, Pullover und Jacke. Schnitt und Materialien sind nicht gerade der Hit, aber das ist jetzt alles so egal. Denn dann: endlich, endlich, endlich werde ich mit anderen durch Schleusen zu dem so oft herbeifantasierten Bus geführt, den ich sofort am D neben dem Nummernschild erkenne. Ein herrlicher Bus: gefedert, sauber, mit weichen Sitzen und hohen Fensterscheiben. Am Steuer ein westlich gekleideter Fahrer. Beklommen steigen wir alle ein. Noch einmal werden wir eingeschüchtert. Absolut still verhalten sollen wir uns während der Fahrt, kein Winken aus dem Fenster, keine Gespräche. Es wirkt: So kurz vor dem Ziel will keiner einen Fehler machen. Selbst Ehepaare, die zum ersten Mal wieder nebeneinander sitzen, trauen sich nicht einander die Hand zu halten. Immer noch klebt die Angst im Nacken. Als der Bus voll ist, kommt Rechtsanwalt Vogel. Fein gekleidet – wahrscheinlich durfte er sich mit dem durch Menschenhandel »erwirtschafteten« Geld im Westen einkleiden –, erklärt er, dass wir nun in die BRD entlassen werden und gibt uns den Rat, dort keinerlei »provozierende Äußerungen über die DDR« zu machen. Er wählt feinere Worte als die Stasi, aber die Botschaft ist die gleiche. Wie weit der Arm der Stasi wirklich reicht, werde ich später in meinen Akten finden. Noch im Frühjahr 1989 wird der bundesdeutsche Polizeifunk am Grenzübergang Lindau von eingeschleusten Spitzeln abgehört, die dann notieren, dass ich in die Schweiz einreise.

Nach diesen, natürlich »wohlmeinenden« und »uneigennützigen« Ratschlägen, steigt unser Devisenbeschaffer in seine Nobelkarosse und fährt voraus. Ein großes, altes Tor öffnet sich und der Bus gleitet hindurch. Kaum zu glauben! Ich habe das Gefängnis verlassen, kann durch ein durchsichtiges Fenster auf die Straßen von Karl-Marx-Stadt sehen. Menschen laufen da herum, die alle Zivil tragen. Keiner beachtet uns, keiner ahnt, was es mit diesem Touristenbus auf sich hat, was in den still darin sitzenden Menschen alles vor sich geht. In einem tranceartigen Zustand von Überwachheit nehme ich alles wahr: die heruntergekommenen, farblosen Häuser, die durch die Braunkohleheizung allgegenwärtige, alles überziehende Staubschicht, die alten Industrieanlagen, die kleinen Trabis, aus denen große bläuliche Abgaswolken herausknattern, die Vororte mit ihren tristen Plattenbauten. An einer Kurve sehe ich, dass auch hinter uns ein PKW mit Stasileuten fährt. Vielleicht haben sie Angst, dass an einer Ampelkreuzung noch jemand versucht, von hinten aufzuspringen. Dann geht es auf die holprige Autobahn. Ich lese die Schilder: Gera, Jena, Erfurt … ja, es geht in die richtige Richtung! Immer nach Westen, in die Freiheit! Das Grenzgebiet naht. Noch einmal sehe ich Vorposten, Wachtürme, mehrere Linien mit Stacheldrähten. Aber der Bus hält nicht mehr an, fährt einfach so vorbei, wie selbstverständlich vorbei an den für DDR-Bürger unüberwindlichen Sperren; wird auf eine Extraspur geleitet, gelangt ganz nah an die Grenze. Unfassbar!

Hier hält der Bus kurz an und die uns bis dahin begleitenden Stasi-Offiziere steigen aus. Unerwartet meldet sich der Busfahrer und sagt in das Mikrofon: »Die sind wir erst mal los, aber bitte bleiben Sie ruhig, wir werden noch eskortiert.« Nach 18 Monaten eine freundliche, entspannte Stimme! Heute klingt sie mir noch in den Ohren. Kurz danach bleibt das Stasi-Auto zurück und der Bus fährt allein weiter. Die freundliche Stimme meldet sich wieder: »Merken Sie was? Es ruckelt nicht mehr; herzlich willkommen im freien Teil der Welt!« Ein einziger Aufschrei geht durch den Bus, wildfremde Menschen liegen sich in den Armen, Ehepaare küssen sich endlich, keiner, der nicht Tränen in den Augen hat. Der Bus hält am nächsten Parkplatz, wir stürzen hinaus ins Freie, um unserer Freude Luft zu machen. Können nicht aufhören, uns zu umarmen, zu beglückwünschen, herumzuhüpfen. Ein neuer Anfang wartet auf uns, alles scheint voller Verheißung und Abenteuer. Noch ahnen wir nicht, dass all diese Erlebnisse uns noch lange Jahre unmerklich begleiten werden.

## Panzer aufbrechen

Mehr als zwanzig Jahre hat es gedauert, bis ich mich daran gewagt habe, diese Zeit zu beschreiben. Vorher habe ich lange überhaupt nicht über das Thema gesprochen oder nur ironisch distanziert. Zwar verfolgte ich über die Medien die hoffnungsvolle Entwicklung in der DDR, die in meiner Dresdner Zeit undenkbar war und erst durch die Reformen von Michael Gorbatschow möglich wurde, aber es stieg dabei auch immer Wut in mir hoch. So bangte ich von Ferne mit, als immer mehr Menschen, zunächst unter dem schützenden Dach der Kirchen und später auch auf Demonstrationen öffentlich ihre Kritik an der Diktatur äußerten. Ich war empört über die brutale Vorgehensweise der Stasi im September 1989 und die folgenden Verhaftungswellen. Mit großer Bewunderung beobachtete ich den Mut vieler, die trotz der ständig drohenden Gefahr verhaftet zu werden, Widerstand leisteten und oppositionelle Gruppen bildeten. Wie viel diese Menschen z.B. am 9. Oktober in Leipzig riskierten, kann man gar nicht hoch genug einschätzen. Denn es stand auf des Messers Schneide, ob es zu einer gewaltsamen Niederschlagung der Demonstration kommen würde. Sehr nahe noch waren die Geschehnisse auf dem Platz des Himmlischen Friedens in Peking vom Juni 1989, wo friedliche Demonstranten einfach niedergeschossen oder von Panzern überrollt wurden. Jeder wusste, dass die DDR-Führung dieses Massaker mit Hunderten von Toten ausdrücklich begrüßt hatte.

Wenn ich in München nach der Wiedervereinigung häufiger auf DDR-Themen angesprochen wurde, bemerkte ich, wie mir alles viel zu naheging, um darüber sprechen oder gar schreiben zu können. Meine Schilderungen wären zu sehr durch Hass verzerrt worden. Eine Zeitlang konnte ich es kaum ertragen, dass die meisten jener Staatsdiener, die so vielen Menschen in den Gefängnissen, wie auch im großen Gefängnis DDR, Leid zugefügt hatten, weiter erhobenen Hauptes frei herumliefen. Dann wünschte ich mir sogar, dass wieder Köpfe rollen – wie im Gefolge der französischen Revolution zweihundert Jahre davor –, und erschrak selbst über diese Gedanken. Mir wurde klar: Ich brauchte noch mehr Abstand. Es war nicht zu ändern, dass nach der bundesdeutschen Rechtsprechung hohe Stasi-Offiziere nicht belangt werden konnten, auch wenn sie beispielsweise Befehle mit Namenslisten unterschrieben hatten, um die Internierung systemkritischer Personen bei »Gefahr einer konterrevolutionären Situation« anzuordnen. Dass es im Ernstfall bis zur Liquidierung gekommen wäre, kann sich jeder ausmalen, der sich die offen ausgesprochene Sympathie für den »chinesischen Umgang mit Ruhestörern« vor Augen hält. Egon Krenz, zuständig für die innere Sicherheit, hatte bei einem Besuch Oskar Lafontaines sogar im Westfernsehen die »Wiederherstellung der Ordnung in Peking« gutgeheißen. Verständlich, dass viele Demonstranten damals »Reformen, aber unbekrenzt« forderten.

Meine Angst saß tief. Merkte ich doch, wie schnell vieles wieder hochgespült wurde. All die Verletzungen, all die von Furcht durchdrungenen Augenblicke der Ohnmacht. Sich nicht wehren zu können, so wie Kafka das beschreibt. Noch heute muss ich seine Bücher nach ein paar Seiten wieder zur Seite legen. Ohnmacht, ein immer wiederkehrendes Thema in unserer Familie, hatte schon meinen Vater ein Leben lang verfolgt und geprägt. Ich wollte nicht daran denken, wie er damals zusehen musste, als wir in Handschellen, Gesicht zur Wand, auf dem Gerichtshof standen. Wehrlos gegen Ungerechtigkeit zu sein, das ist wie eine innere Vergewaltigung. Während ich meine Erinnerungen niederschrieb, kehrten die alten Albträume aus der ersten Zeit nach meiner Entlassung aus dem Gefängnis wieder: Ich fliehe und werde von hinten erschossen; ich will davonlaufen und mei-

*Die Eltern Gertrud und Kurt Proksch in den 60er Jahren mit den drei Kindern Isolde, Michael und Dorothea*

*Dorothea und Michael mit dem Vater auf einer AWO, einem Viertaktermotorrad*

*Die Violingruppe der Paul-Büttner-Musikschule in Dresden 1970
(zweite von rechts Dorothea)*

*Michael 1978 während des Militärdienstes mit seinen Eltern*

# Auf dem Berliner Bebelplatz erklingt

**19.00 (2)**

# Beethovens IX.Sinfonie

Dieses Foto ist 1979 während des Nationalen Jugendfestivals entstanden. Es war ein schönes Erlebnis für die Studenten, mitzuwirken im FDJ-Orchester der Hochschulen für Musik unseres Landes bei der Aufführung von Beethovens herrlicher Musik. Und so wird es auch heute wieder sein, wenn an traditionsreicher Stätte, auf dem Berliner August-Bebel-Platz, die IX. Sinfonie erklingt. Ein Ereignis während des XI. Parlaments der FDJ, das Tausende an Ort und Stelle erleben werden. Und für alle, die nicht dabei sein können, überträgt das Fernsehen der DDR das Konzert unter freiem Himmel.

*Nationales Jugendfestival 1979 (dritte von rechts Dorothea)*

*Auftritt im Konservatorium in Leningrad 1980*

*Dorothea und Gerd Hortsch Anfang der 80er Jahre*

*Blick aus der »Louise« über die Dächer der Dresdner Neustadt*

*Dorothea beim Üben in der »Louise«*

*Hochzeit mit Mathias Ebert im April 1983*

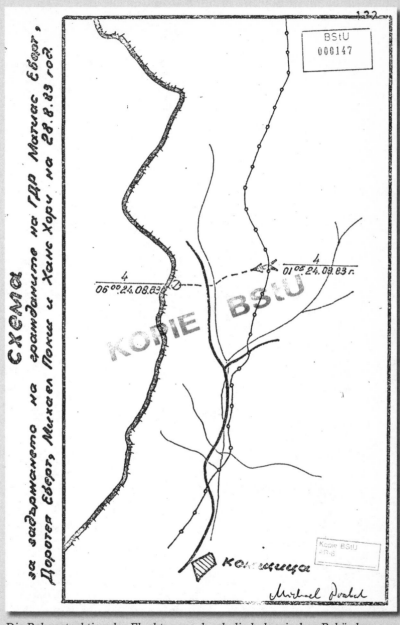

*Die Rekonstruktion des Fluchtweges durch die bulgarischen Behörden*
*(Kopie aus den Stasi-Akten)*

*Eine der*
*U-Haft-Zellen*
*in Hohenschönhausen,*
*in denen Michael und*
*Dorothea einsaßen*

*Freiluftzellen in Dresden*

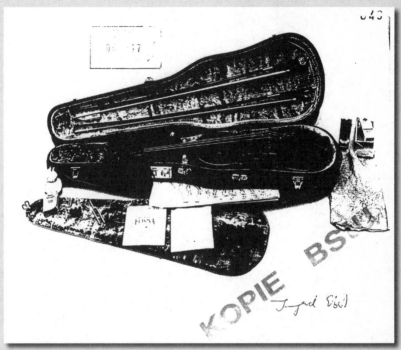

*Die konfiszierte Geige (Kopie aus den Stasi-Unterlagen)*

*Das »Zahnpastabildchen«,
das Dorothea beim letzten Sprecher vor
Weihnachten 1983 ihrer Mutter schenkte*

*Diese beiden Fotos von ihrem Mann und ihrem Bruder durfte Dorothea in der Haft bei sich tragen*

*Vorder- und Rück-
seite des Kassibers
auf »Knastgeld«
von Michael für
seine Eltern
(in Originalgröße)*

*Entlassungsschein
für Michael*

### Entlassungsschein

Name ........... PROKSCH

Vorname ......... Michael

geb. am ..... 15. 10. 1958 ..... in ..... Dresden

wurde am ..... 30. 01. 1985 ..... nach ..... der BRD ..... entlassen.

Er/Sie befand sich seit ..........................
in Untersuchungshaft/im Strafvollzug.

(Dienstsiegel)

Unterschrift

# URKUNDE

Irmgard Ebert geb. Proksch

geboren am 12. 01. 1960 in Dresden

wohnhaft in Dresden, Edmund-Fink-Str. 24

wird gemäß § 10 des Gesetzes vom 20. Februar 1967 über die Staatsbürgerschaft
der Deutschen Demokratischen Republik (GBl. I S. 3) aus der Staatsbürgerschaft
der Deutschen Demokratischen Republik entlassen. Die Entlassung erstreckt sich
auf folgende kraft elterlichen Erziehungsrechts vertretene Kinder:

-

geboren am in

-

geboren am in

-

geboren am in

Die Entlassung aus der Staatsbürgerschaft der Deutschen Demokratischen Republik wird gemäß § 15 Abs. 3 des Staatsbürgerschaftsgesetzes mit der Aushän-
digung dieser Urkunde wirksam.

Berlin

den 11. 12. 1984

Ausgehändigt am 1 9. Dez 1984

*Entlassungsurkunde von Dorothea (hier nicht mit ihrem
Rufnamen, sondern mit dem ersten Namen im Pass benannt)
aus der Staatsbürgerschaft der DDR*

Behördliche Eintragungen

Zur Beachtung

Dieser Ausweis ist eine amtliche Urkunde. Mißbrauch und
Fälschung werden bestraft. Änderungen dürfen nur von
Amts wegen vorgenommen werden.

BUNDESREPUBLIK
DEUTSCHLAND

AUSWEIS
für Vertriebene und Flüchtlinge

C

Nummer des Ausweises

09 162 / **7824**

Dieser Ausweis gilt nur in Verbindung mit einem gültigen
Personalausweis.

---

Name (bei Frauen auch Geburtsname)
**Ebert, geb. Proksch**
Vornamen (Rufname unterstreichen)
**Irmgard, Dorothea**
Geburtstag **12.01.1960**
Geburtsort **Dresden**
(Land, Kreis)
Kinder unter 16 Jahren
Vorname          Geburtstag

1.
2.
3.
4.
5.
6.

Ständiger Aufenthalt im Bundesgebiet (Berlin-West)
seit: **19.12.1984**
Wohnort und Wohnung
**München 40 80,**
~~Leopoldstr. 108 a~~
~~b. Ott~~ Orleansstr. 65/
Rgb.

Unterschrift des Inhabers

**München       14. Jan. 1985**
Ort                    Datum

Landeshauptstadt München

AUSGLEICHSAMT
Dienststegel     i.A.:

Dietl
Verwaltungsamtsrat

Nr. des Personalausweises
M 0303384

Behördliche Eintragungen

---

*Flüchtlingsausweis von Dorothea mit dem C für politische Flüchtlinge*

```
MINISTERRAT                                      BERLIN, 09.03.89
DER DEUTSCHEN DEMOKRATISCHEN REPUBLIK

MINISTERIUM FUER STAATSSICHERHEIT                ┌─────────────┐
HAUPTABTEILUNG III                               │    BSTU     │
                                                 │             │
LEITER                                           │   000102    │
                                                 └─────────────┘


BEZIRKSVERWALTUNG                                STRENG GEHEIM!
FUER STAATSSICHERHEIT                            ---------------
ABTEILUNG III - LEITER

DRESDEN
----------------------


          I N F O R M A T I O N     H/02766/09/03/89/RAP
          -----------------------------------------------

ERFASZTE PERSON/OBJEKT/KFZ:

NAME        : PROKSCH                        70729
GEBURTSDATUM: 15.10.58   GEB.ORT:

ERFASSUNGSVERHAELTNIS BEI DER ABTEILUNG XII:

DIENSTEINH: KD DDN
MFS/BV/KD : DRESDEN   /STADT
WENNIDENT : MICHAEL

WEITERE MIT DEM SACHVERHALT IM ZUSAMMENHANG STEHENDE PERSONEN/
OBJEKTE/FAHRZEUGE:

SACHVERHALTSANGABEN:

DATUM1      : 14.01.89  UHRZEIT1: 09.11  DATUM2:
HANDLUNGSORT:    LINDAU BHF
MASZNAHMEKLASSE : UEBERPRUEFUNG
ORGAN       : BGP-GPS
STANDORT    : LINDAU BHF  BRD
DELIKTKLASSE: SONSTIGE DELIKTE
AUSGANGSMATERIALNR.:A99999/89


DIE GENANNTE PERSON WURDE MIT NEGATIVEM ERGEBNIS DURCH DIE
SICHERHEITSDIENSTE DES BRD-LANDES BAYERN IM INFORMATIONSSYSTEM
DER POLIZEI DER BRD (INPOL) FAHNDUNGSMAESZIG UEBERPRUEFT.

ZUM SACHVERHALT LIEGEN DER HA III KEINE WEITEREN ANGABEN VOR.
```

*Schreiben 25.5.89 gst.*
*g.*

*Spitzelbericht über Michael in Bayern (Kopie aus den Stasi-Unterlagen)*

*Erstes Wiedersehen*
*mit den Eltern*
*in Prag nach der*
*Freilassung 1985*

*Michael Proksch mit seinen Eltern Weihnachten 1989*

*Gertrud Proksch mit ihren Kindern Dorothea und Michael im Jahr 2008*

ne Beine versagen ihren Dienst; zwei Grenzposten kommen mit auf mich gerichteter MPI immer näher, aber ich kann auf der freien Bergkuppe keine Deckung finden. Schweiß- überströmt schreckte ich dann hoch und konnte mich lange nicht beruhigen. Es waren dieselben Träume, an denen ich nach meiner Freilassung im Februar 1985 noch lange ge- litten hatte, bis man mir riet, einen Nervenarzt zu konsul- tieren, der mich wegen meines labilen Zustandes und der Schlafstörungen erst einmal krankschrieb. Er beantragte eine Kur für mich, die im Sommer genehmigt wurde. Danach war ich zumindest körperlich wieder belastbar und konnte meine Kraft auf den beruflichen Neuanfang konzentrieren. Alles andere verdrängte ich, die mich nun in größeren Zeit- abständen heimsuchenden schlimmen Träume wurden ein- fach ignoriert.

Es blieb kaum Zeit für Reflexionen. Ich wollte nur verges- sen und Neues erleben, auf andere Gedanken kommen und alle Möglichkeiten der freien Welt auskosten. Beim Aufbau einer neuen Existenz kam mir die im Gefängnis erworbe- ne Genügsamkeit anfangs sehr zugute. Auch scheinbar ganz alltägliche Dinge konnte ich als Glück erleben. Mein erstes eigenes Zimmer in München mit seinen hohen Mieten be- fand sich im Keller, war zehn Quadratmeter groß und dun- kel. Doch ich war höchst zufrieden, denn ich konnte jeder- zeit die Tür öffnen und ins Freie gehen: zum Beispiel, um die Schönheit des Nymphenburger Parks zu genießen. Es gab keine Dusche, aber mir reichte ein winziges Waschbe- cken, denn das Dantebad war in der Nähe, wo ich im herr- lich warmen Wasser schwimmen und danach ausgiebig du- schen konnte. Für jeden Tag, über den ich als freier Mensch frei entscheiden konnte, war ich dankbar. Vieles im Alltag empfand ich als freundlich, hell, kultiviert und sauber. Jetzt nahm ich mein Leben selbst in die Hand. Niemand redete mir drein. Und es gab eine sehr freundliche Familie in Nym- phenburg, die wirklich versuchte, sich in mich hineinzuver- setzen. Das war mir anfangs eine große Hilfe. Lange funkti- onierte das Verdrängen gut. Selbst als ich 2001 auf Anfragen der Stiftung »Kunst hinter Gittern« in sechs verschiedenen

Gefängnissen spielte, ließ ich mich vermeintlich vollkommen unbeteiligt wieder hinter viele Türen schließen. Dabei war das »Gelbe Elend« von Bautzen innen nahezu identisch mit dem Brandenburger Zuchthaus.

Zwanzig Jahre später fühlte ich mich durch den ständigen Zeitdruck, unter dem ich bei Kompositionsaufträgen arbeitete, ausgebrannt und beschloss eine sechsmonatige Auszeit, die ich in einem Schweizer Bergkloster begann. Hier entstand während einer längeren Schweigezeit erstmalig der Gedanke, über die Erfahrung von Flucht und Gefängnis zu schreiben. Ich spürte, dass es immer noch Wunden gab, dass vor langer Zeit entstandene Prägungen und Verhaltensmuster spontane Emotionen verhinderten. Nach wie vor war mein Herz eingezwängt in diesen Panzer, der mich in der Not geschützt hatte und den ich nun endlich sprengen wollte. Ich hatte ihn schon bei meiner Entlassung aus der Armee wahrgenommen. Ein paar Verse aus meinem Tagebuch von damals, mit denen ich mir selbst Mut machen wollte, haben mich daran erinnert.

> zeit zu haben
> für eine stimme
> die nie
> verstummen wird
> solange
> wir offen sind
> für jede wandlung
> zu begreifen
> dass die mauern
> in uns
> oft fester
> noch stehen
>
> im nie ankommen
> die ankunft finden
>
> die bewegung
> mehr lieben
> als das ziel

In der ersten Zeit nach meiner Freilassung war der Gedankenaustausch mit manchen im Westen aufgewachsenen Menschen oft schwierig. Hinter vermeintlich ganz normalen Aussagen verbargen sich immer wieder vollkommen verschiedene Wahrnehmungen. Dieselben deutschen Wörter waren mit anderen Vorstellungen verknüpft. Es gelang mir nicht, mich richtig mitzuteilen. Sprach ich etwa von der Angst, im DDR-Alltag ehrlich seine Meinung zu sagen, oder von der ständigen Bespitzelung, bekam ich zur Antwort, ja, wir werden hier im Westen auch alle überwacht. Für solche Gespräche war ich noch zu dünnhäutig und ging ihnen lieber aus dem

Weg. Wie sollte ich auch reagieren, wenn man mir in teils bedrohlichen Bildern einen alle Menschen zunehmend kontrollierenden westdeutschen Staat beschrieb. Das widersprach vollkommen meiner täglichen Wahrnehmung. Die Restaurants in München waren voll mit Menschen, die fröhlich speisten und ungezwungen über alles redeten, in der U-Bahn erzählte man offen Witze über den damaligen Bundeskanzler, in der Oper reagierte das Publikum spontan mit lauten Bravorufen oder Buhrufen, auf den Behörden wurde ich freundlich beraten, von der bayerischen Regierung bekam ich finanzielle Starthilfe, von zuvorkommenden Justizbeamten wurde ich rehabilitiert, beim Arzt bekam ich sofort einen Termin, im Fernsehen kritisierte man ausgiebig die Regierungsarbeit, im Radio warnte man die Autofahrer vor dem Blitzen der Polizei. Alles Dinge, die in der DDR jenseits des Vorstellbaren lagen. Ich erlebte die Bundesrepublik im Jahre 1985 als vielseitige, reiche Kulturlandschaft und als funktionierenden Sozialstaat.

Es fiel mir schwer, die Haltung junger Menschen nachzuvollziehen, die alle Vorteile der sozialen Marktwirtschaft in Anspruch nahmen, gleichzeitig aber gegen sie rebellierten. Es war ihnen offensichtlich nicht bewusst, was für ein Glück sie hatten, in einem Land zu leben, das sich in einem in der Geschichte wohl einmaligen Zustand von Sicherheit, Freiheit und materiellem Wohlstand befand. Durch meine Erlebnisse in einem totalitären System fühlte ich mich berufen, allen zu sagen, dass es sich lohne, die Demokratie zu verteidigen. Ich konnte nicht diplomatisch bleiben, wenn ich merkte, dass manche die in der Ideologie des Sozialismus so schön formulierten Ziele, wie die Befreiung des Menschen von Ausbeutung, für gelebte Realität hielten, ohne Einblick zu haben, was in der DDR wirklich passierte. Dabei verlor ich aus den Augen, dass es ein natürlicher Entwicklungsprozess ist, in der Jugendzeit aufzubegehren. Woran aber sollten Studenten sich reiben, die durch den Wohlstand ihres Landes abgesichert und an freie Meinungsäußerung gewöhnt, nicht wirklich gefordert waren? War es leichter sich zu spüren, wenn man gegen etwas rebellierte? Vielleicht verleitete die kritische Haltung gegenüber der Macht des Großkapitals und der Profitgier der Konzerne auch zu einem Wunschdenken, infolgedessen die Vorgänge im »real existierenden Sozialismus« eher blauäugig betrachtet wurden? Oder lag es einfach daran, dass einem das Gras auf der anderen Seite des Zaunes immer grüner erscheint? Solche Fragen beschäftigten mich damals sehr.

Oft wurde ich im Westen gefragt, warum habt ihr nicht einfach eure grauen Häuser frisch gestrichen? Eine gute Frage und ich habe lange überlegt, bis mir klar wurde, dass eine über dem ganzen Land liegende Lethargie uns alle geprägt hat. Es gab wenig Farbe zu kaufen, gewiss, und man rannte vier bis fünf Mal umsonst in das Geschäft, bis zufällig ein kleines Kontingent Farbe »reingekommen« war. Doch die Gründe lagen tiefer. Kraft und Initiative waren unterhöhlt. Eigene Verantwortung zu übernehmen war nicht erwünscht. Wer immer wieder erlebt, dass erbrachte Leistung nicht wirklich belohnt wird, dass ein linientreuer Kollege dem fachlich besseren vorgezogen wird, resigniert schließlich und bringt seine Fähigkeiten nicht mehr ein. Wer beim Versuch, etwas zu verändern, drei Mal umsonst gegen eine Mauer gerannt ist, hat erkennen müssen, dass sie stärker ist.

Gerade unter den Linksintellektuellen in der damaligen Bundesrepublik sahen einige gern die menschlich guten Seiten der DDR: Uneigennützigkeit, Hilfsbereitschaft, scheinbar fehlende Konkurrenz oder die höhere Bedeutung von Freundschaften. Von außen war es offenbar schwer zu erkennen, dass diese wertvollen Dinge vom System nicht bewusst herbeigeführt wurden. Es handelte sich um positive Nebenwirkungen, die sich einstellten, weil der Mensch ein anpassungsfähiges Wesen ist. Ein längerer Gefängnisaufenthalt etwa bringt ausgezeichnete Schachspieler hervor. Das ist aber aus der Not geboren und nicht ein Verdienst der Gefängnisleitung. Ein gemeinsamer Feind wie der Staat schafft die Notwendigkeit stärkerer menschlicher Bindungen. In einem von Bespitzelung durchdrungenen Alltagsleben ist die Nähe zu Freunden, denen man absolut vertrauen

kann, lebensnotwendig. Dass es keine Bilderflut mit erotischen Motiven oder sexuellem Hintergrund gab, wirkte sich
positiv aus und führte meist zu einer natürlichen Beziehung
zum eigenen Körper. Ohne den Vergleich mit Busenwundern
und Waschbrettbäuchen, ohne irgendwelche Stellungen aus
Pornofilmen näherten wir uns der Sexualität eher durch eigenes Erkunden und Ausprobieren. Dieser Teil der Privatsphäre blieb von staatlichen Regulierungen unberührt.

Ich traf immer wieder Menschen, die sich gerne an ihre
Kindheit erinnerten und dann meinten, so schlecht war es
doch gar nicht »bei uns in der DDR«. Jeder, der in einer halbwegs intakten Familie aufgewachsen ist, erinnert sich gern
an seine Kindheit. Diese Zeit, in der wir das Leben noch un-
befangen und aus dem Augenblick heraus genießen können,
ist die größte Schatzkiste mit lebendigen Erinnerungen. Und
eine Familienmutter ist zu Recht darauf stolz, dass sie damals trotz der schwierigen Bedingungen ihre Kinder liebevoll versorgt hat. An so etwas denken wir alle gerne zurück.
Aber dieser Stolz und diese schönen Erinnerungen basieren
auf Erfahrungen aus dem unmittelbaren Lebensumfeld und
nicht auf den Lebensbedingungen in einem autoritären System. Ich war selig nach meiner ersten Liebesnacht und hätte
auf dem Heimweg am frühen Morgen selbst die verrosteten
Laternenpfähle Dresdens umarmen können. Aber das hatte
nichts mit deren Rost zu tun.

Auch mir blieben viele positive Erinnerungen. Vor allem,
weil es überall wunderbare Menschen gab, die versuchten,
die Mechanismen des Unterdrückungssystems zu umgehen,
moralisch integer zu bleiben und einfühlsam auf ihre Mitmenschen zu reagieren. All die, die direkt oder indirekt für
die Stasi arbeiteten, jeder Zehnte also, konnten ihre Umgebung vergiften, aber diese uneigennützigen Menschen, die
sich möglichst nicht verbiegen ließen, bildeten einen wichtigen Gegenpol.

Man kann nicht überleben, wenn man sich ständig nur
die eigenen bedrückenden Umstände vergegenwärtigt. Man
versucht trotzdem zu leben, zu lieben, Kinder großzuziehen,

Der Hochwald erzieht
seine Bäume

Sie des Lichtes
entwöhnend,
zwingt er sie,
all ihr Grün in die
Kronen zu schicken
Die Fähigkeit,
mit allen Zweigen
zu atmen,
das Talent,
Äste zu haben nur so
aus Freude,
verkümmern

Den Regen siebt
er vorbeugend
der Leidenschaft
des Durstes

Er läßt die Bäume
größer werden
Wipfel an Wipfel:
Keiner sieht mehr als
der andere,
dem Wind sagen alle
das gleiche.

*Reiner Kunze*

den Garten zu pflegen, Bücher zu lesen, Konzerte und Ausstellungen zu besuchen und dort Urlaub zu machen, wo es einem erlaubt war. Die ewigen Mysterien des Lebens, die erste Liebe, der erste Verrat, die ersten erotischen Erfahrungen, der erste Verlust, bleiben. Sie prägen unsere Erinnerungen und nicht die Theorie vom sozialistischen Menschen, der sein ganzes Glück im »Erfüllen seines Klassenauftrags« findet.

Doch die Menschen in der DDR lebten in einem Staat, in dem es die Todesstrafe gab, der ihnen viele wichtige Informationen einfach vorenthielt, dessen Gefängnisse voll waren mit offiziell gar nicht vorhandenen politischen Gefangenen. Der behauptete, Kriminalität trete vorrangig in »imperialistischen Ländern« auf, und der die Zahl der Gewaltverbrechen innerhalb der DDR geheim hielt, obwohl es welche gegeben haben muss. Sonst hätte ich ja im Gefängnis nicht so vielen Verbrechern begegnen können. Der Alltag war von Einengung und Bevormundung geprägt. Das hatte Auswirkungen auf die persönliche Haltung und auf das Lebensgefühl. Reiner Kunze hat sie Ende der 70er-Jahre sehr treffend in poetische Metaphern gefasst. Man verbrachte sein Leben unter einer großen autoritären Glucke mit dem Decknamen Sozialismus, deren Gewicht zwar so etwas wie Nestwärme erzeugte, aber jede freie Bewegung unmöglich machte.

Diese Art von Nestwärme verschwand in der kühlen Luft der neuen Freiheit. Das findet seinen Niederschlag in der sogenannten »Ostalgie«, der Vergangenheitsverklärung. Schon

Orwell beschrieb in ›1984‹, wie Geschichte verfälscht und neu geschrieben werden kann, sodass nichts mehr an das reale Geschehen erinnert. Die Wahrheit wird ausradiert und am Ende verankert sich in den Köpfen der Menschen das, was sie ständig zu hören und zu lesen bekommen. Wenn ich heute höre, was manche ehemaligen Offiziere oder Staatsangestellte über die Zeit in der DDR von sich geben, kann ich nur annehmen, dass sie entweder bewusst lügen oder dass die jahre- oder jahrzehntelange Manipulierung in der DDR immer noch nachwirkt. Es wird niemand mehr behaupten, dass es keine Versorgungsengpässe gab. Das wäre eine offensichtliche Lüge. Weniger offensichtlich ist es jedoch, wenn man ausblendet, dass die Lebensumstände auch sonst nicht viel mit dem propagierten Bild sozialistischer Herrlichkeiten zu tun hatten.

Die Menschen in der ehemaligen DDR sahen sich nach der Wiedervereinigung mit einer fast vollständigen Veränderung ihrer Lebensumstände konfrontiert und mussten sich damit auseinandersetzen. Kaum jemandem blieb die Zeit für eine wirkliche Aufarbeitung der Vergangenheit. Wer von Unsicherheit und Zukunftsangst geplagt ist, wünscht sich die vermeintliche Sicherheit von früher wieder zurück und schaut nicht so genau auf das, was damit verbunden war. Man vergisst das allgegenwärtige Gefühl von Verunsicherung und Angst, man vergisst, was es bedeutete, dass man im Lebensmittelgeschäft oder in der Kneipe, im Studentenalltag oder am Badesee, beim Rockkonzert oder auf dem Bolzplatz nie frei sagen konnte, was man wirklich dachte. Dies ging an niemandem spurlos vorüber, es hinterließ eine tief verankerte Unsicherheit. Im Lauf der Jahre löste dieses Gefühl immer mehr die natürliche Verbindung zwischen Fühlen und Sprechen auf. Mich sollte es noch lange begleiten, auch als objektiv überhaupt keine Notwendigkeit mehr dazu bestand.

Bei meinen regelmäßigen Besuchen in Dresden konnte ich, nun aus der Distanz und als Außenstehender, die Nachwirkungen der Diktatur auch bei anderen besser erkennen. So das Sich-schuldig-Fühlen. Man war nicht gewohnt, ein-

fach Nein zu sagen, sondern hatte das Gefühl, tausend Begründungen mitliefern zu müssen. Schon die einfache Tatsache, anders zu denken, als die herrschende Ideologie es
vorschrieb, hatte solche Schuldgefühle fest verankert. Die
Grundempfindung eines »schlechten Gewissens« saß tief.
Auch ich hatte lange damit zu kämpfen. Das machten mir
gute Freunde immer wieder bewusst. Obwohl ich es gerne
wollte, konnte ich meine alten Prägungen nicht einfach ab-
werfen. Die Kunst der Selbstdarstellung, wie sie für mich als
Freiberufler oft nützlich wäre, fällt mir bis heute schwer.

In die Art, wie wir uns erinnern, fließt unsere jeweilige
Lebenssituation mit ein. Im Erzählen der Vergangenheit
entwickeln wir ein Bild von uns, das den aktuellen Erfor-
dernissen angepasst ist. Das war mir bewusst, als ich meine Erinnerungen niederschrieb. Ich wollte aber möglichst
genau rekonstruieren, wie ich damals die Umstände in der
DDR erlebte. Sehr hilfreich waren dabei meine umfangrei-
chen Tagebuchaufzeichnungen, die – in einem alten Koffer
auf dem Dachboden versteckt – dem Zugriff der Stasi ent-
gangen sind. Zudem hatte meine Mutter sämtliche Briefe
aus der damaligen Zeit aufbewahrt.
    Meine Erfahrungen haben mich manches gelehrt: Signale
früh wahrzunehmen, die auf eine schrittweise Aufweichung
der Rechte des Einzelnen hinweisen; immer wieder genau
abzuwägen, welche materiellen Bequemlichkeiten wirklich
wichtig sind; aufmerksam zu beobachten, wo und wie ich
auch hier manipuliert werde; Ziele stets zu hinterfragen und
sich nicht den herrschenden Strömungen unterzuordnen.

# Dorothea Ebert

## Wie alles begann

Es war sehr heiß in jenem Sommer 1983, als ich mich entschloss, die DDR zu verlassen. Brütende Hitze lag über Dresden, während wir in größter Heimlichkeit unsere Vorbereitungen für die Flucht trafen. Der schwierige Kauf des uralten Moskwitsch, die Gespräche, die wir wegen der Gefahr, abgehört zu werden, unter freiem Himmel an der Elbe führten, die Beschaffung von dunkler Kleidung für die Flucht, unsere Abfahrt vom Neustädter Bahnhof, der Abschied von meinem Vater, der keine Ahnung von unserem Vorhaben hatte; die Fahrt im Zug nach Budapest, die Angst vor den Grenzkontrollen, vor allem, nachdem ich festgestellt hatte, dass ich viel zu viel Geld dabei hatte, das ich eigentlich noch meinen Eltern hatte zukommen lassen wollen, die Panne in Budapest, als unser Moskwitsch gleich bei der ersten Fahrt leckte, die Weiterfahrt nach Rumänien und Bulgarien, die Flucht über die bulgarisch-jugoslawische Grenze, das »Spießruten-Sitzen« in einem offenen »Pavillon« im Armeelager nach der Gefangennahme durch die bulgarischen Grenztruppen, die Zeit im bulgarischen Untersuchungsgefängnis, das alles fand in großer Hitze statt. Nachdem wir beschlossen hatten, alle Sicherheit in den Wind zu schreiben, Familie und Freunde zu verlassen und uns auf den gefährlichen Weg in eine unbekannte, ungewisse Zukunft zu begeben.

Von außen betrachtet gab es keinen Grund für einen so radikalen Schritt. Wir drei Kinder waren unter bescheidenen Umständen aufgewachsen, aber meine Eltern hatten alles getan, um uns zu fördern und uns eine gute Kindheit zu ermöglichen. Wir konnten unsere Begabungen entwickeln und die Bildung erwerben, die sich unsere Eltern für uns wünschten. Zunächst wohnte meine Familie in einem Zimmer bei den Großeltern. Dresden war am 13. Februar 1945 fast vollständig zerstört worden, und es gab kaum freie Wohnungen. Später erhielten wir auf dem Tauschweg eine große 4-Zimmer-Altbauwohnung, deren Mängel die Eltern in Kauf nahmen, damit unsere schließlich fünfköpfige Familie endlich Platz hatte. Die alten Kachelöfen mussten jeden Morgen von Neuem mit Kohle beheizt werden, die Küche war überhaupt nicht zu heizen. Im Badezimmer wurde einmal in der Woche der Ofen angefeuert. Die Hauptlast dieser Aufgaben ruhte auf meiner Mutter, als wir Kinder waren. An Reparaturen oder Verbesserungen war nicht zu denken. Erst nach der Wende ließen die im Westen lebenden Erben der früheren Besitzer das alte Haus von Grund auf renovieren und umgestalten. Meine Eltern hatten den Zweiten Weltkrieg erlebt. Er hatte ihre Jugend geprägt. Sie waren es gewohnt, sich mit den Umständen abzufinden. Sie bemühten sich, die Probleme des Alltages zu meistern und uns Kindern eine lebenswerte Zukunft zu gestalten.

Meine Mutter Gertrud hatte ihr Hochschulstudium im letzten Kriegsjahr abbrechen müssen, weil sie verpflichtet wurde, in der Rüstungsindustrie zu arbeiten. Ende 1945 ergriff sie den Beruf der Neulehrerin. Neulehrer wurden in Kursen außerhalb des Studiums ausgebildet, weil man sicherstellen wollte, dass keine Lehrer mit Nazi-Vergangenheit unterrichteten. Daneben begann sie ein mehrjähriges Fernstudium, in dem sie sich zur Fachlehrerin für Biologie qualifizierte. Sie hat ihren Beruf mit Enthusiasmus ausgeübt und immer danach getrachtet, ihre Schüler im Sinne eines wahren Humanismus zu bilden und zu erziehen. Dass sie auch nach ihrer Verheiratung und den Geburten von uns drei Kindern mit nur kurzen Unterbrechungen berufstätig war, empfanden wir nicht als Beeinträchtigung unseres Familienlebens. Die Konsequenz, mit der unsere Mutter dank einer effizienten Zeiteinteilung unsere Entwicklung förderte – sie begleitete uns zu Musik- und Schwimmunterricht, beaufsichtigte die Erledigung der Schularbeiten und das tägliche Üben am Instrument, bewältigte den Haushalt, wachte an unseren Betten, wenn wir krank waren – diese Hingabe an Beruf und Familie hat meine Vorstellungen von einem erfüllten Leben entscheidend geprägt.

Mein Vater Kurt war das fünfte Kind eines Glasmalers. Sein Heimatdorf lag in dem damals zur Tschechoslowakischen Republik gehörigen Sudetenland, das mit seiner vorwiegend deutschen Bevölkerung im Jahre 1938 von Hitlers Wehrmacht besetzt und dem Dritten Reich eingegliedert wurde. So wurde auch mein Vater als Achtzehnjähriger eingezogen. Vier Jahre lang erlebte er das Grauen des Zweiten Weltkrieges. Wie ein Schatten lagen seine Erinnerungen auch über meiner Kindheit. Manchmal begann er davon zu erzählen, brach aber meistens ab: »Das ist nichts für die Kinder.« Als er nach vierjähriger Kriegsgefangenschaft in Jugoslawien 1949 endlich nach Zittau entlassen wurde, wo seine verheiratete Schwester wohnte, gehörte die sächsische Lausitz zur damaligen sowjetischen Besatzungszone und ab Oktober 1949 zur Deutschen Demokratischen Republik. In seine Heimat zu den Eltern durfte er nicht zurückkehren, da ja Böhmen nun wieder zur Tschechoslowakei gehörte. Wie wir vierzig Jahre später musste er fern von geliebten und vertrauten Menschen in fremder Umgebung bittere Erfahrungen überwinden und den Start in ein neues Leben wagen. Wie meine Mutter begann auch Vater als Neulehrer zunächst in der Lausitz Unterricht zu erteilen. Später studierte er Kunstgeschichte in Dresden, Leipzig und Berlin. Die Gabe des lebendigen Vortragens, des enthusiastischen Beschreibens von Kunstwerken hat ihm während seiner langjährigen Lehrtätigkeit an der Dresdner Akademie der Bildenden Künste in seinen Vorlesungen stets eine begeisterte Zuhörerschaft gesichert.

Letztendlich wurde ihm eine gebührende Anerkennung und Wertschätzung in seinem Beruf verwehrt. Er litt unter der Überwachung durch die neuen politischen Machthaber. In vielen seiner Kunstgeschichtsvorlesungen saßen Stasi-Spitzel, die alles weitermeldeten, was er nicht im Sinne der

»marxistisch-leninistischen« Kunstgeschichte darstellte. Es wurde von den Lehrern erwartet, dass sie unabhängig vom Fachgebiet stets politisch agitierend auf die Studenten einwirkten. Mein Vater jedoch war »lediglich« ein begeisterter Liebhaber der kunstgeschichtlichen Werke und Inhalte und hielt sich möglichst nahe an deren Übermittlung. Er wurde aufgrund seiner mangelnden »Linientreue« jahrzehntelang nicht befördert und mit einem bescheidenen Dozentengehalt abgespeist. Diese Zurücksetzung kränkte ihn zutiefst und das spürten auch wir Kinder. Vater zog sich oft in sein Arbeitszimmer zurück, wo er sich bis in die Nacht hinein auf seinen Unterricht vorbereitete, Fachbücher wälzte, neue Dia-Reihen zur Veranschaulichung der kunstgeschichtlichen Epochen von der Antike bis zur Gegenwart zusammenstellte und nebenher jahrelang an einer Dissertation über den Jugendstil-Künstler Otto Gussmann arbeitete. Dass er die meisten der berühmten Kunstwerke nur von Abbildungen her kannte, weil eine Studienreise in die westlichen Länder undenkbar war, hat ihn oft so geärgert, dass er sich auch in Gegenwart seiner Kinder sehr deutlich über diese Beschränkung äußerte.

Vieles, was meine Eltern belastete, blieb jedoch vor uns Kindern unausgesprochen. Das musste wohl so sein. Dennoch spürte ich diese Spannung, für die ich als Kind keine Erklärung finden konnte. Ich litt unter diesem Unausgesprochenen, es machte mir Angst und ich fühlte mich auch auf unerklärliche Art schuldig. Vergeblich versuchte ich oft, durch tadelloses Verhalten und »Liebesbeweise« eine Harmonie herzustellen, ohne zu begreifen, dass ich nicht Ursache der Differenzen und auch nicht verantwortlich für deren Behebung war.

Trotzdem waren uns die Eltern liebevolle Begleiter. Ich erinnere mich an gemeinsam unternommene Radfahrten, Spaziergänge, Museumsbesuche und Erkundungsgänge in die Natur. Einmal verbrachten wir zwei Wochen in einem kleinen mecklenburgischen Dorf mit dem idyllischen Namen Himmelpfort – zu fünft in einem aus zwei winzigen Räumen bestehenden ehemaligen Laden, in dem es nur

ein Waschbecken und sonst keinerlei Komfort gab. Um zum
»Plumpsklo« zu gelangen, mussten wir über den Hof hinter den Hühnerstall gehen. Die Dorfstraße war ein staubi-
ger Weg, auf dem eine Pferdekutsche die Feriengäste des
»FDGB« (des Gewerkschaftsverbandes in der DDR) vom Zug
abholte und in die Quartiere brachte. Eines Nachts erwach-
ten wir vom Lärm durchfahrender Panzer. Durch die große
Fensterscheibe sahen wir die eisernen Kolosse mit ihren
drohend nach vorn gerichteten Kanonenrohren vorüberrat-
tern. Am Morgen zeugten die Spuren auf der sandigen Straße davon, dass wir nicht geträumt hatten. Es war der August
1968. In der Tschechoslowakei wurden die Bemühungen um
mehr Demokratie und Selbstbestimmung, die die Bevölkerung unter dem Namen »Prager Frühling« organisiert hatte,
durch einrückende Truppen der sowjetischen Armee zerschlagen. Durch das verschlafene Nest Himmelpfort fuhren
die Panzer der Nationalen Volksarmee Richtung Grenze, um
dem »sowjetischen Bruder« zu Hilfe zu eilen und die sozialistische Diktatur wiederherzustellen. Der zweite Ferienauf-
enthalt außerhalb unserer gewohnten Umgebung brachte
mir die Begegnung mit dem Meer: Eine Freundin der Mutter hatte uns nach Bad Doberan an die Ostsee eingeladen.
Diese Ferientage sind in meiner Erinnerung verbunden mit
einem aufregenden Gefühl von unendlicher Weite und einer
gewissen Fremdheit, die mir zum ersten Mal eine kribbeln-
de Ahnung von Fernweh vermittelte. Hinauszuschwimmen
in das offene Meer, die Sicherheit des Ufers hinter mir zu
lassen und vor mir einen unbegrenzten Horizont zu sehen,
erfüllte mich mit unaussprechlicher Sehnsucht.

Meine ganze Kindheit wurde aber überstrahlt von der Liebe
zur Musik. Das haben mir meine Eltern als Geschenk für das
Leben mitgegeben. Mein Vater war sehr sangesfreudig. Mit
seiner schönen hellen Stimme hätte er ein guter Operetten-
tenor werden können. Wie gern hörte ich ihn Arien schmet-
tern, die er als Kind aus dem einzigen Radio in seinem Heimatdorf und bei Proben des Gesangvereins, den sein Vater
leitete, gehört hatte. Die Geige meines Großvaters bekam

ich zu Weihnachten 1969 geschenkt. An das Glücksgefühl beim Öffnen des Geigenkastens, als ich die grün bestickte Decke von der Geige wegzog, erinnere ich mich noch heute. Auch vom Großvater mütterlicherseits habe ich die musikalische Veranlagung geerbt. Als achtes von zehn Kindern eines Kantors und Dorfschullehrers erlernte er während seiner Ausbildung am Lehrerseminar in Zschopau auch das Klavier-, Orgel- und Geigenspiel. Er hat meine Mutter musikalisch erzogen und ihr die Begeisterung für die verschiedensten Komponisten und deren Meisterwerke mitgegeben, die sie mir weitervermittelte. Oft habe ich meine Mutter bewundert, wenn sie bereits nach ein paar Takten ein Musikstück erkannte. Von ihr lernte ich das genaue Hinhören, um zu unterscheiden, welches Instrument gerade das führende Thema spielt, und all die anderen Feinheiten einer Interpretation wahrzunehmen.

Mutter hatte meine Begabung für die Musik entdeckt, weil ich als kleines Kind hingebungsvoll und wohl auch intonationssicher sang, und unterstützte mit viel Energie meine Entwicklung. Angefangen hatte ich auf dem Klavier – wie meine Geschwister. Da ich lange, schmale Finger hatte, meinte die Klavierlehrerin nach kurzer Zeit, ich solle es doch einmal mit der Geige versuchen. Meine erste Geigenlehrerin Senta Greifzu hat durch ihre aufmerksame, behutsame Art meine Liebe zu diesem Instrument unterstützt. Welch wundervolles Gefühl, mit dem Bogen über die Saiten zu streichen, die Augen zu schließen und dem Klang zu lauschen! Ich erinnere mich an mein erstes »Vorspielen« im Wohnzimmer. Dieses Gefühl, zu verschmelzen mit meinem Tun, den Geigenklang als Ausdruck meiner Selbst zu erleben – verbunden mit allem und doch ganz für mich allein zu existieren –, hat meinen ganzen weiteren Weg geprägt. Natürlich hätte ich solche Worte damals nie gefunden.

Ich war eigentlich ein fröhliches Kind und spielte gerne mit den anderen Kindern auf der Straße. Ich trat aber auch gerne auf, spielte Theater oder versuchte irgendwelche Darbietungen zu inszenieren. In der Grundschule wollte ich einen Chor zusammentrommeln, aus Freundinnen und

Klassenkameraden. Allerdings verloren die anderen bald die Geduld. Wegen meines Geigespielens wurde ich auch gehänselt und nachgeäfft. Dann litt ich darunter, mich irgendwie »anders« zu fühlen und rettete mich in Traumwelten. Ich liebte es, in der Dresdner Heide herumzustromern und mit den Bäumen als meinen Brüdern zu sprechen. So konnte ich das Gefühl des »Andersseins« besser ertragen. Drei Jahre lang hatte ich Unterricht bei Fräulein Greifzu. Sie hat mich mit Poesie und Fantasie auf meiner Entdeckungsreise in die Welt der Musik geführt. Unser Verhältnis war vertrauensvoll und ich war mit Begeisterung dabei. Dann wurde sie pensioniert, ich bekam Unterricht bei Frau R. und wurde aus meiner eigenen musikalischen Welt herauskatapultiert.

Bis dahin hatte die Freude am Spielen – auch am Vorspielen – im Vordergrund gestanden. Ich übte freiwillig und gerne. Jetzt aber war plötzlich Leistung gefragt, Ehrgeiz und der Konkurrenzgedanke kamen ins »Spiel«. Es hieß: »Wir müssen nicht bei null, sondern bei minus anfangen ...« Ich hatte plötzlich das Gefühl, alles falsch zu machen. Eine veraltete Geigenhaltung, rhythmische Unsicherheiten, zu wenig häusliches Üben – ich erlebte mich als unzulänglich und wurde zutiefst verunsichert. Obwohl ich bis dahin hingebungsvoll und aus Freude gespielt und meine Mutter mein Üben konsequent begleitet hatte – sie saß oft dabei und achtete darauf, dass ich nicht abschweifte, sondern die geforderten Übungen gewissenhaft absolvierte –, war auf einmal nichts mehr gut genug.

Frau R. war eine »Talentemacherin«, sie bereitete ihre Schüler auf Wettbewerbe vor. Ihre Geigengruppe mit neun Kindern zwischen sieben und vierzehn Jahren sollte die vorbildliche Förderung der Jugend in der DDR im Ausland repräsentieren. Es ging nicht mehr darum, das Individuum zu fördern, sondern die musikalischen Talente zu benutzen, um die Fortschrittlichkeit des Staates zu demonstrieren. Deshalb reisten wir zur Internationalen Musikerzieher-Konferenz nach Moskau. Eigentlich war das ein großer Ansporn für uns, und wir waren auch stolz, ausgewählt worden zu sein. Dass wir auf diese Weise zum ersten Mal in ein anderes Land fahren durften – nicht nur fahren, sondern tatsächlich fliegen! –, das beflügelte mich. Es wurde verlangt und als selbstverständlich angesehen, dass wir in Pionierkleidung auftraten. Die drei Mädchen in der Gruppe sollten einen blauen Rock, eine weiße Bluse und schwarze Schuhe tragen. Meine Großmutter nähte einen Faltenrock. Anstelle der teuren Lackschuhe wurden einfache schwarze Sandalen gekauft. Ich erinnere mich an meine Beschämung, als Frau R. sagte: »Du siehst ja nicht gerade flott aus?!«

Wir mussten natürlich Mitglied der Pionierorganisation »Ernst Thälmann« und später der FDJ, der »Freien Deutschen Jugend« werden. Viele solche Massenorganisationen wurden in jener Zeit gegründet – unter anderem auch die »Gesellschaft für Deutsch-Sowjetische Freundschaft«. Es wurde erwartet, dass man solchen Organisationen beitrat und sich darin politisch engagierte. In der Schule wurde von Anfang an Druck ausgeübt, dass man Junger Pionier werden sollte. Widersetzte man sich dem, dann waren von vornherein die Möglichkeiten eingeschränkt, für die EOS, die »Erweiterte Oberschule« zugelassen zu werden und somit das Abitur machen und studieren zu dürfen. Der Masse anzugehören und sich nicht gegen die Normen zu stellen wurde als Bedingung angesehen, um voranzukommen. Um in gewissem Rahmen den eigenen Interessen nachgehen zu können, musste man Fügsamkeit und Eifer zeigen und die gestellten Forderungen brav erfüllen.

Als Kind habe ich das natürlich nicht durchschaut. Ich wollte dazugehören. Ich war sogar stolz, das Pionierhalstuch umgebunden zu bekommen und das Gelöbnis zu sprechen. Ein Kind will normalerweise keine »Extrawurst«. Man will sein wie die anderen, will mitmachen und sich einer Gemeinschaft zugehörig fühlen. Zu den Pioniernachmittagen zu gehen bedeutete, Mitglied einer Gruppe und kein Außenseiter zu sein. Da entstanden für mich die ersten Probleme: Meine Mutter meldete mich regelmäßig von solchen Pionierveranstaltungen ab, meist mit der Begründung, ich hätte

Geigenstunde oder andere Termine wie das orthopädische Schwimmen. Mutter wusste, dass diese »Pioniernachmittage« mit der dort ausgeübten politischen Propaganda eigentlich verlorene Zeit bedeuteten. Sie wollte uns helfen, unsere Freizeit mit sinnvolleren Dingen auszufüllen.

Mein Vater wusste, dass wir über das Telefon abgehört wurden. Deshalb zog er bei politischen Gesprächen den Telefonstecker heraus oder ging gleich auf den Küchenbalkon. Uns Kindern wurde immer wieder eingeschärft, dass wir manche Dinge keinesfalls in der Schule erzählen durften – etwa, dass Vater Deutschlandfunk hörte. Dieser Sender war nur auf der Mittelwelle und stark verzerrt zu empfangen. »Das darfst du niemals in der Schule sagen!«, wurden wir oft beschworen. Auf uns wirkte die tiefe Widersprüchlichkeit zwischen den in der Öffentlichkeit geäußerten Meinungen und den im häuslichen Umfeld ausgesprochenen Überzeugungen ein. Im täglichen Leben hörten und erlebten wir vieles, was uns verwirrte. Lügen und Halbwahrheiten gehörten zum Schutz der Privatsphäre. Da ich sie oft nicht durchschaute und ihre Konsequenzen nicht absah, verunsicherten sie mich sehr. Was wir instinktiv als richtig empfanden, wurde uns buchstäblich ausgeredet. Wir mussten lernen, uns im Dickicht von Manipulationen zurechtzufinden.

Als Kind hatte ich erlebt, wie fremde Männer einmal im Arbeitszimmer meines Vaters mit den Eltern sprachen. Danach waren die Eltern äußerst still und betreten, warfen einander stumme Blicke zu, ließen aber niemals auch nur ein Wort darüber verlauten, worüber sie befragt worden waren. Das war 1972. Dass die Mitarbeiter der Stasi jederzeit in Privatwohnungen eingelassen werden mussten, dass sie Nachbarn befragen und Gespräche erzwingen konnten, auch ohne dass jemand bereit war, Spitzeldienste zu übernehmen, ist heute hinreichend bekannt. Wie sich meine Eltern und alle anderen, die das erlebten, gefühlt haben, wenn die Vertreter der Staatsmacht in die häusliche Welt eindrangen und sie das ohnmächtig hinnehmen mussten, weil es keine Möglichkeit gab, sich gegen solche Übergriffe zu wehren – das kann man sich heute kaum noch vorstellen.

Vieles, was man im späteren Leben tut, lässt sich nur aus den Umständen erklären, unter denen man aufgewachsen ist. »Gebildet« hat sich ja nicht nur die körperliche Konstitution, sondern auch die innere Haltung. Ich konnte meinem Traum vom Geigen nachhängen. Ich hatte eine musikalische Begabung und erhielt eine entsprechende Ausbildung. Ich habe dieser Ausbildung viel zu verdanken. Ich konnte diese Begabung in aller Ruhe entwickeln. Warum begann ich, trotz äußerer Sicherheit und den offensichtlich vorhandenen Möglichkeiten, irgendwann unter dem System zu leiden?

Das Regime der DDR legte Wert auf die Förderung von Sport und Musik. Dafür wurden Mittel bereitgestellt. Aber diese Mittel hatten nicht vorrangig die künstlerische Entfaltung und Verwirklichung der geförderten Personen zum Ziel. Sie sollten den Interessen und der Repräsentation der Staatsmacht dienen. Sie wurden mit einem gigantischen Aufwand überwacht und abgeschirmt. Es wurde nicht nur nach künstlerischen Kriterien beurteilt, wer auf Konzertreisen gehen durfte, sondern von der Stasi nach strenger Überwachung der politischen Haltung geprüft und teilweise sehr willkürlich erst im letzten Augenblick entschieden. Dies erlebte ich am eigenen Leib bei der Vorbereitung eines Konzertes, das wir in Paris spielen sollten. Man machte uns unmissverständlich deutlich, dass wir vollkommen abhängig von der Gnade der Stasi waren und dass jeder unserer Schritte überwacht wurde, damit wir den Interessen des Staates nicht zuwiderhandelten. Andere Auftritte im »kapitalistischen Ausland« wie etwa ein Austauschkonzert an der Wiener Musikhochschule, zu dem wir bereits ein Konzert-Programm erarbeitet hatten, wurden ohne Erklärung einfach an andere Studierende vergeben. Als wir nach der Wende Einsicht in unsere Stasi-Akten nehmen konnten, fanden wir den Grund für diese Entscheidung. Einer unserer Mitspieler war von der eigenen Freundin denunziert worden. Auch bei der Paris-Reise blieb es bis zum letzten Moment offen, ob wir fliegen konnten. Die Pässe bekamen wir erst eine halbe Stunde vor Abflug ausgehändigt.

Es war dieses Gefühl, der Willkür von fachlich inkompetenten, dafür dem politischen System treu ergebenen Menschen ausgeliefert zu sein, das mich spätestens seit der Rückkehr von dieser Paris-Reise lähmte. Ich hatte verstanden, dass ich ein Leben lang abhängig sein würde von den Entscheidungen einer staatlich gelenkten Maschinerie, die meinen künstlerischen Weg bestimmte und einschränkte. Die eigenen Bestrebungen nach musikalischer Entwicklung und Betätigung würden immer wieder an die Grenzen eines Systems stoßen, dessen Gesetzmäßigkeiten mir unverständlich waren. Dieser Gedanke war mir unerträglich. Den Entschluss zur Flucht aus der Heimat unter lebensgefährlichen Bedingungen fasste ich nicht zuletzt unter dem Einfluss dieser Gefühle, die mich damals überwältigten, und der verzweifelten Erkenntnis, in meinem Land eingesperrt zu sein.

Die fantastische Möglichkeit einer Reise ins westliche Ausland hatte ich durch das überraschende Angebot bekommen, bei einem Streichquartett einzuspringen. Ich war von Kollegen gefragt worden, die seit Jahren in fester Besetzung professionell Streichquartett spielten und häufig konzertierten. Der Bratschist war krankheitshalber ausgefallen und sie suchten für die nächste Zeit nach einem Ersatz. Selbstverständlich sagte ich zu. Die Probenarbeit begeisterte mich. Die Quartett-Kollegen waren offen und freundlich. Unsere ersten Konzerte waren aufregend und es ging mir glänzend. Bis zu jenem Tage, als ein Stasi-Mitarbeiter vor unserer Tür stand – ich wohnte noch zu Hause bei meinen Eltern – und mit mir sprechen wollte.

Als ich ihm im Wohnzimmer gegenübersaß, wurden meine Hände schweißnass. Er befragte mich nach der Arbeit im Quartett. Ich antwortete möglichst naiv und beschränkte meine Aussagen auf das rein Künstlerische. Was für eine Herausforderung das Spielen der Bratsche für mich bedeute und wie spannend die Kammermusikproben für mich seien. Ich machte es ihm so schwer wie möglich, sein Anliegen zu artikulieren und gab ihm keine Gelegenheit, mir einen direkten Antrag zur Lieferung von Informationen zu geben. So konnte er nur andeuten, dass er Bedenken habe bezüglich

der anderen Mitspieler, ob sie im Westen Kontakte aufnäh-
men etc. Ich antwortete ihm, dass ich mir das nicht vorstellen könne, weil alle ja hier ihre Freunde bzw. sogar Verlobte
hätten und sicher das Privileg zu schätzen wüssten, unter
so gesicherten Bedingungen gute Musik machen zu können. Ich berichtete, wie ideal die musikalische Arbeit sei. So
konnte der Mann, der sich auch noch als »Herr Greif« vorgestellt hatte, nur ankündigen, dass er sich nach der Reise
noch mal bei mir melden würde. Ich solle gut beobachten,
mit wem sich die Quartett-Kollegen träfen.

Nach dem Gespräch brauchte ich lange, um mich zu fassen. Vor diesem Einbruch in meine eher verträumte Welt
des Musizierens hatte ich der Erkenntnis keinen Raum gegeben, dass auch über mir die schwarze Wolke der Bespitzelung hing. Ich wollte mit jemandem darüber sprechen und
zog meinen Quartett-Primarius ins Vertrauen. Ich erzählte
ihm von diesem »Besuch« und versicherte ihm, ich würde
die Position des musikalischen »Vollidioten« niemals verlassen geschweige denn Informationen liefern. Doch es war
völlig falsch, dass ich ihm überhaupt davon erzählt hatte.
Es war das Ende unserer harmonischen Zusammenarbeit.
Sein Vertrauen in mich war dahin. Auch das der beiden anderen Kollegen. Er hatte sie von unserem Gespräch unterrichtet. Nun redete keiner von ihnen mehr mit mir offen.
Ein Schleier von Fremdheit senkte sich über unsere Arbeit,
und das mühelose Übereinstimmen beim Musizieren war
dahin. Doch keiner sagte mir ehrlich, dass er mir misstraute.
Ich begriff das nicht, weil ich ja aus tiefstem Herzen wusste,
dass ich niemals andere bespitzeln oder über sie Auskunft
geben würde. Und daran habe ich mich auch gehalten, als
ich nach meiner Rückkehr tatsächlich von »Herrn Greif«
befragt wurde.

Was sollte ich auch erzählen? Wir waren vier Tage in
Paris und überwältigt von dem Glanz der Stadt, den Sehens-
würdigkeiten, Lichtern, Menschen. Unser »Konzert« fand auf
einer Freilichtbühne mitten auf einem internationalen Ba-
sar der kommunistischen Jugendorganisation Frankreichs
statt und wurde elektronisch verstärkt. Doch kein Mensch

hörte – glaube ich – der klassischen Musik zu. Wir spielten nur das Streichquartett von Beethoven op. 95. Für Haydns ›Lerche‹ war es einfach zu laut. Unser Betreuer bei der Reise war natürlich Mitarbeiter der Stasi. Es gelang uns, ihn bei unseren Ausflügen durch die überfüllten Straßen abzuhängen. Der Cellist fotografierte begeistert, doch bei der Abreise am Pariser Flughafen wurde ihm seine Tasche mit allen Foto-Utensilien vom Gepäckwagen gestohlen.

Nach meiner Rückkehr aus dieser völlig anderen Welt bereute ich die Entscheidung, freiwillig zurück in die DDR gegangen zu sein. Nachdem ich einmal gesehen hatte, wie frei sich Menschen bewegen konnten, wie lebendig und bunt das Leben sein kann, ertrug ich die Tristesse unseres DDR-Alltags, die ständige Furcht, etwas Falsches zu sagen oder zu tun, die eingeschränkten Reisebedingungen kaum noch. Ich begann zu begreifen, dass ich bisher nur den kleinsten Teil der Welt gesehen hatte und dass es mannigfaltige Möglichkeiten gab, zu leben. Ich wollte mich spüren, mich ausprobieren, aufrecht und frei, wollte begeistert sein dürfen und meine Meinung sagen können, wollte neue Menschen kennenlernen und raus aus der Enge. Raus und leben!

In Paris hatte ich noch auf der Seine-Brücke gestanden und die Möglichkeit erwogen, zur deutschen Botschaft zu gehen und im Westen zu bleiben. Doch ich hatte es nicht über mich gebracht, alles und alle im Stich zu lassen. Ich hatte darauf gesetzt, mit Optimismus

Manchmal war ich in der letzten Zeit über mich selbst erschrocken, mit welchem kühlen Abstand ich alles um mich herum betrachtete. Seit meiner Paris-Reise interessierte mich nichts eigentlich wirklich – die Depression über den erlebten Unterschied zwischen der bei uns herrschenden Realität und den Möglichkeiten – zumindest was eine echte Würde der Menschen angeht, ihre Freiheit in den Bewegungen, im Umfang, ihre Unmittelbarkeit in der Reaktion (da gibt es nicht solch »Duckmäusern« wie bei uns!) …

*Aus einem Brief von Dorothea Ebert an Gerd Hortsch vom 26.6.1980*

und Fleiß auch in der DDR künstlerisch wirken zu können. Ich wollte meiner Heimat nicht den Rücken kehren und alles vergessen, was ich an Förderung und Ausbildung genossen hatte. Es gab keine Alternative. Ich konnte ja nicht einfach für ein paar Jahre ins Ausland gehen, wie es heute üblich ist. Es gab nur ein »Entweder-oder«, abzuhauen oder sich für immer mit der Enge und Bevormundung abzufinden. Funktionieren bis ans Ende des Lebens.

Ich aber träumte nach meinen ersten erfolgreichen Konzerten in Leningrad, Wroclaw, Bratislava und auch in kleineren Städten in der DDR den Traum vom Solisten. Ich hatte gemerkt, dass die Menschen mir zuhörten, dass ich sie fesseln und begeistern konnte. Ich wollte etwas sagen mit meiner Geige – ich wusste noch nicht genau, was, aber ich wollte! Ich war ein junger Mensch, der die Welt begreifen, erstürmen und kennenlernen wollte. Mehr nicht – aber auch nicht weniger.

Ich war kein »Staatsfeind«. Ich versuchte, im Einklang mit den Gegebenheiten zu leben, in die ich hineingeboren worden war. Und meine Eltern hatten versucht, mich Anpassung an unumstößliche Gesetzmäßigkeiten zu lehren. Dadurch wollten sie mir eine persönliche Entwicklung im Rahmen des Erlaubten ermöglichen. Sie zeigten mir die Hintertüren, durch die man sich allzu großem Druck durch diesen Staat entziehen konnte. Ich zog mich in meine musikalische Welt zurück, auch in der Hoffnung, dereinst vielleicht mithilfe meiner »Karriere« westliche Länder bereisen zu können.

Doch je mehr Zeit verging, desto weniger gelang es mir, die Augen zu verschließen. Dazu trug auch die Geschichte eines guten Freundes bei, mit dem ich in meiner Freizeit damals viel zusammen war. Dieser Freund musste nach seinem Abitur sofort den Wehrdienst bei der NVA antreten. Er hatte das Pech, an die Grenze abkommandiert zu werden. Bei seinen Heimaturlauben erzählte er mir von seiner Bedrängnis. Er musste Tag für Tag bzw. Nacht für Nacht an den Grenzbefestigungen und entlang des Todesstreifens patrouillieren. Dabei war er sich der steten Gefahr bewusst, es könne in »seinem« Abschnitt jemand versuchen, die Grenze zu überwinden, und er käme in die Situation, entweder selbst bedroht zu werden oder schießen zu müssen. Der Schießbefehl bestand, und bei Verweigerung hätte ihm das Militärgefängnis gedroht. Der andere Posten, mit dem man auf Streife ging, wechselte ständig, damit keine Vertrautheit entstehen konnte und keine Absprachen möglich wurden, sodass etwa gar einer der Wachhabenden oder beide einen Fluchtversuch wagten. Die Angst steigerte sich unter den extremen Bedingungen. Die nächtliche Stille, knackende Geräusche und das trügerische Licht des Mondes wirkten bedrohlich. Für meinen Freund vermischten sich noch lange Zeit nach Beendigung seines Armee-Dienstes mit eigentlich romantischen Szenarien die grässlichen Erinnerungen seiner durchwachten Nächte an der deutsch-deutschen Grenze und machten es ihm unmöglich, etwa den Mondschein zu genießen.

Es war nicht das erste Mal, dass ich von den Grenzbefestigungen hörte, die tödliche Gefahren bargen. Ein Cousin, der ebenfalls während seines Wehrdienstes bei der NVA an die innerdeutsche Grenze abkommandiert worden war, hatte am eigenen Leibe erfahren müssen, wie grausam die »Grenzsicherung« das Leben der Menschen bedrohte, die ihr zu nahe kamen. Eine Plastikmine hatte ihm seine rechte Hand und den Unterarm abgerissen und unzählige schwarze Splitter in Gesicht und Hals getrieben. Dass er Minen auslegen musste, erfuhren wir erst dadurch. Um »die sozialistischen Errungenschaften« vor dem »feindlichen Kapitalismus« zu schützen, zwang die DDR-Staatsregierung ihre eigenen Leute zu solchen Handlungen. Die Propaganda wirkte. Idealistische junge Menschen wollten ihren »Beitrag zum Schutz der Menschen in der sozialistischen Heimat« leisten, ohne sich darüber im Klaren zu sein, dass dieser »antifaschistische Schutzwall« die Menschen um jeden Preis daran hindern sollte, das Land zu verlassen und ihr Glück in einer anderen Lebensform zu suchen. Man kann sich das heute nur schwer vorstellen, doch die schon seit frühester Kindheit in der Schule ausgeübte Manipulation trug ihre Früchte, und so mancher eigentlich intelligente Kopf folgte den Parolen mit Begeisterung, ja zum Teil sogar mit Fanatismus. Mit der eigenen Tätigkeit einen wichtigen Beitrag zur Entwicklung der sozialistischen Gesellschaftsordnung zu leisten, vermittelte ein Gefühl des Werts der eigenen Person, die ja ansonsten strikt der Gleichmachung und Uniformierung der »sozialistischen Persönlichkeit« unterworfen war. »Die Partei denkt – die Partei lenkt!« war eine der Parolen der Diktatur, die den Menschen ins Hirn geblasen wurden.

Mein Cousin hatte also Minen verlegen müssen, die andere Menschen möglicherweise das Leben kosten würden, und war grausam dafür bestraft worden. Niemand sollte die Wahrheit erfahren, die Geschehnisse mussten verschleiert werden, es wurde lediglich von einem Munitionsunfall gesprochen. Seine damals 14-jährige Schwester durfte in der Schule nichts Genaueres erzählen. Auch wir anderen Verwandten wurden strengstens instruiert, über die Vorgänge unbedingtes Stillschweigen zu wahren. Diskussionen über die Unsinnigkeit und Ungeheuerlichkeit der verminten Grenzen sollten vermieden werden. Aus Angst vor Repressalien hielt sich die Familie an diese Forderung. Dass unser Cousin, mit dem wir manchmal die Ferien im Häuschen des Großvaters im Erzgebirge verbracht hatten, nunmehr für den Rest seines Lebens behindert und gezeichnet war, spielte eine fast untergeordnete Rolle. So empfand ich es als damals 13-Jährige. Mein Mitleid konnte ich ihm nicht persönlich übermitteln. Er war in einem Militärkrankenhaus untergebracht worden und somit auch nicht zu erreichen. Einzig seine Eltern durften ihn besuchen und baten meine Mutter, dem Verletzten möglichst oft zu schreiben. Und nur der örtliche Pfarrer hatte den Mut, ihn persönlich aufzusuchen und ihm beizustehen.

Dass die der Kirche verbundenen Menschen viel mehr Zivilcourage zeigten, erkannte ich auch in diesem Zusammenhang. Schon in meiner Grundschulzeit hatte ich eine tiefe Sehnsucht verspürt, solch einer Gemeinde anzugehören. Meine begeisterten Besuche des Religionsunterrichtes in der evangelischen Apostel-Kirche hatten mein Empfinden für moralisch und menschlich »richtiges« Verhalten geweckt, wie es in den zehn Geboten postuliert wird. Mein Wunsch, mich taufen und konfirmieren zu lassen, stieß aber auf die Sorge meiner Eltern, ich könne mir durch aktive Mitgliedschaft in der Kirche die Chance verbauen, studieren zu dürfen. Ich habe mich damals gefügt, obwohl mich der Verlust der Zugehörigkeit zur Jungen Gemeinde schmerzte. Zu diesen Menschen, deren Wertvorstellungen mir viel lebenswerter schienen als die hohlen Phrasen, die uns in der sozialistischen Jugendorganisation gepredigt wurden, hatte ich mich hingezogen gefühlt.

Während meines Studiums hatte ich wie alle anderen Studenten auch eine vormilitärische Ausbildung durchlaufen – das sogenannte ZV-Lager (Zivilverteidigung), dessen Absolvierung zwingend bei Androhung der Exmatrikulation vorgeschrieben war. Dort hatten wir uns zwar über die militanten Formen des Lehrgangs empört (auch die weiblichen Musikstudentinnen mussten über die Sturmbahn, durch Schlamm robben, schießen, Schutzanzüge anziehen und darin Märsche bewältigen), aber diese Erfahrungen »steckte« ich mit einer gewissen Bereitschaft zu Duldung und Kompensation »weg«. Mir hatte ja erst der Kontrast zu den Erlebnissen in der westlichen Welt den Sinn für andere Möglichkeiten des Daseins geschärft. Wenn man sich den gegebenen Lebensbedingungen anpasste und sich den Reglementierungen unterordnete, konnte man in der DDR verhältnismäßig unbehelligt das Leben eines unauffälligen Bürgers führen. Man hatte Arbeit und eine Wohnung. Man durfte nur nicht hinterfragen, nicht kritisieren und nicht zu viele eigene Ideen einbringen wollen. Viele Menschen können sich heute nicht mehr an die Angst erinnern, die überall herrschte. Die Angst, bespitzelt zu werden, die Angst, das Falsche zur falschen Person zu sagen. Wenn ich heute Diskussionen verfolge, ob die DDR ein Unrechtsstaat war oder nicht, dann versuche ich zu verstehen, warum das Gefühl des Eingesperrtseins, der Unzufriedenheit, der Angst und der Tristesse des Alltags so schnell vergessen wurde.

1974 durfte ich das erste Mal Professor Gustav Schmahl vorspielen und hatte dann gelegentlich Unterricht bei ihm. 1977 wurde ich in seine Meisterklasse aufgenommen. Er war gerade zum Rektor der Leipziger Musikhochschule berufen worden und führte nebenher eine Meisterklasse im Fach Violine. Äußerlich schienen sich Türen zu öffnen. Aber innerlich fühlte ich mich aus verschiedenen Gründen sehr unsicher. Noch bis zu meinem Konzert im Leipziger Gewandhaus als Solistin des Brahms-Doppelkonzertes 1983 habe ich oft das Gefühl gehabt, von meinem Lehrer übersehen zu werden. Er konnte mich mitten im Satz stehen lassen, wenn eine ihm wichtiger scheinende Person auftauchte. Er gab mir nicht das Gefühl, dass er meiner Begabung vertraute und mich ernsthaft fördern wollte. Vielmehr hinterließ sein Unterricht bei mir oft das Gefühl von etwas Sporadischem, und mein eigenes musikalisches Verständnis wurde verunsichert.

Bei der Lehrerin, die sich zehn Jahre lang intensiv um meine geigerische Entwicklung an der Spezialschule und später an der Musikhochschule in Dresden bemühte, lag der Schwerpunkt der Ausbildung auf der technischen Beherrschung des Instrumentes und auf einer kritischen Bewertung der Leistung. Ich lernte, die manuellen Fertigkeiten genau zu analysieren und richtige Bewegungsabläufe zu trainieren, eine gute Intonation auf dem Instrument und eine flexible Bogenbeherrschung zu pflegen. Diese Fähigkeiten haben mir auf meinem geigerischen Weg dann gute Dienste geleistet und ich bin heute sehr dankbar dafür, so konsequent dahin geführt worden zu sein. Vielleicht habe ich damals die diesbezügliche Sorgfalt zu wenig geschätzt, aber ich war irgendwie unzufrieden mit dem klanglichen und musikalischen Ergebnis. Es ging mir zu vordergründig um die Perfektion der Spielabläufe. Viel Raum für das eigene Experimentieren, für ein fantasievolles Herangehen über die ursprüngliche Freude an der Musik blieb nicht. Als ich mich auf die Suche nach einer anderen Interpretationsmöglichkeit der ›Chaconne‹ von Bach machte, als ich ein eigenes Plakat für einen Sonatenabend gestaltete, hörte ich aus den Bemerkungen meiner Lehrerin heraus, dass sie der

Meinung war, man müsse mich auf den Boden der Realität zurückholen, sonst »hebe ich ab«. Die Möglichkeiten, andere Interpretationen mithilfe von Schallplattenaufnahmen kennenzulernen und vergleichen zu können, waren sehr begrenzt. Im DDR-Handel gab es kaum andere Einspielungen als die von DDR- oder russischen Interpreten. Selbst Platten von meinem Idol Gidon Kremer waren schwer zu bekommen.

Ich begann nach anderen Lehrern zu suchen, die mir neue Herangehensweisen für die Hinwendung zum musikalischen Inhalt eröffnen könnten. Dies war nicht einfach. Es war nur in sehr begrenztem Umfang möglich, Kurse bei anderen Geigenlehrern zu belegen. Ich nutzte die Möglichkeiten, die es in der DDR gab, fuhr zum »Bartók-Seminar« nach Szombathely in Ungarn, studierte dort bei dem in Belgien lebenden ungarischen Geiger André Gertler das Violinkonzert von Béla Bartók und spielte es dann im Abschlusskonzert eines Violinkurses in Budapest.

Ich wählte das Bartók-Konzert auch als Thema meiner Diplomarbeit in Form einer inhaltlich-interpretatorischen Analyse, die ich noch vor der Flucht fertigstellte und erfolgreich verteidigte. Ich besuchte das »Weimarer Musikseminar«, das alljährlich im Sommer stattfand. Professor Rudolf Nel war einer der wenigen Musikexperten, die den Weg in den schlecht bezahlten Osten nicht scheuten, um dankbaren und aufmerksamen Musikstudenten andere Auffassungen von Musikinterpretation nahezubringen. Da er aus dem kapitalistischen Ausland kam, wurden alle Kontakte mit ihm natürlich streng überwacht. Mit Sicherheit saßen in seinen Kursen auch Spitzel, die mithörten, ob er nicht etwa junge Musiker abwarb in den Westen. Das tat er nie.

Am höchsten zu werten ist aber doch Ihr Sieg über sich selbst. Wissen Sie: Angst und Nervosität vor dem Spiel sind verständlich, natürlich – und diese Spannung muss sein. Vergessen Sie das nie! Und vergessen Sie auch nie, daß man selbst nur »Mittler« ist. Ich glaube fast, Sie haben es geschafft.

*Aus einem Brief von Rudolf Nel vom 22.6.1982*

Bis dahin war mir im Wesentlichen vermittelt worden, dass der Erfolg auf dem Podium darin besteht, die Spielabläufe perfekt zu beherrschen und den Notentext getreu wiederzugeben. Ich hatte es eigentlich schon aufgegeben, darauf zu hoffen, dass ich meinen persönlichen Teufelskreis von Vorspielangst und Versagensgefühl überwinden könnte. Nun erlebte ich, was ich immer schon geahnt hatte: dass Musik noch eine ganz andere Dimension hat als das technisch perfekte Abspielen von Noten, dass Musik eine Sprache des Herzens ist, die nur die Form möglichst genau einstudierter technischer und musikalischer Abläufe braucht, um den Raum entstehen lassen zu können, in dem sie dann erklingt. Ein Geschenk aus der göttlichen Welt, zu der auch ein tiefer Glaube gehört. Und dass das musikalische Gestalten erst dann frei von der Angst vor Fehlern werden kann, wenn ich nach dieser Dimension einer Aussage suche. Rudolf Nel zeigte mir den inneren Reichtum der Musik, der die Verbindung zwischen Spielendem und Hörendem erschafft. Ich legte meine Angst ab wie einen zu klein gewordenen Mantel und gewann meine Sicherheit wieder. Das war ein überwältigendes Gefühl. Bei mir hatte eine entscheidende Veränderung stattgefunden. Das nahmen auch andere wahr, als ich aus Weimar wieder zurückkehrte.

Ich spielte einem Kommilitonen vor, der in Moskau studiert und sich aus der Enge der Dresdner Hochschule befreit hatte. Er machte mir Vorschläge, wie ich die ›Chaconne‹ von Bach anders gestalten könnte. Dann übte ich sie so und hatte Freude an den neuen Ideen. Das kollidierte jedoch sehr bald mit den Ansichten meiner Lehrerin. Ich dachte über einen Lehrerwechsel nach. Meine Mutter hatte aber Bedenken, weil ich meine Lehrerin mit diesem Schritt allzu sehr verletzen könnte. Ein Lehrerwechsel wurde oft wie ein Verrat an der Person des Lehrers gewertet, und da unter den Lehrkräften ein starkes Konkurrenzverhalten an der Tagesordnung war, wagte auch ein anderer Lehrer nicht, mich als seine Studentin zu übernehmen. Ich hatte ihm ohne Wissen meiner Lehrer vorgespielt und ihn gebeten, mir Unterricht zu erteilen. Er gab mir unter der Voraussetzung, dass auf keinen Fall jemand davon erfahren dürfte, ein paar Unterrichtsstunden. Das war für mich so lehrreich und erhellend, dass ich nur bestärkt wurde in meinem Wunsch, wegzugehen.

Die Möglichkeit, ein Zusatzstudium in Moskau zu absolvieren, schien meinem Bestreben zunächst entgegenzukommen. Dieses Angebot war mir gemacht worden, nachdem ich mein Staatsexamen »Mit Auszeichnung« absolviert hatte. Ich meldete mich zu einem Intensivkurs in Russisch bei der Volkshochschule an. Die Themen, die in den dortigen Unterrichtsstunden abgehandelt wurden, waren völlig irrelevant für meine geigerische Ausbildung in Moskau. Es wurden Texte bearbeitet, die von der Arbeit in der sozialistischen Landwirtschaft, in den sowjetischen Kolchosen, von den in der sozialistischen Produktion arbeitenden Werktätigen, von antifaschistischem Widerstand, den heroischen Taten der Sowjetarmee und Ähnlichem handelten. Diese Themen beherrschten übrigens nicht nur den Russischunterricht, sie durchzogen die meisten Unterrichtsfächer in Schule und Studium, wenn sie nicht überhaupt als Unterrichtsfach »gelehrt« wurden. Während des Musikstudiums musste ich mit jeweils zwei Wochenstunden pflichtmäßig Fächer wie »Politische Ökonomie«, »Wissenschaftlicher Kommunismus«, »Dialektischer und historischer Materialismus«, »Kulturpolitik«, und eben auch Russisch belegen. Die Teilnahme an derlei Unterrichtsveranstaltungen wurde mit Anwesenheitsliste kontrolliert, bei zweimaligem unentschuldigten Fehlen drohte die Exmatrikulation.

Zehn Jahre hatte ich pflichtgemäß in der Schule und im Studium den Russischunterricht absolvieren müssen, und trotzdem hatte man uns nicht beigebracht, wie wir uns problemlos in der alltäglichen Sprache ausdrücken konnten. Ständig hatten wir Dinge lernen sollen, die uns nicht im Geringsten interessierten. Auch die Biografien der russischen und sowjetischen Komponisten, die ich hatte übersetzen müssen, konnten mir nun nicht helfen, mich für ein Studium in Moskau sprachlich gut vorbereitet zu fühlen. Dazu kamen die Beobachtungen, die ich selbst auf meinen Reisen zu Austausch-Konzerten ins Leningrader bzw. Moskauer Konservatorium gemacht hatte. Die Lebensumstände waren äußerst hart, primitiv und unhygienisch. Im Winter waren sämtliche Fenster mit dicken Klebebändern zugeklebt, damit die eisige Kälte nicht eindringen konnte. Entsprechend unerträglich war die Luft in den Räumen. Die Versorgung mit Lebensmitteln war noch um ein Vielfaches schlechter als bei uns in der DDR. So entstand in mir eine eher ablehnende Haltung gegenüber diesem Angebot, und der Gedanke, mich in die andere Richtung zu bewegen, wo ich mehr Hoffnung sah, verstärkte sich.

Doch zunächst versuchte ich, die vorhandenen Möglichkeiten aufzuspüren und auszuloten. Jede Vorspielmöglichkeit nutzte ich. Es gab einmal eine Gelegenheit, in der Kaserne der sowjetischen Streitkräfte zu spielen. Ich ging hin und spielte meine Stücke. Zur »Belohnung« erhielt ich eine Packung Faserstifte. Ich freute mich über dieses »Honorar«, waren die sogenannten »Filzer« doch ein begehrter Artikel. Mein Vater nutzte sie dann, um in seinen Unterrichtsvorbereitungen wichtige Textstellen zu markieren.

Die Möglichkeit, sich im Vorspielen zu üben, gab es auch bei festlichen Anlässen. Meist handelte es sich dabei um Feierlichkeiten zu politischen Veranstaltungen. Viele dieser »Umrahmungen« absolvierte ich damals, verschaffte dieses Spielen mir doch wenigstens das befriedigende Gefühl, Töne einmal außerhalb der Hochschule und ohne Prüfungsstress produzieren zu können. Ein solcher Anlass waren die alljährlich stattfindenden Jugendweihen. Alle 14-Jährigen, die sich nicht ausschließlich kirchlich konfirmieren ließen (die wenigsten hatten den Mut dazu oder waren gläubig so gebunden, dass sie sich

Liebe junge Freunde! Seid ihr bereit, als junge Bürger unserer Deutschen Demokratischen Republik mit uns gemeinsam, getreu der Verfassung, für die große und edle Sache des Sozialismus zu arbeiten und zu kämpfen und das revolutionäre Erbe des Volkes in Ehren zu halten, so antwortet: Ja, das geloben wir! ...

*Aus dem Gelöbnis zur Jugendweihe*

dafür entschieden!), mussten daran teilnehmen. Während ich den unvermeidlichen Festreden und vor allem dem »Gelöbnis« der Jugendlichen lauschte, dachte ich über den Sinn der gesprochenen Worte nach.

Auch ich hatte in der 8. Klasse das Gelöbnis abgelegt. Es gefiel mir sogar, zusammen mit meinen Klassenkameraden auf die Bühne zu schreiten und mich in meinem schicken Kleid zu zeigen. Mein Rock war sehr kurz. Ich hatte mich gegen die Bedenken meiner Mutter durchgesetzt. Die Reden ließen wir über uns ergehen und das Gelöbnis nuschelten wir gemeinsam herunter, ohne groß darüber nachzudenken, was wir da versprachen.

Nun jedoch, da ich angefangen hatte, über die politischen Zusammenhänge nachzudenken, konnte ich kaum mehr an mich halten, wenn die jungen Leute solche Worte gedankenlos dahinplapperten. Es war wie ein Virus in mir. Mit jeder neuen Erkenntnis des Widersinnigen unserer politischen Erziehung wurde es mir schwerer, zu schweigen und die Rolle der Braven, Angepassten zu spielen. Die mir seit der frühesten Kindheit anerzogene Haltung: den Mund zu halten, Erwartungen zu erfüllen und wenn nötig Zustimmung zu zeigen, diese Haltung verursachte mir nunmehr Widerwillen und sogar Abscheu vor mir selbst. Früher hatte ich mit Fleiß und gutem Willen mitgespielt und sogar versucht, es besonders gut zu machen. Das alles nur, um wahrgenommen und anerkannt zu werden. Jetzt, da ich aufgewacht war und mich auf meinen eigenen Weg machen wollte, wurde es mir fast unerträglich, weiter in diesem Konstrukt von Manipulierung und Uniformierung mitzuwirken. All diese jungen Menschen sollten systematisch zu funktionierenden Rädchen eines Systems erzogen werden, dessen Verlogenheit ich zunehmend durchschaute.

Während ich »am Rande des Geschehens«, das heißt irgendwo an der Bühnenseite mit meinem Streichquartett saß, gekleidet in das Blauhemd – die Uniform der »Freien Deutschen Jugend« –, dachte ich über diese Widersprüche nach und wie man ihnen etwas Ehrliches, Eigenes entgegenset-

zen könnte. Unsere musikalische Darbietung war nur Bei-
werk. Wir wurden weder gelobt noch kritisiert, man übersah
uns einfach. Später erlebte ich Ähnliches: Es ging um eine
Feierlichkeit politischer Art. Zu deren Umrahmung waren
wir von unserem Professor eingeteilt. Seine Lieblingsstu-
denten, zu denen ich nicht gehörte, durften in der Leipziger Hochschulaula vor den »Bonzen« spielen, ich wurde
»abkommandiert« in den Club der »Deutsch-Sowjetischen
Freundschaft«. Dort wurde ein Festgelage für ranghohe Offiziere der sowjetischen Streitkräfte veranstaltet. Während
sie die reichlich gedeckten Tische leerten und dazu kräftig
tranken, »durfte« ich – in einer Ecke des Saales stehend –
Geige spielen. Mein Professor hatte für diesen Anlass die
von mir heiß geliebte und sorgfältig einstudierte ›Chaconne‹
von Bach ausgewählt. Da stand ich nun, spielte mit geschlossenen Augen meine Musik und spürte selbst durch die tiefe
Konzentration hindurch, dass mein Spiel eigentlich nur ge-
duldet wurde. Als ich aufhörte, gab es einen gelangweilten,
lauen Applaus.

Trotzdem musizierte ich leidenschaftlich gerne. Und ich
wollte einen angemessenen Rahmen für meine musikalischen Ambitionen bekommen. Es gab die Konzertsäle. Ich
wünschte mir nichts sehnlicher, als auf einem Podium vor
einem interessierten Publikum spielen zu können. Diese
Möglichkeiten waren in der DDR jedoch sehr beschränkt.
Es gab fest im Kulturbetrieb installierte Konzertreihen, die
ein begeistertes und treues Publikum anzogen. Die Künstler,
die in diesem Rahmen konzertierten, waren im DDR-Kultur-
leben bekannte und geschätzte Interpreten. Sie hatten ihre
Verträge und konnten auch Tourneen unternehmen – sogar
ins westliche Ausland. Sie waren in den lokalen Zeitungen präsent und vertraten die DDR auch auf internationa-
ler Ebene. Wer zu diesem Personenkreis gehörte, konnte in
der DDR ein gutes, erfülltes Leben führen. Nur musste der
Kreis zwangsläufig relativ klein bleiben, da die Anzahl der
Konzertveranstaltungen in einem so kleinen Land wie der
DDR natürlich sehr begrenzt waren. Mein Meisterklassen-
Professor gehörte zu den wenigen, die die Möglichkeit be-

kamen, solistisch mit Orchestern aufzutreten. Er hatte kein persönliches Interesse daran, mich zu unterstützen. Da es nur *eine* staatlich gelenkte Künstleragentur gab, die sämtliche Konzertprogramme des Landes unter Kontrolle hatte, war es undenkbar, sich auf eigene Initiative hin um Möglichkeiten zum Vorspielen zu bemühen. Es existierten keine Sponsoren, die die finanziellen Voraussetzungen schaffen könnten, um eine Karriere auf »nichtstaatliche« Weise zu fördern.

Auch die Einstufung für die Bewerbung bei Orchestern wurde zuerst von einer staatlich bestellten Kommission vorgenommen. Man brauchte den sogenannten ZBN (Zentraler Bühnennachweis), bevor man sich mit seinen Bewerbungsunterlagen überhaupt an ein konkretes Orchester wenden durfte. Sämtliche Engagements wurden in erster Linie unter staatlicher Aufsicht vergeben. Uns Absolventen war klar, dass unsere berufliche Entwicklung nicht nur vom Eindruck abhing, den wir beim Vorspielen vor der Zentralen Kommission hinterließen, sondern mindestens ebenso von der »Kaderakte«, in der alles über uns vermerkt wurde – einschließlich der politischen Gesinnung. Sie würde uns wie ein »Fingerabdruck« ein Leben lang begleiten. Aber wir bekamen sie niemals persönlich zu Gesicht. Was darin vermerkt wurde, konnten wir nur ahnen. Mehr oder minder waren wir deshalb stets darauf bedacht, eine »saubere Weste« zu haben, das heißt eine zumindest loyale, besser eindeutig »pro-sozialistische« Einstellung zur Schau zu stellen. Wichtig war auch, ob man Verwandtschaft im westlichen Ausland hatte und wie eng der Kontakt zu denselben gepflegt wurde. Selbstverständlich unterlagen derartige Beziehungen einer ständigen Überwachung (die Briefe wurden kontrolliert und Telefongespräche abgehört). Das spielte keine geringe Rolle bei der Entscheidung, ob man als ein sogenannter »Reisekader« auch für Konzertreisen in den Westen infrage kam.

Im Mai 1983 nach einem erfolgreichen Konzert fragte ich Professor Schmahl, ob ich nicht doch einen anderen Weg einschlagen könne als den, mich ausschließlich dem Unterrichten zu widmen. Das war nämlich die Laufbahn, die mir meine Lehrer zudachten. Ich habe das Unterrichten immer hoch geschätzt. Meine Eltern waren Lehrer, und dies sehr gerne und mit Enthusiasmus. Ich selbst hatte bereits während meines Studiums als Hilfsassistentin an der Dresdner Musikhochschule jüngere Studenten unterrichtet. Doch es fiel mir schwer, mich damit abzufinden, dass ich mit meinen 23 Jahren nun darauf festgelegt werden sollte und niemals die Chance haben würde, etwas anderes zu tun. Ich wollte Geige spielen und selbst noch dazulernen. Doch jeder Berufsweg wurde staatlich gelenkt. Ich hatte keine Wahl. Von meinem Professor bekam ich die Auskunft, ich sei für die Unterrichtstätigkeit vorgesehen, Solisten gäbe es schon genug in der DDR. Ich hatte das Gefühl, damit sei über mein gesamtes weiteres Leben das Urteil gesprochen worden. Ich wollte nicht in einem »Dozenten-Kollektiv« arbeiten – unter der Aufsicht meiner langjährigen Lehrerin. Ich konnte mir zum damaligen Zeitpunkt auch nicht vorstellen, mein Leben als Orchester-Geigerin zu verbringen. Ich wollte kein Braunkohlenbrikett sein, ich wollte nicht in eine Form gepresst werden, von der man alles Überstehende abschneidet, damit ich die Funktion einnehme, die mir zugedacht ist. Tief enttäuscht fuhr ich zu meinem Ehemann in die Lausitz – wir hatten gerade vor einem Monat geheiratet – und erzählte ihm von diesem Gespräch. Ich stellte fest, dass ich mit meinem Gedanken an eine Flucht bei ihm »offene Türen einrannte«.

Mathias arbeitete in Eibau in der sogenannten »Forschung und Entwicklung« bei einer Zweigstelle von Robotron, einem Elektronikbetrieb der DDR. Seine Tätigkeit hat er mir so geschildert: »Im Westen produzierte Geräte aufschrauben und die elektronischen Bauteile auseinandernehmen, um nachzuschauen, wie sie aufgebaut sind.« Auch musste er in einem streng verschlossenen und überwachten Raum Zeitschriften und Literatur aus dem westlichen Ausland studieren, um die Forschungsergebnisse auf dem Weltmarkt kennenzulernen und auf ihre Anwendungsmöglichkeiten für die DDR-Produktion hin zu untersuchen.

Auch dass wir verheiratet waren, befreite uns nicht von Zwängen. Unserem Zusammenleben hatte man von Anfang an Steine in den Weg gelegt. Er durfte seine Arbeit in Eibau nicht einfach aufgeben, um zu mir nach Dresden zu ziehen. Seinem Gesuch, in den Stammbetrieb von Robotron nach Dresden versetzt zu werden, wurde nicht stattgegeben. Viele junge Paare heirateten nicht zuletzt deshalb so früh, damit sie einen Antrag auf Zuteilung einer Wohnung stellen konnten. Einem Alleinstehenden war die Zuweisung einer eigenen Wohnung verwehrt. Meine ältere Schwester wohnte mehrere Jahre lang mit ihrer Familie, mit drei kleinen Kindern, in einer »zugewiesenen« Wohngemeinschaft mit zwei alleinstehenden älteren Menschen. Mit diesen fremden Menschen mussten sie Bad, Küche und Flur teilen.

Als ich Mathias nun spontan sagte, dass ich am liebsten in den Westen gehen würde, erzählte er mir, dass er diesen Gedanken schon lange hegte und einmal fast in die Tat umgesetzt hätte. Mathias war an der Vorbereitung einer Flucht über die Berliner Mauer beteiligt gewesen. Er hatte in der Werkstatt seines Vaters eine Leiter geschweißt, mit der ein Freund dann über die Mauer gekommen war. Dieser Freund kannte die Grenzbefestigung genau, weil er während des Wehrdiensts an der Mauer »gewacht« hatte. Während der Fluchtvorbereitungen kam die drei Jahre jüngere Schwester von Mathias bei einem Motorradunfall ums Leben. Er blieb bei seinen erschütterten Eltern und ließ den Freund allein ziehen. Doch der Gedanke rumorte weiter in seinem Kopf. Er träumte davon, mit modernen elektronischen Instrumenten Musik zu machen, wie sein großes Idol Frank Zappa. Dafür gab es in der DDR kaum Möglichkeiten. Die Frustration darüber nagte an ihm. Mathias war begeistert von dem Gedanken, mit mir gemeinsam eine Flucht zu planen. Er erzählte, dass unser Freund Gerd ihn in seine Pläne eingeweiht habe. Gerd wolle im Sommer »rübermachen«, wie es damals hieß.

Als 20-Jährige hatte ich versucht, unabhängiger von meinen Eltern zu werden, indem ich mir eine eigene Bleibe suchte. Ich zog als Untermieterin bei einer jungen Frau ein, die in

Kürze ihrem Mann in eine Kleinstadt folgen wollte, wo er als Pfarrer eine Stelle angetreten hatte. Mein Glück währte nicht lange. Die »Hausvertrauensfrau«, die alle Vorgänge im Haus an die Behörden weitermeldete, zeigte mich bei der »Kommunalen Wohnungsverwaltung« als illegale Mieterin an. Ich hatte zwar die Miete pünktlich überwiesen, aber da ich nicht »wohnraumberechtigt« war, forderte man mich auf, die Wohnung unverzüglich zu räumen. Sie sei anderen Wohnungssuchenden mit erwiesenem Anspruch auf Wohnraum vorbehalten. Es war eine kleine Zweiraumwohnung unter dem Dach eines viergeschossigen Altbaus ohne Bad und WC. Das Dach war undicht. Die Ofenheizung funktionierte schlecht. Vergebens hatte ich Argumente angeführt, warum ich dringend eigenen Wohnraum benötigte. Neben der »in Aussicht gestellten« Heirat hatte ich auch erwähnt, dass mein Bruder und ich Musik studierten und täglich mehrere Stunden übten, während meine Eltern als Lehrer ihren Unterricht zu Hause vorbereiteten. Selbst die von der Musikhochschule bestätigte Dringlichkeit konnte die »Wohnraumlenkerin« nicht umstimmen. Ich musste klein beigeben.

Bezugnehmend auf die Überprüfung der Wohneinheit Trachenbergerstr. 63 und dem ungesetzlichen Bezug derselben, wurde wie folgt entschieden: Wir fordern Sie auf, die Wohnung bis 31.12.1980 zu räumen und die Schlüssel bei der Unterzeichneten abzugeben. Der Rückzug Ihrerseits muss in die elterliche Wohnung, Edmund-Fink-Str. 24 erfolgen. In der elterlichen Wohnung, welche aus

Ich wollte auf keinen Fall mehr in die elterliche Wohnung zurück, auch wenn meinen Eltern angedroht worden war, dass sie im Falle meiner Weigerung einen Untermieter zugewiesen bekämen. Also blieb nur ein halblegaler Weg. Ich hatte wieder Glück. Von einer Kommilitonin erfuhr ich, dass in der Louisenstraße in einem der Abbruchhäuser unter dem Dach eine Wohnung quasi leer stand. Sie wurde von befreundeten Puppenspielern genutzt, die dort ihre Requisiten untergestellt hatten und ab und zu auch probten. Die Wohnung war nicht mehr zu vermieten, weil es stark hineinregnete. Ich setzte mich mit den Puppenspielern in Verbindung und fand so eine zwar heruntergekommene, aber irgendwie doch gemütliche und vor allem vor Wohnraumlenkern sichere Bleibe.

Die Miete bezahlte ich auf ein Konto der Stadtverwaltung, und nun konnte ich mit meiner bescheidenen Habe in das Zimmerchen unter dem Dach einziehen. Ich putzte, dann besorgte ich mir einen elektrischen Wasserboiler und einen ausrangierten Spültisch, sodass ich sogar den Luxus hatte, mich in der Küche warm waschen zu können. An ein Bad war natürlich nicht zu denken. Dass die Toilette außen im Treppenhaus war, daran hatte ich mich schon in der vorigen Wohnung gewöhnt. Auch in der Toilette musste man den Schirm aufspannen, wenn es regnete.

Als mein Bruder und sein Freund Gerd ein halbes Jahr später eine Unterkunft suchten, weil sie inzwischen beide in Dresden studierten, wagten wir es, die benachbarte Wohnung »aufzubrechen«. Diese stand schon längere Zeit leer und war völlig verwahrlost. Die Wände waren verschimmelt und die nackten Ziegel der Außenwand konnte man einfach so herausdrücken. Aber wir liebten dieses Ambiente – den freien Blick über die Dächer der Neustadt bis hin zur Elbe. Michael studierte nach seinem Wechsel vom Elektronik- zum Musikstudium Klavier bei Professor Günter Hörig an der Dresdner Musikhochschule, ich hatte im Zusatzstudium gerade meine Diplom-Prüfungen absolviert, und Gerd studierte Malerei an der Kunstakademie. Michaels Freund Mathias hatte ich im November 1982 bei einem Fest in der »Louise« kennen-

4 Zimmern besteht, und eine Küche mit Abstellraum, sowie Bad und WC ist ausreichend Platz für eine Familie mit 4 Personen vorhanden. Sollte der Rückzug nicht erfolgen, wird ein Zimmer in der elterlichen Wohnung erfasst, und ein Untermieter eingewiesen. Ihre Eltern erhalten Kenntnis von diesem Schreiben. Mit sozialistischem Gruß, …, Wohnraumlenkerin.«

*Aus einem Schreiben der Stadt Dresden vom 5.12.1980 an Dorothea Proksch*

gelernt. Mit Gerd, den Michael seit seiner Armeezeit kannte, verband mich seit seinem ersten Besuch bei uns 1978 eine freundschaftliche Beziehung. Wir bezogen ihn in unsere Fluchtpläne ein.

Aufgrund der räumlichen und persönlichen Nähe in der »Louise« hätten wir es niemals voreinander geheim halten können, wenn einer von uns eine Flucht plante. Uns wurde schnell klar, dass wir auch Michael einweihen mussten, wenn wir über konkrete Fluchtpläne nachdachten. Um ein solches Gespräch in Ruhe führen zu können, durften wir uns aber keinesfalls in unserer Wohnung aufhalten. Seit Gerd die Braunschweiger Studentengruppe zu uns nach Hause eingeladen hatte, waren wir ganz sicher, dass wir bespitzelt würden. Wir hatten ein ungeschriebenes Gesetz übertreten, als wir Studenten aus dem »kapitalistischen Ausland« in unsere Privatwohnung einluden. Eine Zeitlang standen gegenüber vom Eingang unseres Hinterhofes regelmäßig zwei Männer, die offensichtlich viel Zeit hatten. Wir vermuteten auch, vom Dachboden aus abgehört zu werden. Der Spitzel, der sich unter dem Deckmantel von Sympathie und Freundschaft an uns gehängt hatte, war von nun an ständig in unserer Nähe und tauchte auch ungeladen zu unseren Festen auf. Dass es ein Spitzel war, wussten wir nicht mit Sicherheit, aber wir hatten einen Verdacht. Diese Verdächtigungen belasteten viele Beziehungen. Bitter war, dass man manchmal vermutete, jemand arbeitete für die Stasi, und in Wirklichkeit waren es dann doch ganz andere, die Informantendienste leisteten. Wir waren misstrauisch und dieses Misstrauen wurde absichtlich unter den Menschen gesät.

Um über unsere Fluchtpläne zu sprechen, verabredeten wir uns also an den Elbwiesen unterhalb des Rosengartens und liefen dann den Weg an der Elbe entlang, bis wir unterhalb der Staatssicherheitsgebäude waren. Die hohen Mauern ragten bedrohlich über unseren Köpfen. Keiner von uns konnte sich vorstellen, dass wir bald hinter jenen Befestigungen eingesperrt in engen Zellen auf unseren Strafprozess warten würden.

Michael war zunächst sehr nachdenklich, als er von unserer Absicht erfuhr. Er hatte auch Fluchtpläne, aber er wollte damit warten, vielleicht sogar bis zur Pensionierung der Eltern. Er wollte sie nicht gefährden, wusste er doch, was es für sie beide als Lehrer im Staatsdienst bedeutete, wenn zwei ihrer Kinder in den Westen flüchteten. Über diese Schwierigkeiten haben wir lange gesprochen. Es war uns klar, wie tief unsere Eltern und auch die Schwester betroffen und verletzt sein würden, wenn wir die familiäre Geborgenheit und relative berufliche Sicherheit aufgaben zugunsten eines Traumes. Für die Eltern, die in ihrer Jugend noch das Nazi-Regime erlebt hatten, musste es wie ein unmögliches Unterfangen anmuten, das von vornherein zum Scheitern verurteilt war, wenn ihre Kinder nun dem neuen diktatorischen Staat entfliehen und dem Traum von der Freiheit folgen wollten. Schließlich stimmte Michael doch zu. Er hätte ohnehin nicht mehr weiterstudieren können und wäre nach der Flucht von uns Dreien automatisch als Mitwisser inhaftiert worden. Niemand hätte ihm geglaubt, dass er davon nichts wusste.

Wir dachten darüber nach, wie wir unser Vorhaben umsetzen konnten. Wir wollten von Ungarn, Rumänien oder Bulgarien aus über die Grenze kommen. Aber das Studium der verschiedenen Karten aus diesen den DDR-Bürgern zugänglichen Urlaubsgebieten brachte uns nicht weiter. In jeder Karte waren nämlich unterschiedliche Grenzverläufe dargestellt. Es war klar, dass dies mit Absicht so gehandhabt wurde, um die genaue Kenntnis der Gebiete in Grenznähe zu verhindern. Befragen konnten wir niemanden. Von Auskünften über das Internet, wie sie heute so selbstverständlich sind, konnte keine Rede sein.

Uns wurde klar, dass es nur eine Möglichkeit gab: die Entscheidung, wo und wie wir fliehen wollten, dem Augenblick zu überlassen und vor Ort auf die Gegebenheiten zu reagieren, die wir vorfinden würden. Aus heutiger Sicht ist das reichlich naiv. Damals nahmen wir die Ungewissheiten relativ locker, denn wir kannten keine andere Lösung. Es erfüllte uns eine trotzige, fast übermütige Stimmung. Wenn die Sorge hochkam, dass wir erwischt würden und ins Gefängnis mussten, kämpften wir sie nieder mit Sprüchen wie »Die ein bis zwei Jahre sitzen wir doch auf der linken Arschbacke ab, wenn wir daran denken, was uns dann für eine Freiheit erwartet«. Keiner von uns machte sich eine Vorstellung davon, wie unendlich lang sich ein einziger Tag in Haft hinzieht und welche Qualen die Verhöre, Demütigungen und die Gedanken daran bedeuten, dass wir anderen Menschen durch unser Handeln große Schmerzen zufügten.

Ich kann mich noch an eine Überlegung erinnern, die mir in den Sinn kam bei dem Versuch, mir einen Gefängnisalltag vorzustellen: »Ob sie uns die Uhr lassen würden?« Später habe ich wieder daran denken müssen, als die Minuten wie Wassertropfen aus den undichten Hähnen der Zellen zerrannen. Keiner antwortete jemals auf meine Frage nach der Zeit oder nach dem Ort, zu dem man uns gebracht hatte. Wir waren ein Nichts, wir hatten keinen Namen mehr – nur »Rechts« oder »Links« – je nachdem, wo unsere Pritsche an der Wand befestigt war. »Rechts – kommen Sie … Stehen bleiben – Gesicht zur Wand – Hände auf den Rücken – Weiter …« Das waren die einzigen Worte, die ich jemals von den Schließern zu hören bekam, nachdem sich die dicken Eisentüren mit einem Krachen hinter mir geschlossen hatten und der Schlüssel überlaut herumgedreht worden war.

Noch träumten wir unsere hoffnungsvollen Träume und versuchten, das Nächstliegende zu tun. Wir mussten Visa beantragen, denn man brauchte eine Reisegenehmigung, um in die »befreundeten sozialistischen Bruderländer« zu gelangen. Man musste dafür mindestens vier Wochen vorher die Anträge auf der Meldestelle einreichen. Wir waren schon knapp dran und mussten die nächsten Schritte jetzt schnell tun. Ich hatte Sorge, man könne unsere Absichten durchschauen und die Pläne vereiteln. Nie werde ich die zäh verrinnenden Minuten vergessen, die wir im Wartezimmer dieser Meldestelle verbrachten. Die zweite Aufgabe war es, uns über die Fahrt Gedanken zu machen. Wir entschlossen uns zur Anschaffung eines Autos, verkauften alles, was wir loswerden konnten, ohne Verdacht zu erwecken. Wir erwarben den Moskwitsch. Dann bestellten wir das Ticket für »Auto im Reisezug«. Wir kramten unsere Sachen durch, um ein paar Dinge vor dem Zugriff der Stasi in Sicherheit zu bringen – Bilder, Briefe und Ähnliches. Ein paar Bücher wurden ins Erzgebirge gebracht bzw. bei den Eltern deponiert. Viel mehr konnten wir nicht tun. Wir mussten ja jeden Verdacht vermeiden, dass es sich um etwas anderes als die Vorbereitung für eine echte Urlaubsreise handelte.

Vom Freikauf von Gefangenen hatten wir gerüchteweise schon gehört. Wir dachten, im Falle einer Verhaftung wäre es am besten, wenn Ost und West uns wie »kleine Fische« behandelten. Dafür wäre es gut, wenn wir alle als Studenten galten. Aus diesem Grund habe ich mein Diplom-Zeugnis vor unserer Flucht nicht mehr von der Hochschule abgeholt. Ich hatte ja auch noch meine zwei Diplom-Konzerte gegeben: das Konzert im Dresdner Hygiene-Museum als Solistin in Brahms´ Doppelkonzert und einen öffentlichen Sonaten-Abend in der Hochschule. Auch die Psychologie/Pädagogik-Abschlussarbeit habe ich fertiggestellt. Da ich bereits das zweite Jahr im Zusatzstudium in der Meisterklasse war, hatte ich alle anderen Fächer längst abgeschlossen.

In den letzten Jahren habe ich mich vergeblich darum bemüht, mein Musik-Diplom von der Dresdner Hochschule zu bekommen. Obwohl die Professoren, die meine Examina abgenommen und mich geprüft haben, mir das erfolgreiche Absolvieren des Studiums bestätigten, gelang es mir bisher

*Dorothea Proksch, sehr stilbewußt im Formen der Kontraste – klar disponiert die Solosonate von Hindemith und reich gefächert (mit viel Geschmack für Übergänge, lyrische Details!) der Ausdruck, das ›Verhalten‹ anspruchsvollen Duo-Spiels (Brahms-Sonate III, f-Moll) zusammen mit der sehr engagiert mitgehenden Pianistin Monika Woller (Dresden), der Begleiterin des Abends.*

*Aus einer Konzertkritik in der ›Leipziger Volkszeitung‹ vom 8. April 1983*

nicht, die Anerkennung meines abgeschlossenen Studiums zu erhalten. Das ist für mich eine der bitteren Folgen aus dem »illegalen« Weggehen, dass mir bis heute die offizielle Anerkennung meiner Leistungen verweigert wird. Ich habe die Qualifikation für meine Tätigkeiten längst unter Beweis gestellt und bin eigentlich nicht abhängig von einer Bestätigung seitens meiner Ausbildungsstätte. Aber es bleibt doch ein Stachel in meinem Herzen zurück, weil die Ignoranz der staatlichen Behörden gegenüber der persönlichen Leistung des Einzelnen auch heute noch anzutreffen ist.

Mathias nutzte den Moskwitsch, um von seinen Eltern aus zur Arbeit zu fahren. Bei solch einer morgendlichen Fahrt war er am Steuer eingeschlafen und kam von der Straße ab. Er polterte über eine Wiese und demolierte dabei einige Obstbäume und natürlich unser Auto. Es war nicht nur äußerst schwer, das Auto wieder zu reparieren, weil kaum Ersatzteile zu bekommen waren, die Polizei hatte ihm auch noch den Führerschein entzogen und ihn zur Tauglichkeitsuntersuchung geschickt. Die dafür zuständige Behörde hatte geschlossen und ein Termin wäre erst nach unserem geplanten Abreisetermin zu bekommen gewesen. Mathias war aber der Einzige von uns, der überhaupt einen Führerschein für das Auto besaß. Er bemühte sich nach Kräften, das Auto wieder flott zu bekommen.

Es kam ihm zugute, dass sein Vater, der Fahrlehrer auf dem Dorf gewesen war, jetzt die Werkstatt besaß. Da in der DDR die Versorgung mit fast allen Bedarfsgegenständen über das System »Eine Hand wäscht die andere« funktionierte, konnten mithilfe seiner Beziehungen Ersatzteile wie Kühler, Motorhaube und Kotflügel besorgt werden. Aber woher die Farbe für den Lack nehmen? Es wäre undenkbar gewesen, einfach einen Termin in einer Werkstatt zum Lackieren zu bekommen, und die Zeit drängte. Also hieß es, sich im einzigen Dresdner Geschäft anzustellen, wo Autolack zu bekommen war, und vielleicht Glück zu haben, dass man am Lieferungstag etwas erwischt. Nach gut zwei Stunden Anstellen in der Sommerhitze ergatterte ich tatsächlich ein paar Dosen von dem Lack, den es gerade gab. Er war weiß und schwarz. Das Auto hatte aber eine blaue Grundfarbe. Das bedeutete, dass das ganze Auto neu lackiert werden musste. Mathias reparierte dann über das Wochenende in der Werkstatt seines Vaters das Auto selbst und spritzte es schwarz und das Dach weiß. Der Moskwitsch sah nun ganz schick aus, fast zu nobel, wie eine Staatskarosse.

Beim Lackieren kam Mathias die geniale Idee, wie er wieder in den Besitz des Führerscheins kommen konnte. Kurz vor dem Unfall hatte er seinen internationalen Führerschein beantragt. Um diesen in Dresden abholen zu können, brauchte er seinen sogenannten »B-Schein«. Das war die Karte, in der Verkehrsverstöße mittels Stempel eingetragen wurden. Dieses graue Kärtchen war aber mit dem Führerschein von der örtlichen Polizei beim Unfall einbehalten worden. Mathias brauchte »nur« einen anderen B-Schein, um seinen internationalen Führerschein abholen zu können. Dabei kam ihm die Tatsache zugute, dass die Verständigung zwischen den Ämtern der Oberlausitz und Dresden nicht funktionierte – die Welt der vernetzten Computer war noch fern. Gerd konnte zwar nicht Auto fahren, aber er besaß einen Motorradführerschein und deshalb auch jenen B-Schein. Man konnte etwas schwarze Farbe über die graue Karte laufen lassen, dort, wo der Name stand, und dann mit diesem unkenntlich gemachten Schein den Versuch wagen, Mathias' Führerschein abzuholen. Dies war Urkundenfälschung, aber im Verhältnis zu unserem Fluchtplan erschien uns dieses Delikt als vergleichsweise nichtig. Der Staatsanwalt wertete diese Urkundenfälschung im Strafprozess jedoch als kriminelles Delikt und erhöhte das Strafmaß von Mathias um zwei Monate.

Mathias' Beteuerung, ihm sei beim Reparieren und Lackieren des Autos Farbe über seinen B-Schein gelaufen, wurde akzeptiert und er erhielt seinen internationalen Führerschein. Eine große Erleichterung für uns. Also wurden weiter Fluchtpläne gesponnen. Wir flachsten oft über Details, um uns Mut zu machen. Wir wussten nicht, in welche Gefahr wir uns wirklich begaben.

Als wir am 15. August 1983 den Zug bestiegen, der uns nach Budapest und damit der ersehnten Freiheit ein Stück näher bringen sollte, wurde mir der Abschied sehr schwer. Mein Vater begleitete uns zum Bahnhof. Er hatte meine Katze in seinem Trabi abgeholt, um sie zu Freunden zu bringen. Am liebsten hätte ich sie ja mitgenommen, ich hing sehr an ihr. Und mein Vater, wie er so da stand … Meine Tränen haben ihn doch stutzig gemacht, das erzählte er uns viel später. Als wir dann im Abteil saßen, wollte keine fröhliche Stimmung aufkommen. Die Angst fuhr mit und die Spannung, ob wir »das Ding« – wie Gerd immer sagte – auch gemeinsam durchstehen würden. Jeder war auf seine Weise besorgt, und das war zu spüren. Es herrschte nicht nur Eintracht zwischen uns.

Durch die Grenzkontrollen kamen wir ohne Probleme. Nach einer schlaflosen Nacht im Zug erreichten wir Budapest. Wir nahmen unser Auto in Empfang und suchten den Weg zur Wohnung eines befreundeten Hornisten, mit dem ich den Kammermusik-Kurs bei Professor Nel absolviert hatte. Bei ihm hatten wir uns angemeldet, weil wir ihn in unsere Fluchtpläne einweihen und ihn auch um Hilfe bitten wollten. Ich hatte die Hoffnung, dass A. meine Geige in den Westen bringen und dort Professor Nel übergeben könnte. Ich sah darin eine Möglichkeit, die Geige unbeschadet über die Grenze zu bringen. Sie bei der Flucht mit auf dem Rücken zu schleppen, war viel zu riskant. Ohne Instrument würde mir der berufliche Start im Westen aber wohl schwerlich gelingen, also gab es fast keine Alternative. Schweren Herzens übergab ich dem Hornisten mein bestes Stück. Es war eine Wiener »Geissenhof«. Meine Großmutter hatte sie mir durch das Auszahlen des Erbes noch zu ihren Lebzeiten finanziert. Ich hatte einige Noten in die Hülle gesteckt und auch zwei Bögen in den Kasten gelegt. Mathias ließ A. einen Kassettenrekorder da – als Dank für seine Hilfe. A. fuhr mit uns in seine Heimatstadt nahe der österreichischen Grenze. Dort wollte er einen ehemaligen Armisten befragen, ob er uns Auskünfte über die Chancen geben könne, die ungarischen Grenzbefestigungen zu überwinden. Ungarn galt als freiheitlichstes Land der »sozialistischen Staatengemeinschaft« – nach Jugoslawien, wo man tatsächlich zur deutschen Botschaft vordringen konnte, um als Deutscher einen bundesdeutschen Pass zu erhalten. Die Auskunft, die er uns brachte, war niederschmetternd: Die Grenzen seien strengstens bewacht, bereits im Umland seien Doppelposten unterwegs, um Verdächtige – und das waren wir ja mit unserem DDR-Kennzeichen – schon im Vorfeld zu verhaften, des Weiteren seien Suchscheinwerfer und durchgängig Grenzeinrichtungen mit Stacheldraht, Wachtürmen usw. installiert.

Gerd wollte das nicht glauben und überredete uns, trotzdem bei Szeged in Südungarn einen Campingplatz in der Nähe der Grenze aufzusuchen. Dort bauten wir das Zelt ganz offiziell auf und wagten nachts einen Versuch, in Grenznähe vorzudringen. Mich erfüllte das Gefühl einer schrecklichen Gefahr, wenn wir, nachdem wir so klare Warnungen bekommen hatten, trotzdem einen Versuch riskierten. Als es um diese Entscheidung ging, flammten die ersten Dispute auf, die erkennen ließen, dass wir wohl schwerlich zu einer Meinung finden würden. Die Spannungen häuften sich, es entstanden zwei Lager. Michael hatte es schwer, Stellung zu beziehen. Es ging ihm auch nicht gut. Er bekam Halsschmerzen, die sich in den folgenden Tagen zur Mandelentzündung entwickelten. Fiebrig fuhr er im Auto mit, fiebrig zeltete er, und ich machte mir große Sorgen um ihn. Er konnte vieles »nicht schlucken«, vor allem wohl die Angst. Wir hatten uns tatsächlich von dem Zeltplatz aus nachts auf den Weg gemacht – alle in schwarzen Sachen (sogar die weißen Streifen von der Jacke hatte ich abgetrennt), waren mit dem Auto auf einer Straße Richtung Grenze gefahren und hatten schon dort die Doppelposten mit Maschinenpistolen auf uns zulaufen sehen. Die Grenze war taghell erleuchtet – zusätzlich zum hellen Mond, der sein weißes Licht über die Landschaft ergoss – und wir konnten die Grenzanlagen klar erkennen. Am nächsten Feldweg wendeten wir und fuhren zurück zum Campingplatz. Uns saß der Schreck in den Knochen. Wir mussten befürchten, dass wir bereits aufgefallen waren, und beschlossen, so schnell wie möglich Ungarn zu verlassen.

Dies war mit unserem Visum durchaus legal. Die Reise über Rumänien nach Bulgarien hatten wir ja so geplant.

In der Nähe der rumänisch-jugoslawischen Grenze erblickten wir ähnlich unüberwindbare Befestigungen. Im gleißenden Licht einer unerbittlich strahlenden Sonne lag die Donau, der Grenzfluss zum damaligen Jugoslawien, dem Land unserer Sehnsucht, befestigt mit Stacheldraht und in regelmäßigen Abständen aufragenden Wachtürmen. Abgesehen davon, dass sie eine beachtliche Breite hatte, die selbst für Michael zu durchschwimmen fast unmöglich schien, hatten wir im Wasser ja auch keinerlei Deckung. Uns sank der Mut. Gerd jedoch suchte weiter beharrlich nach einer Chance. Ich glaube heute, dass ohne seine Zielstrebigkeit an diesem Punkt die Reise doch noch zu einer harmlosen Urlaubsfahrt hätte werden können.

Auch Mathias schien sehr entschlossen zu sein, die Flucht zu wagen. Meine Gefühle waren ambivalent, Michaels sicher ähnlich. Wir waren so erzogen, sorgfältig das Für und Wider einer Aktion abzuwägen und Warnsignale nicht einfach zu überhören. Uns verband eine große Vertrautheit und wir hielten zusammen. Ich neigte beim Weiterfahren nach Bulgarien eher dazu, unseren Fluchtplan aufzugeben. Später – bei den Verhören – hätte ich das niemals zugegeben, wollte ich doch keinen Zweifel aufkommen lassen an der felsenfesten Entschlossenheit, in den Westen zu gehen.

In Rumänien übernachteten wir noch einmal auf offenem Feld unter Walnussbäumen. Gerd und Micha wurden im Zelt von Ameisen geplagt und Mathias und ich erstickten im Auto fast vor schlechter Luft. Wir wagten aber nicht, die Fenster offen zu lassen aus Angst vor herumstreifenden Zigeunern. In dieser Nacht tat ich kein Auge zu, und meine Fantasie ließ mir aus den tausend Geräuschen der Nacht unzählige Gefahren erstehen. Waren da nicht Stimmen, die sich näherten, Messer, die es auf unsere Autoreifen abgesehen hatten, Diebe, die nur auf unseren Tiefschlaf warteten, um uns zu überfallen und auszurauben? Gerd hat später zwei Bilder gemalt, die die Stimmung dieser Nacht unter den Walnussbäumen darstellen. Diese in Rosa und Grau gehaltenen Bilder erinnern mich noch heute an eine der gespenstischsten Nächte meiner Jugend.

Wir setzten unsere Fahrt nach Bulgarien fort. Die Grenzkontrollen beunruhigten uns wieder heftig. Doch alles ging »normal« über die Bühne. Finster blickende Typen musterten uns und unsere Ausweise, winkten uns aber dann durch. Jetzt stand die nächste Entscheidung an. Die Straße nach Sofia lag vor uns. Wir wollten aber in die Nähe der Grenze kommen und das möglichst unauffällig. Auf der Karte fanden wir eine Strecke eingezeichnet, die durch die Berge über Michailovgrad nach Sofia führte. Als »offizielles« Ziel schien uns ein 2000-er, der Kom, geeignet als Vorwand, um von der Hauptstrecke abzuweichen. Wir glaubten, wir könnten mit einer vorgetäuschten Bergbesteigung unsere Absichten, die Grenze zu erkunden, tarnen.

So fuhren wir also diese Straße entlang, die uns in ein hoch gelegenes, gebirgiges Gebiet führte. Hier fühlte ich mich wohler als auf der ganzen bisherigen Reise. Wir fanden einen Platz an einem Gebirgsbach, schlugen dort unser Zelt auf. Am Morgen wurden wir durch das Gebimmel einer vorbeiziehenden Schafherde geweckt. Da es Michael seiner Mandelentzündung wegen wirklich miserabel ging, mussten wir eine Zwangspause einlegen. Mir kam das sehr gelegen. Nach mehreren durchwachten Nächten war ich mit meiner Kraft ziemlich am Ende. In der mir seltsam vertraut erscheinenden Umgebung der Bergwelt und der Stille und Einsamkeit konnte ich neuen Mut sammeln. Drei Jahre zuvor war ich mit fünf Freunden durch das rumänische Retezat-Gebirge gewandert. Die Erinnerungen an diese kraftvolle und unbeschwerte Zeit stärkten meine Zuversicht und Energie. Ich schlief gut und fühlte mich beinahe wie im Urlaub. Wenn da nur nicht unsere Absichten gewesen wären, endlich ans Ziel zu kommen …

Als es Michael besser ging, beschlossen wir, den entscheidenden Schritt zu wagen. Am Morgen des 22. August fuhren wir in das der jugoslawischen Grenze nächstgelegene Gebiet um den Kom. Nachmittags gegen zwei Uhr fanden wir einen steil abfallenden Weg, der in den Wald führte. Wir stiegen aus und ließen das Auto den Pfad hinunterrollen, bis es zum Stehen kam. Nun war es vor Blicken von der Straße her ganz gut geschützt, wir hätten es aber wohl kaum jemals wieder aus diesem Versteck herausbekommen. Michael musste nach unserer Verhaftung mit den bulgarischen Soldaten an diese Stelle fahren, um den Standort des Fahrzeugs zu zeigen. Die Grenztruppen bargen unseren Moskwitsch, und später wurde er nach Berlin überführt. Die im Fahrzeug befindlichen Sachen wurden von der Stasi aufgelistet und zum Teil meinen Eltern übergeben, zum anderen Teil jedoch beschlagnahmt – so, wie der Moskwitsch ebenfalls. Ich habe mich gefragt, ob dieses Auto dann noch irgendeiner der Stasi-Typen zum Fahren bekommen hat, quasi als Belohnung.

Unser Auto war also versteckt. Jetzt ging es nur noch vorwärts – Richtung Grenze. Ein Zurück gab es nicht mehr. Wir hatten unsere unauffälligen schwarzen Sachen an. Jeder besaß einen Brustbeutel mit Reisegeld und Pass. Micha und ich hatten Lederhandschuhe dabei – zum Schutz unserer Hände, falls wir Stacheldrahtzäune überwinden müssten. Mathias besaß noch einen Kompass und ein Fernglas, mit dem man bei Nacht relativ gut sehen konnte. Er trug auch einen Hirschfänger bei sich, der bei den Vernehmungen später den Verdacht aufkommen ließ, er habe damit Grenzpatrouillen angreifen wollen. Und natürlich hatte er seine unvermeidliche Pfeife und etwas Tabak dabei. Wir hatten nur ganz wenig Proviant und Wasser mitgenommen, ein paar Äpfel, etwas Schokolade.

Wir liefen los. Wir wollten jede Begegnung mit Menschen, mit Bauern etwa, vermeiden, aber es gab sowieso kaum Wege. Wir kletterten zunächst bergab, immer durch Laubwald. Das Rascheln der Blätter kam mir ungeheuer laut vor, und wenn jemand in der Nähe gewesen wäre, hätte er es nicht schwer gehabt, uns ausfindig zu machen. Im Tal angekommen, mussten wir einen relativ breiten Bach überqueren. Ich hatte Pech, rutschte von einem Stein ab und landete mit den Füßen im kalten Wasser. Dies erwies sich später als sehr unangenehm, denn die Lederturnschuhe wollten trotz

der unaufhörlichen Bewegung nicht trocknen. Kalte Füße
bekam ich nicht, weil wir pausenlos liefen. Aber als wir am
nächsten Tag gefangen im »Pavillon« der Grenztruppen saßen, waren meine Füße immer noch nass.

Nach der Bachüberquerung ging es wieder bergauf, über
die nächste Höhe – nun schon im Dunkeln. Nur der Mond
schien, tröstlich und unheimlich zugleich. Jetzt lag vor uns
eine ganz freie Fläche, bergig wie zuvor, aber unbewaldet.
Wir verbargen uns, so gut es ging und beobachteten erst einmal die Gegend. Rasch überquerten wir die leicht einsehbaren Strecken. Gegen Mitternacht entdeckten wir einen Jeep,
der auf dem vor uns liegenden Bergrücken entlangfuhr. Und
nun erkannten wir auf seiner Route einen breiteren Sandstreifen. Wir vermuteten die Grenze.

Jetzt galt es – alles oder nichts! Wir mobilisierten unsere
Kräfte für den Endspurt, so meinten wir – immerhin waren
wir seit zehn Stunden ununterbrochen auf den Beinen. Wir
stürmten los, nachdem wir sahen, wie der Jeep sich talwärts
entfernte. Bergab, dann wieder bergauf – die Beine wollten
unter mir nachgeben. Weiter, weiter. Michael riss an dem
etwa zwei Meter hohen Stacheldrahtzaun – der gab nach
und wir konnten ihn überklettern. Im Laufen durchschoss
mich ein Gedanke – waren das nicht Drähte gewesen, die da
auf dem Sandstreifen gelegen hatten? Aber es ging alles zu
rasch. So schnell uns unsere Beine tragen konnten, rannten
wir weiter den Berg hinauf. Als wir das nächste Waldstück
erreicht hatten, mussten wir kurz verschnaufen. Wir glaubten, dass wir es geschafft hätten, wollten aber möglichst noch
in der Dunkelheit so weit wie möglich aus dem Grenzgebiet
herauskommen. Denn auch den jugoslawischen Grenztruppen durften wir nicht in die Hände fallen. Wir blickten ins
Tal hinab und sahen an einem Punkt Lichter; Fahrzeuge, die
sich in Bewegung setzten – wie wir meinten, um unseren
Grenzübertritt nur noch im Nachhinein feststellen zu können. Triumphierend zündete sich Mathias sein Pfeifchen an.
Ich zitterte am ganzen Leibe – und das nicht nur aus Kälte
und Erschöpfung.

Weiter, hieß es bald – so weit wie möglich aus dem Grenz-

gebiet heraus. Wir kletterten durch Gebüsch – Äste schlugen uns entgegen, wir stießen uns an den unter Farn und
Gestrüpp verborgenen Steinen die Schienbeine wund, wir
hasteten weiter, wollten uns ein gutes Versteck suchen, um
uns den Tag über verbergen zu können. Schon glitt ein erster Streifen Tageslicht über die Gipfel. Zartrosa färbte er die
wunderschöne Bergwelt. Bald würde die Sonne aufgehen.

# Gefangen

Plötzlich ruft Michael, der vorangeht: »Mensch, da ist noch ein Zaun!« Kaum hat er das gesagt, hallen schon die ersten Schüsse, Hunde bellen, Motoren heulen auf. »Stoi«, hören wir. Entsetzt müssen wir begreifen, dass wir erst jetzt vor der wirklichen Grenze stehen. Das heißt, wir stehen nicht mehr – bei den ersten Schüssen haben wir uns zu Boden geworfen. Und nun kommen von allen Seiten Soldaten herangestürmt. Sie zielen mit ihren Gewehren auf uns und haben Hunde dabei, die auf uns losgehen. Es ist aus; schlagartig begreifen wir alles. Diese Grenze wäre unüberwindbar gewesen, so hoch und fest ist sie. Wir haben vorher nur eine Scheingrenze überwunden und dabei tatsächlich Signaldrähte berührt. Dadurch waren in der Talstation die Grenztruppen informiert worden und mussten nur noch die richtige Grenze abriegeln. Das haben sie auch getan. Wir sind ihnen unweigerlich direkt in die Arme gelaufen. Wir liegen wehrlos auf dem Boden – bäuchlings. Die Soldaten kommen, halten uns ihre Gewehrläufe in den Nacken und mich ergreift das Gefühl, mein Leben sei jetzt zu Ende: Die Todesangst, die ich empfand, als ich erkannte, dass ein Gewehr auf mich gerichtet war und nur abgedrückt werden musste, bleibt wohl in meinem Gedächtnis unauslöschlich haften. Das kalte Eisen des Gewehrlaufs berührt meinen Nacken und meine Hände werden auf dem Rücken mit Lederbändern gefesselt.

Danach werden wir zu den Jeeps gebracht. Die Sonne ist inzwischen aufgegangen und im zarten Morgenlicht fahren wir den Berg hinab. Wir sehen nun, dass da nicht nur eine Scheingrenze existiert. Der ganze Bergrücken ist kreuz und quer überzogen mit Stacheldrahtzäunen und Sandstreifen. Wir hätten also über mehrere solcher Scheingrenzen steigen können. Die letzten Stunden waren wir so hoffnungsfroh dahingetaumelt. Inzwischen ist es halb sechs Uhr morgens. Ungefähr 16 Stunden lang sind wir gelaufen und gestolpert, gerannt und gekrochen. Und jetzt sind wir gefangen.

Als wir in der Garnison, an der Grenzstation von Michailovgrad, von den Jeeps gestoßen werden, sind wir zutiefst erschöpft und enttäuscht. Das sollte das Ende sein?! Ja, wir müssen uns damit abfinden. Wir sind auch froh, überlebt zu haben, denn es wird uns bewusst, dass die Grenzer auf uns hätten schießen können. Wir ahnen nicht, was alles auf uns zukommen wird, aber eines ist klar: Wir werden eingesperrt. Auch wenn wir unsere »Unschuld« beweisen können – und das hoffen wir irgendwie –, müssen wir zunächst Verhöre über uns ergehen lassen. Damit beginnt man sogleich. Einer nach dem anderen wird abgeführt. Inzwischen hat man einen Dolmetscher kommen lassen und wir werden befragt – zunächst grob nach den Umständen, unter denen wir ins Grenzgebiet eingedrungen sind. Dann auch zur Person.

Dies war nur der harmlose Anfang von unzähligen Verhören, denen wir bis zum Prozessbeginn im Januar 1984 ausgesetzt sein würden. Hätten wir das zu diesem Zeitpunkt schon gewusst, wäre uns das Lachen oder der gewisse Übermut vermutlich vergangen, der uns erfasste, als wir in dieser grotesken Situation in dem Pavillon saßen. Unsere Bewacher schnauzten uns zwar immer wieder an, wir sollten den Mund halten, aber wir warfen uns trotzdem ermutigende Bemerkungen zu. Mir hatte man inzwischen wenigstens die Fesseln von den Handgelenken gelöst. Bei Mathias waren sie allerdings noch fester zugezogen worden. Mit seinem Vollbart sah er offenbar gefährlich aus.

Zunächst glauben wir tatsächlich, mit der Darstellung durchzukommen, wir hätten uns bei der Bergbesteigung des Kom verirrt und seien aus Angst immer weitergegangen, weil wir von Fällen gehört hätten, wo Menschen im Grenzgebiet verhaftet worden seien. Erst da sei uns der Gedanke zur Flucht gekommen. Aber schon kommen mir Zweifel, ob uns jemand diese Geschichte glaubt. Als ich zum ersten Male verhört werde, scheint mir jedoch alles noch verhältnismäßig harmlos zu sein. Der Mann wirkt freundlich und eher verwundert, dass ein junges Mädchen wie ich einfach so stundenlang über die Berge stolpert, um über einen Grenzzaun zu steigen und alle geltenden Gesetze hinter sich zu lassen. Wir sind mit dem Kompass immer Richtung Westen gelaufen. Er fragt mehrmals: »Warum?« Wie soll ich das in Worte fassen? Ich werde noch fast ein halbes Jahr lang Zeit haben, solche Fragen zu beantworten. Am Abend dieses 23. August werden wir wieder in ein Militärfahrzeug gesteckt. Keiner sagt uns, was mit uns geschehen wird. Wir werden hin- und hergestoßen, vom Auto in ein Gebäude. Dort trennt man uns blitzschnell – so schnell, dass ich mich nicht einmal von den Freunden verabschieden kann.

Plötzlich stehe ich allein in einer gefliesten Kammer, muss mich splitternackt ausziehen, meine Sachen werden mir weggenommen, und man reicht mir einen Stapel grüner Baumwollfetzen. Ich muss Unterhose, Hemd und Rock überziehen. Mich ekelt beim Berühren der Sachen, sie fühlen sich so schmutzig an. Alles schlackert an mir herum. Dann wird mir bedeutet, einen Gang entlangzugehen. Da steht eine Türe offen. Mir bleibt das Herz stehen. In dieses Loch, in dem ich eine Holzpritsche erahnen kann, die fast den ganzen kleinen Raum einnimmt und auf der zwei Gestalten hocken, werde ich hineingestoßen. Dann wird die Tür mit einem Knall zugeworfen, und ich höre das Schließen von großen Schlössern, zu allem Überfluss wird noch ein Riegel vorgeschoben.

Ich bin gefangen, unentrinnbar ausgeliefert der Willkür derer, die mich eingesperrt haben. Jetzt muss ich es mit jeder Faser meines Körpers und meiner Seele begreifen: Dies ist es, was wir mutig »auf der linken Arschbacke« absitzen wollen. Die nackte Panik erfasst mich, ich will schreien: »Macht auf, so habe ich es doch nicht gemeint, es ist alles ein Irrtum, ich will auch wieder brav sein ...« Aber kein Laut kommt aus meiner Kehle. Stumm und fassungslos versuche ich mich an das trübe Halbdunkel zu gewöhnen, das nur durch eine Glühbirne an der Decke ein wenig erhellt wird. Ich nehme allmählich wahr, dass mich zwei Augenpaare interessiert und ängstlich anschauen. Es dauert nicht lange, dann wagt die Jüngere, ein Mädchen Anfang zwanzig, mich anzusprechen. Es ist eine Deutsche – welch ein Trost!

Von ihr geht Zuversicht aus, obwohl sie schon seit 14 Tagen in dieser Zelle hockt. Aber sie hat allen Grund, zuversichtlich zu sein. Ist sie doch völlig unschuldig eingesperrt worden. Das, was wir als Wahrheit verkaufen wollen, trifft bei ihr wirklich zu. Sie war als Touristin gemeinsam mit ihrem Freund durch Bulgarien getrampt und ist von einem Laster absichtlich ins grenznahe Gebiet gefahren und dort auf dem Marktplatz abgesetzt worden. Nachdem der Fahrer die Polizei alarmiert hatte, wurden sie verhaftet und nach Sofia in Untersuchungshaft gebracht. Dass die Bulgaren buchstäblich Kopfgeld dafür bekamen, wenn sie flüchtige DDR-Bürger anzeigten, war den beiden zum Verhängnis geworden. Die Menschen in dem wirtschaftlich maroden Land schreckten nicht davor zurück, andere ans Messer zu liefern, um die »Belohnung« zu kassieren. Die beiden wurden wie wir eingesperrt. Dem Mann wurde gnadenlos der Bart geschoren. Dasselbe passierte Mathias, den ich ohne Bart kaum wiedererkannte. Die Männer wurden auch geschlagen – während ich »nur« an den Haaren gezogen wurde, als ich im Gang auf dem Weg zur Toilette versuchte, Mathias oder Michael zu rufen.

Es herrscht in den Gängen und Zellen des Sofiaer Untersuchungsgefängnisses eine unnatürliche Stille, kaum ein Laut ist zu hören außer dem Schließen der Türen und den Tritten der Bewacher. Gespräche sind streng untersagt, jegliche Kontaktaufnahme wird sofort unterbunden. Trotzdem gelingt es uns immer wieder, einander ein Lebenszeichen zu senden. Kurioserweise befindet sich in »unserer« Zelle ein ›Spiegel‹ – und diese Zeitschrift, die ich das erste Mal überhaupt in Händen halte, rettet mich über die erste unendlich langsam vergehende Zeit des Wartens hinweg. Wort für Wort lese ich jeden Artikel und deponiere danach die einzelnen

Seiten auf der Trennwand der Toiletten in der Hoffnung, dass einer »meiner« Männer sie findet.

Das Mädchen kann mir einiges über die Gegebenheiten mitteilen, mit denen ich mich nun abfinden muss. Sie weiß auch, dass es Transporte in die DDR gibt, hat aber keine Ahnung, wie oft diese stattfinden und wann sie selbst auf diesem Wege aus ihrer Lage befreit wird. Dass sie frei kommt, darüber hat sie keine Zweifel. Sie sitzt ja quasi ihren Urlaub im Knast ab. Später wird diese Zeit für sie ein kaum zu glaubendes Abenteuer sein, über das sie aber zu niemandem sprechen darf. Die Ferien sind futsch, sie ist um eine äußerst bittere Erfahrung reicher und ihr Freund bartlos …

Ihre Geschichte klingt so glaubhaft, dass ich es wage, ihr die Telefonnummer meiner Eltern mitzuteilen. Ich bitte sie, ihnen eine Nachricht zukommen zu lassen, wo wir sind, dass wir gesund sind und dass es uns den Umständen entsprechend gut geht. Auch ihr gegenüber bleibe ich aber bei der Aussage, wir seien aus Versehen ins Grenzgebiet gelangt und würden sicher auch freigelassen werden, nachdem wir unsere Unschuld bewiesen hätten. Doch verglichen mit ihrer Erzählung klingt unsere Darstellung nicht sehr glaubhaft.

Tatsächlich hat dieses junge Mädchen den Mut besessen, sich nach ihrer Freilassung bei meinen Eltern zu melden. Dabei nannte sie natürlich nicht ihren Namen, sodass ich ihr nicht einmal danken kann. Meine Eltern hatten auch wirklich noch nichts von unserer Verhaftung erfahren. Erst am 5. September 1983 bekamen sie einen Brief vom Generalstaatsanwalt, in dem ihnen mitgeteilt wurde, dass wir in Untersuchungshaft waren.

Was ich in Sofia erlebe, übersteigt bei Weitem alles, was ich mir über das Leben hinter Gittern ausgemalt habe. In der Zelle gibt es außer der Pritsche noch einen Eimer mit Deckel, einen schmuddeligen Wasserkanister, aus dem wir ohne Becher trinken, und drei kratzige Wolldecken. Wir sitzen bzw. liegen 24 Stunden auf den bloßen Brettern der Pritsche. Zum Zudecken brauchen wir eigentlich nichts. Es ist irrsinnig heiß und stickig. Außer einem knapp unter der De-

cke befindlichen schmalen Gitter gibt es keine Belüftungs-
möglichkeit. Den Wasserkanister müssen wir bei dem täglich
nur zweimal stattfindenden Gang zur Toilette in Windeseile
füllen. Es sind höchstens fünf Minuten, die wir aus der Zelle
herausgelassen werden, um uns zu waschen (unter den Augen unserer Bewacher, die hinter einer Glastür warten) und
um unser Geschäft zu verrichten. Als ich zum ersten Mal die
Tür zu den »Kabinen« öffne, muss ich fast erbrechen. Ein
verdrecktes, stinkendes Loch im Boden, voll geschissen – da
drüber soll ich mich unter dem Zeitdruck hinhocken? Nach
zehn Tagen kann ich mich noch immer nicht entleeren und
sehe keinen anderen Ausweg, als mich zum Arzt zu melden.
Er gibt mir schließlich ein Abführmittel, das mir fast den
Bauch zerreißt, bevor es wirkt.

Der nächste Schock erwartet mich, als sich mit lautem
Knall die Luke öffnet und eine Blechschüssel mit einer un-
definierbaren Flüssigkeit, aus der mich drei tote Fischköp-
fe anstieren, und ein harter Kanten Brot hereingeschoben
werden. Wenn ich nicht so wahnsinnig hungrig wäre – wir
haben fast zwei Tage lang nichts mehr gegessen –, wäre es
mir vermutlich nicht möglich, auch nur einen Löffel dieser
stinkenden Brühe zu mir zu nehmen. So aber überwinde ich
mich. Der Kanten Brot kommt mir fast lecker vor. Das trocke-
ne Brot wird in den nächsten Tagen das wichtigste genießbare Lebensmittel sein. Manchmal gibt es einen Klecks Quark
oder sogar ein Klümpchen »Halva« (ein süßes, aus Honig
und Mandeln bestehendes Naschwerk) dazu. Aber man kann
sich das Essen auch richtiggehend abgewöhnen. Nach ein
paar Tagen empfinde ich fast keinen Hunger mehr.

Härter trifft mich der Mangel an Sauerstoff. Denn nirgend-
wo gibt es einen Hauch frischer Luft. Der tägliche »Rund-
gang« (er findet je nach Laune der Bewacher statt oder auch
nicht) führt uns nur in einen Raum mit Tischtennisplatten,
um die wir herumgehen müssen. Dort ist wenigstens ein
Fenster geöffnet. Doch lange dauert dieses Vergnügen nie,
höchstens fünf oder zehn Minuten. Wir haben keine Uhren
und erhalten keine Auskunft. Mir fallen meine Gedanken
vor der Flucht wieder ein, ob sie uns wohl die Uhren lassen

würden, wenn man uns einsperrt. Dass wir »zeitlos« sitzen müssen, macht den Tag noch länger. Wer es nicht erlebt hat, kann sich kaum vorstellen, wie endlos die Minuten sich dehnen, wenn man eingesperrt auf engstem Raum einem völlig ungewissen Schicksal entgegensieht.

Nach zwei gemeinsam durchgestandenen Tagen wird das Mädchen plötzlich aus der Zelle geführt und kommt nicht zurück. Das heißt also, sie ist auf Transport gegangen. Und nun muss ich mich mit der anderen Frau arrangieren. Ich weiß nichts von ihr. Sie sitzt auf der Pritsche und gibt außer einem leisen Wehklagen in regelmäßigen Abständen nichts von sich. Sie spricht nur bulgarisch und zeigt kein Interesse daran, sich verständlich zu machen. Ich bin mir selbst überlassen. In meiner Verzweiflung besinne ich mich darauf, meine auswendig gelernten Musikstücke zu memorieren. Ich stelle mich auf die Pritsche und tue so, als ob ich Geige spiele. Ich schließe die Augen, stelle mir die Musik ganz intensiv vor und bewege mich nach den vorgestellten Abläufen.

In der Erinnerung an meine liebste Tätigkeit verschließe ich mich vor der Außenwelt und betrete die inneren Räume, in denen die Klänge und Farben leben. Berauschend und schmerzlich erfüllend erlebe ich die oftmals geübten Stücke wieder und wieder. Es ist mir bald gleichgültig, dass ich beobachtet werde – durch den Spion oder durch die verständnislos dreinschauende Zellengenossin. Aber es gelingt mir nicht immer, mich ganz auf die inneren Abläufe zu konzentrieren. Manchmal wollen Traurigkeit, Angst und Verzweiflung die Oberhand gewinnen und da hilft alles »Üben« nicht. Dann versuche ich, mir durch gymnastische Übungen meine Kraft zu erhalten. Zum Missvergnügen meiner Zellengenossin, die nur brütet und stöhnt. Aber ich muss da irgendwie durch, ohne verrückt zu werden. Die ›Spiegel‹-Artikel, die ich noch nicht gelesen habe, werden immer weniger. Es gibt kein Buch, keine Musik, nur das Grübeln über die Herkunft der verschiedensten Geräusche und das Spekulieren darüber, was mit uns geschehen wird. Ansonsten passiert nichts, gar nichts. Wir werden weder zu einem Gespräch geholt, noch können wir uns gegenseitig Mut machen. Nur warten, warten.

Am 5. September, dem Tag, an dem Mathias Geburtstag hat, wird die Zellentür aufgeschlossen und ich werde einen Gang entlanggeführt. Wieder in diesen gefliesten Raum. Doch dieses Mal liegen meine eigenen Sachen da. Ich bekomme gesagt, dass wir nach Berlin überführt werden. Dass wir untereinander keinen Kontakt aufnehmen dürfen und dass bei Fluchtversuch geschossen wird. Dann werde ich in Handschellen in ein Auto gesetzt. Neben mir sitzt eine Frau, von der klar ist, dass sie bei der Stasi arbeitet. Sie raunzt mich gleich an, damit ich gar nicht auf die Idee komme, ein Gespräch oder eine Frage zu wagen. Michael, Mathias und Gerd konnte ich in einem Gang noch kurz sehen. Mathias habe ich wenigstens einen Glückwunsch zugeflüstert. Ich bin erschrocken, wie die anderen aussehen. Doch ich sehe ein Leuchten auf den Gesichtern. Ein Augenblick genügte, um uns gegenseitig Zuversicht zu geben. Wir werden es schaffen, was auch immer kommt, wir werden stark sein.

Nun empfängt uns Eiseskälte. Und das kommt nicht nur von der Klimaanlage in der Interflug-Maschine, in die wir jetzt geführt werden. Wir sind in den Fängen der Stasi. Weit voneinander entfernt werden wir im Flugzeug verteilt, jeder neben einem Extrabewacher. Erst als wir angeschnallt sind, werden die Handschellen abgenommen. Die Luken der Fenster werden geschlossen, sodass wir beim Start und später auch bei der Landung nichts sehen können.

Wir werden fliegen – es ist kaum zu glauben. Für meinen Bruder (und ich glaube, auch für Gerd und Mathias) ist es der erste Flug überhaupt. Ich war ja schon in Moskau und Paris. Trotzdem erfüllt mich das Gefühl, sich in die Luft zu erheben, mit Spannung und Freude. Als uns ein Glas Orangensaft gebracht wird, könnte man fast für einen Augenblick die Lage vergessen, in der wir uns befinden. Wir dürfen uns nicht umdrehen, und als ich auf Toilette muss, begleitet mich meine Bewacherin. Ich habe meine Tage bekommen und in Sofia gab es so entsetzlich dicke Vorlagen. Sie drücken und mir ist ganz elend. Im Gang werde ich nochmals ermahnt, nicht umherzuschauen. Gott sei Dank können sie die Blicke der Augen noch nicht beeinflussen.

Wir haben noch zwei Zwischenlandungen. In Budapest und Prag werden neue Gefangene hereingeführt und wie wir über die Plätze verteilt. Man stelle sich vor – alle 14 Tage fliegt eine volle Interflug-Maschine die Menschen »heim ins Vaterland«, die auf unterschiedlichsten Wegen versucht haben, aus der DDR zu fliehen. Ein ungeheurer Aufwand und eine bittere Wahrheit, dass so viele Menschen ihr Leben aufs Spiel setzen, um dem »real existierenden Sozialismus« zu entkommen, und ihr Heil in der Flucht suchen.

Nach der Landung in Berlin steigen wir von der Gangway direkt in eine Schleuse. Vor deren Ausgang wartet ein Auto der Marke Barkas, ein ganz normaler Kleintransporter. So sieht er jedenfalls von außen aus. Innen sind sechs winzige, völlig voneinander isolierte Kabinen ohne Fenster eingebaut. Darin werden eingepfercht auf engstem Raum die Gefangenen transportiert, die weder untereinander noch nach außen hin Kontakt aufnehmen können. Die »Zellentür« wird geschlossen. Keiner sagt mir, wohin ich gebracht werde. Nur das Motorengeräusch begleitet meine ängstlichen Gedanken. Anhalten – bremsen – anfahren. Dann wieder ein Stopp – Kommandos werden gerufen, ein Eisentor geht mit scharrendem Geräusch auf, dann wieder zu, nachdem das Auto ein kleines Stück gefahren ist. Wieder Halt, wieder rollt ein Tor, anfahren, Tor zu, stopp – warten.

Die Tür zu meinem Kabuff öffnet sich schließlich. Die barsche Aufforderung: »Komm' Se« – dann einen Gang entlang in einen grell beleuchteten kahlen Raum. Dort stehen Leute in Uniform – Frauen. Das Kommando: »Nackt ausziehen.« Ich habe meine Tage, schamhaft möchte ich meinen Schlüpfer wenigstens anbehalten. Nichts da – »Ausziehen«, und als die bulgarische Vorlage zum Vorschein kommt, heißt es: »Auseinandermachen«. Entsetzt halte ich die Luft an. Ist das Wahrheit oder böser Traum? Der barsche Ton wird härter, trotz dem flehentlichen Blick meiner Augen. Hier verletzen andere mit offensichtlichem Vergnügen meine intimste

Sphäre. Und ich kann nichts machen, ich bin ausgeliefert. Da muss ich also durch, wenn ich die ersehnte Freiheit erreichen will, schießt es mir durch den Sinn. Ich hebe den Kopf und schaue meinen Peinigerinnen direkt in die Augen. Das halten sie nicht aus. Offensichtlich habe ich doch einen Funken schlechten Gewissens geweckt. Sie lassen mich in Ruhe, ersparen mir die demütigenden Kniebeugen über einem Spiegel, damit sie in die Körperöffnungen schauen können, ob ich da etwas versteckt habe. Mir wird ein Stapel Kleider gereicht – Unterwäsche und ein blauer Trainingsanzug. Sauber wenigstens und nicht so entwürdigend unförmig wie in Bulgarien. Ja, das werde ich jetzt öfter denken – eigentlich ist die Versorgung und Unterbringung ja nicht schlecht …

Keinem Menschen begegne ich, wenn ich die Gänge entlang geführt werde. Ein rotes und grünes Licht verhindern, dass ich andere Häftlinge zu Gesicht bekomme. Kommandos wie »Gehen Sie«, »Halt«, »Gesicht zur Wand«, »Hände auf den Rücken« werden in der nächsten Zeit die einzigen Worte sein, die ich aus den Mündern meiner Bewacher höre. Keine Frage, sei es nach der Tageszeit, sei es nach dem Ort, wo ich mich befinde, oder gar nach dem, was vor mir liegt, wird mir beantwortet. Nur kaltes, unbeteiligtes Schweigen. Und weiter werde ich Gänge entlanggeführt – grünes Licht, rotes Licht. Dann das Zellenhaus – alles Metall, harte hallende Geräusche, jeder Schritt dröhnt in der gespenstischen Stille. In der Mitte Leere, bis in eine Tiefe, deren Grund ich nicht sehen kann. Ich werde auf Laufstegen an Zellentüren entlanggeführt – schwere Türen mit Eisenriegeln. Ich sehe die Gucklöcher. Durch die werde ich in Zukunft beobachtet werden wie ein gefährliches Tier. Ich kenne die Luken. Sie sind ähnlich wie die, durch die in Bulgarien das Essen hereingeschoben wurde. Eine Zellentür wird geöffnet, dahinein soll ich also. Nachdem sich die Tür mit hallendem Knall geschlossen hat, blicke ich mich um. Sauber ist es hier, das fällt sofort auf. Linoleumfußboden, Steinwände, eine Holzpritsche an der Wand, eine Toilette in der Zelle.

Besser als das Loch in Sofia. Ein Waschbecken. Der Wasserhahn tropft.

Das wird er die nächsten Tage und Nächte unaufhörlich tun. Bis ich endlich – völlig entnervt – auf die Idee komme, das Handtuch so um den Hahn zu wickeln, dass die Tropfen unhörbar ins Becken gesogen werden. Dann werden endlich die Minuten nicht mehr zerschnitten durch das stetige Tropfen. Überhaupt – alle Geräusche steigern sich hier, sie sind für mich noch nicht erklärbar und deshalb unheimlich und bedrohlich. Die Schritte draußen, die entweder gleichmäßig hin- und herklacken oder aber direkt vor der Tür innehalten. Das leise Klicken, wenn der Spion geöffnet wird und mich ein Auge anstarrt. Das Rollen der Wagen, die die Essensportionen verteilen, das Öffnen der Klappe, wenn etwas hereingeschoben oder ein bellendes Kommando gerufen wird. Wie zum Beispiel: Ich solle mich auf den Hocker setzen und nicht auf das Bett legen, weil dies am Tag verboten sei. Ich entdecke einen kleinen Spiegel, der über dem Waschbecken in die Wand eingemauert ist. Mir geht auf, dass damit die Gefahr eines Selbstmordversuches gebannt werden soll – nichts Spitzes, nichts Scharfes, keine Schnürsenkel in den Schuhen. Nur die Sachen, die ich auf dem Leib trage, sonst nichts … Ein Regal gibt es noch mit einem Teller, einem Becher, einer Gabel und einem Löffel – natürlich kein Messer. Und einen Kamm – den habe ich sehr entbehrt bisher. Verwundert blicke ich in den Spiegel – das bin ich? Und hier in dieser Zelle, ist das alles Wahrheit? Hier bin ich also nun, allein, ausgeliefert dem Warten und dem Schweigen.

Die Zukunft liegt leer und weiß oder eher schwarz vor mir. Die Zuversicht, die Hoffnung auf die Erfüllung meiner Träume von einem freien Leben, vom Geigen auf großer Bühne sind verschwunden. Die Gegenwart hat mich fest in ihren Klauen. Doch meine innere Musik habe ich noch nicht verloren. Ich kann es genießen, wieder allein in einer Zelle zu sein, vier Schritte gehen zu können, nicht ständig die Augen einer fremden Frau auf mir fühlen zu müssen. Ich stelle mich spielerisch in die Haltung des Geigers, schließe die Augen und beginne. Bach – d-Moll-Partita, der Auftakt d,

aus dem sich die ersten Töne hochtasten, um zum Cis ab-
zufallen und gleich wieder zum b die Brücke zu schlagen.
Der Raum füllt sich mit meinen Tönen, in mir wird es hell
und weit und warm. Trost durchströmt mich. Diese Musik
kann überall leben, sie schwingt in mir, durchdringt mich,
lässt sich durch keine Macht der Welt beschränken. Und als
der 1. Satz in mir verklungen ist, öffne ich die Augen und
staune. Weit weg hatten mich die Flügel der Musik getragen,
ich hatte die Gegenwart der Zelle völlig vergessen. Und als
ich bemerke, dass kichernd jemand vor dem Spion steht und
offensichtlich nicht weiß, dass hier drinnen sich eben ein
kleines Wunder ereignet hat, erfüllt mich eine Genugtuung,
die mir neue Kraft zuströmen lässt.

Meine Musik lässt sich durch keine Mauer dieser Welt
einsperren. Man kann dem Menschen seine Würde nicht
nehmen, nur weil man ihn einsperrt. Die Gedanken sind
frei. Erfüllt von neuer Zuversicht schaue ich gelassen dem
entgegen, was da kommen soll. Es ist eine starke Erfahrung.
Niemand kann mir meine Musik und mein inneres Erleben
nehmen, es sei denn, er löscht mich als Mensch aus.

Als sich die Zellentür öffnet, erschrecke ich aber doch. Es
wird noch eine ganze Weile dauern, bis ich nicht jedes Mal
zusammenzucke, wenn der Schlüssel im Schloss rasselt und
die Tür aufgerissen wird. Jetzt werde ich mit einem Wink
aufgefordert, zu folgen. Wieder geht es Gänge entlang, eine
weitere Zellentür wird aufgeschlossen. Was ist das? Erschrocken starre ich in eine gekachelte Leere. »Duschen«, heißt
es. Aber ich sehe keinen Hahn, keinen Duschkopf, nur ein
Rohr, was oben aus der Wand ragt. »Hilfe«, will es aus mir
herausschreien, »nicht hier einschließen«, doch schon werde ich hineingestoßen. »Ausziehen«, werde ich noch ange-
blafft und schon knallt die Tür zu. Panik schwappt wie eine
Welle über mich. Habe ich nicht solche Szenen in Filmen
gesehen? Wurden so nicht die Juden vergast? Angst kriecht
in mir hoch, die Euphorie des Geigens ist verschwunden.
Frierend und nackt stehe ich vor dem Rohr. Plötzlich ein
Strahl Wasser, zuerst kalt, dann immer wärmer. Staunend
erlebe ich, wie das Wasser an mir herunterrinnt. Doch noch

bevor ich mich diesem Wohlgefühl hingeben kann, wird das Wasser ebenso plötzlich, wie es kam, wieder abgedreht. Enttäuscht ergreife ich das Handtuch, das durch die Luke geworfen wird, und trockne mich ab. Erst jetzt wird mir bewusst, dass mich also jemand die ganze Zeit beobachtet hat. Vermutlich freut er sich jetzt darüber, dass ich gar nicht richtig zum Duschen kam. Macht nichts, in der Zelle gibt es ja ein Waschbecken. Im Gegensatz zu dem Gefängnis in Bulgarien kann ich mich hier schon gründlich säubern. Die Schadenfreude sei dem Betrachter gegönnt. Aber er beglotzt mich nackt. Auch daran werde ich mich gewöhnen müssen. Man kann sich an fast alles gewöhnen.

Schon bin ich fast dankbar, zurück in »meine« Zelle geführt zu werden. Dort hat ja vorhin noch die Musik geschwungen und tut es in gewisser Weise immer noch. Die Klappe geht auf und eine erste Mahlzeit wird hereingeschoben. Ein richtiges Abendbrot mit Brot, Margarine, Wurst, warmen Tee … Es riecht plötzlich wie immer abends, wenn die Mutter uns an den Tisch rief. Aber vor Aufregung kann ich kaum etwas essen. Ohnehin verspüre ich seit der »Ernährung« in Sofia weniger Hunger. Fast unberührt gebe ich das Tablett wieder hinaus.

In den nächsten Tagen wird das noch öfter der Fall sein. Es führt zu einer massiven Drohung seitens des Vernehmers, der mir einen Hungerstreik unterstellt. Auch gut, denke ich und sage, dass ich zuerst einen Anwalt sprechen möchte. Ich verlange, dass meine Eltern über meinen Aufenthaltsort informiert werden. Seine Drohung lautet: »Zwangsernährung.« »Wir haben es in der Hand, wie lange Sie hierbleiben«, sagt er kalt. »Wenn Sie nicht essen, kommen Sie ins Haftkrankenhaus und werden an Schläuche angeschlossen, die Ihre Ernährung sichern. Wir stellen hier die Bedingungen, nicht Sie.« Mit einem Kloß im Hals muss ich diese Bemerkung schlucken. Gnadenlos wird mir bewusst, wie sehr ich diesen Leuten ausgeliefert bin. Wenn sie mir keinen Anwalt zur Seite stellen wollen, dann kann keine Macht der Welt sie dazu zwingen. Also muss ich meine Strategie, nichts auszusagen, überdenken, weil sie mich nicht vorwärts in

Richtung Freiheit bringt. Zähneknirschend werde ich mich auf die Fragen der Verhörenden einlassen müssen.

Es ist nicht der erste Vernehmer, dem ich begegne. Schon am Abend der Ankunft werde ich zu einer »Vernehmung« gebracht. Ich bin zum Umfallen müde, denn wir waren ja einen endlos langen Tag unterwegs. Aber irgendwie bin ich auch hellwach. Ich werde aus dem Zellentrakt herausgeführt. Es geht treppauf, treppab in einen offensichtlich ganz anderen Bereich. Noch immer weiß ich nicht, wo wir uns befinden. Nur dass wir in Berlin sind, das ist gewiss. Wenn ich aus Berlin wäre, wüsste ich vielleicht, dass das hier Lichtenberg ist, weil ich es am Glockenläuten oder einem anderen Geräusch erkenne. Aber ich bin fremd.

Ich werde in einen Raum geführt, wo ein Mann an der Schreibmaschine sitzt. Er ist nicht unansehnlich. Und er versucht, mich freundlich zu begrüßen – leutselig sozusagen. Wären da nicht die Augen, die mich fixieren, und die Tatsache, dass ich keinen Moment vergessen darf, wo ich mich befinde. Ich bin auf der Hut. Und er sieht mir das an. Also zieht er sich auf ein sachliches Terrain zurück. Wie wir im Grenzgebiet aufgegriffen worden sind. Was wir vorgehabt hätten, all die Fakten, die sich leider nicht verbergen lassen. Manche Tatsachen kann ich absolut nicht leugnen. Ich versuche, mich an unsere Abmachungen zu halten, dass wir zufällig in dieses Grenzgebiet geraten und aus Angst vorwärtsgegangen seien. Dass wir niemals vorgehabt hätten, zu fliehen, da wir uns ja mitten im Studium befänden und einer gesicherten Zukunft entgegenblicken könnten (wie mir diese Sätze fast nicht aus dem Hals wollen). Aber ich glaube selbst nicht daran, dass ich mit dieser dürftigen Geschichte ernsthaft durchkommen werde. Erst recht nicht mehr, als er mir klarmacht, dass die anderen drei genauso wie ich verhört werden. Bei vier Aussagen sei es ein Kinderspiel, Ungereimtheiten und Abweichungen festzustellen.

Also beschränke ich mich auf das, was ich unvermeidlich zugeben muss. Weitere Aussagen verweigere ich. Damit ist

dieses erste Verhör beendet. Es hat sich über viele Nacht-
stunden hingezogen. Wie spät es ist, weiß ich nicht. Als ich
in meine Zelle gebracht werde, bin ich froh, dass ich mich
auf die Pritsche legen und die Augen schließen kann. Die
Dunkelheit tut wohl, obwohl die Gedanken rasen. Kaum
habe ich das festgestellt, als plötzlich grell die Deckenbe-
leuchtung eingeschaltet wird. Erschrocken richte ich mich
im Bett auf und frage, was los sei. »Lichtkontrolle«, ist die
eisige Antwort. Die Nacht wird zum Albtraum. In kurzen
Abständen wird immer wieder dieses gleißende Licht eingeschaltet, das sich in die Netzhaut brennt und den übermü-
deten und überreizten Nerven keine Ruhe lässt. So soll ich
also kleingemacht werden, denke ich, und mobilisiere alle
meine Willenskraft, um mich nicht terrorisieren zu lassen.
Trotzdem komme ich nicht in den Tiefschlaf. Immer wieder
schrecke ich hoch, und als am Morgen die Dämmerung durch
den Lichtschacht sickert, fühle ich mich total zerschlagen
und verängstigt. Meine Souveränität ist dahin.

Doch schon geht es weiter: Ich werde dem Haftrichter
vorgeführt. Der verliest die Anklageschrift, die den Straftat-
bestand der »Versuchten Republikflucht« zur Begründung
nimmt, warum wir in Untersuchungshaft genommen werden. »Das sind wir doch längst«, denke ich verwundert,
aber dann wird mir klar, dass wir in der Maschinerie eines
Rechtsstaates gefangen sind, der nach außen hin korrekt
die Gesetze einhält. »Im Namen des Volkes« wird es heißen.
Aber wo ist das Volk, das über diese Praktiken überhaupt
auch nur andeutungsweise informiert ist?

Es werden Fotos von mir gemacht. Ich bin selbst erschüttert, wie verbittert und bar jeder freundlichen Ausstrahlung
man vor solch einer Kamera schaut. Wenn ich mein Foto in
der Zeitung fände mit einem Kommentar über ein begange-
nes Verbrechen, dann würde ich sicher glauben, dass diese
junge Frau dazu fähig wäre, so grimmig, wie sie schaut, denke ich. Schon führt man mich weiter. Fingerabdrücke werden genommen – ein blödes, entwürdigendes Gefühl. Dann
werde ich dem Haftarzt vorgestellt. Ungerührt untersucht er
mich und stellt fest, dass ich zu dünn sei. Wieder zurück in

der Zelle, bekomme ich Frühstück. Aber ich kann fast nichts essen.

Dann folgt das nächste Verhör. Und diesmal ist es ein ganz anderer Typ, dem ich gegenübersitze. Offenbar wurde er mit Bedacht für mich ausgesucht. Es ist ein unscheinbarer, undurchdringlicher Mensch mit eng stehenden Augen und einem grauenhaften Haarschnitt, der jetzt hinter dem Schreibtisch sitzt und mich kühl und sachlich mustert. Ich stelle mir vor, wie dieser Mensch abends von der »Arbeit« nach Hause kommt und seine Wohnungstür aufschließt. Dort warten Frau und Kinder auf ihn. Was erzählt er von seinem Tag? Bringt er eine Lügengeschichte vor oder spricht er davon, dass er die bösen Staatsfeinde gefangen hat, damit die Republik in Frieden ihre sozialistischen Ziele realisieren kann? Oder spricht er gar nicht – schweigt und setzt sich an den gedeckten Tisch? Wie kann ein Mensch sich davon überzeugen lassen, dass es nur *einen* richtigen Weg gibt und alle, die diesen nicht beschreiten wollen, Feinde sind und hinter Schloss und Riegel gebracht werden müssen? Sicher findet dieser Mann romantische Ansichten vom Leben, Ideale von einem erfüllten Musizieren und der Freiheit des Geistes höchst befremdlich oder gar lächerlich. Genau deshalb hat man ihn mir vor die Nase gesetzt. Der lässt sich nicht beirren oder vom Weg abbringen.

Nur ein einziges Mal werde ich einen Vernehmer aus der Reserve locken können, als ich ihm ins Gesicht schreie, was mir während der Verhöre im Kopf herumgegangen ist: dass es schon einmal ein »Tausendjähriges Reich« gegeben habe und dass die Schergen damals auch glaubten, alle Macht und alles Recht der Welt zu haben, und »dass auch ihr« – ich zeige mit dem Finger auf ihn – »drankommen werdet, weil die Geschichte euch einholt«. Plötzlich zeigen sich Panik und Unsicherheit in seinem Gesicht. Er brüllt mich an. Ich weiß nicht mehr, was er brüllte. Zu sehr hat es mich mit Genugtuung erfüllt, ihn endlich treffen zu können. Ich habe seine Angst gesehen, und das genügt mir. Er hatte mich zu diesem Ausbruch provoziert, weil er mir einen Tag vor Weihnachten meine Geige, die sie von der ungarischen Stasi bekommen haben, ein letztes Mal vorlegte, mit der lakonischen Bemerkung, sie würde zu den Beweismitteln gegeben.

Ich weiß nicht, ob ich das Gesicht dieses Vernehmers, dieses jämmerlichen Handlangers des Regimes, wiedererkennen würde, wenn ich ihm auf der Straße begegne. Obwohl er mich so gepeinigt hat. Als ich schließlich zugegeben hatte, dass wir fliehen wollten, bot er mir eine Tasse Kaffee an. Ich habe sie ihm nicht ins Gesicht geschüttet, sondern trank davon. Und kam mir selber jämmerlich vor. Ich wollte nicht in den verschärften Arrest kommen. Das alltägliche Eingesperrtsein war schon unerträglich genug.

Die Vernehmungen dauern immer den ganzen Vormittag. Irgendwann bin ich sogar froh, wenn ich aus der engen Zelle herausgeführt werde, weil ich dann wenigstens ein Fenster mit Tageslicht sehen und einen schnellen Blick auf das Grün eines Baumwipfels erhaschen kann. Das Essen wird durch die Klappe geschoben. Es ist ganz passabel. Allmählich finde ich mich auch mit dem Gedanken ab, dass ich essen muss, um bei Kräften zu bleiben. Die kleinen Genüsse werden es in Zukunft sein, die Extras, die man schätzen lernt.

Wieder öffnet sich die Zellentür. »Komm' Se.« Treppauf, treppab, dann plötzlich – mir wird ganz schwindlig von der plötzlich auf mich einströmenden Spätsommerluft – eine Tür ins »Freie«. Vor mir eine schmale Schlucht aus grauen, hohen Steinwänden, darüber ein Netz aus Maschendraht. Ich muss vorausgehen, wieder wird eine Tür geöffnet und hinter mir sorgfältig verriegelt. Ich befinde mich nun in einem schlauchartigen Geviert, die steinernen Wände scheinen auf mich herabzustürzen, über mir der blaue Himmel, zerschnitten durch das Maschengitter. Ich höre schwere Tritte und sehe über meinem Kopf Stiefel auf- und abgehen – ein patrouillierender Wachposten. Er kontrolliert diese Freihofzellen, in denen die Gefangenen herumlaufen sollen. Zwölf Schritte hin, drei her, immer im Kreis. Mir fällt das Rilke-Gedicht über den Panter im Jardin des Plantes ein: »Sein Blick ist vom Vorübergehen der Stäbe so müd' geworden, dass er nichts mehr hält. Ihm ist, als ob es tausend Stäbe gebe und hinter tausend Stäben keine Welt …« Und so fühle ich mich in diesem »Raubtierkäfig«. Ich will schreien, aber wieder bleibt mir der Schrei in der Kehle stecken.

Zum ersten Mal denke ich, dass das alles zu viel für mich ist, dass es meine Kräfte übersteigt. Ich schaue in den blauen Himmel und mich überkommt eine abgrundtiefe Verzweiflung. Ich überlege, ob es möglich ist, einfach die Luft anzuhalten und durch Nicht-mehr-Atmen diesem Zustand zu entkommen. Ob ich die Kraft habe, mich aufzulösen, dem Hier und Jetzt zu entfliehen. Wenn ich ein Yogi wäre, der sich selbst transformieren kann … Ich spüre, wie mein Blut in den Adern stockt bei der Vorstellung, dass ich nie wieder hier herauskomme. Ich will nicht mehr weiterleben. Plötzlich überkommt mich dieser verzweifelte Gedanke. Gespenstisch still ist alles um mich herum, durch die hohen Mauern ist selbst der Autolärm gedämpft. Ich bleibe stehen und lausche angestrengt, ob ich nicht doch ein Geräusch erhaschen kann. Sofort werde ich angeschnauzt: »Weiter gehen!« Plötzlich zerreißt ein Glockenläuten die Stille. Ich möchte weinen, doch keine Träne kommt aus meinen Augen. Ich werde so starr wie die Mauern um mich herum.

Bald werde ich zurückgeführt in die Zelle. Nachdem ich erstmals wieder frische Luft geatmet habe, wird es mir noch schwerer, die Luft- und Lichtlosigkeit der Zelle zu ertragen. Also werde ich auch den »Freigang« schätzen lernen müssen, den hohen Himmel draußen, auch wenn er hinter Maschendraht liegt. Ich komme mir vor wie diese Wüstenpflanze, die Rose von Jericho, die sich bei Wassermangel ganz klein und unscheinbar zusammenrollt und vom Wüstenwind weitergetragen wird, bis ihre Wurzeln etwas zum Überleben finden. Sie reduziert ihre Existenz aufs nackte Überleben, bis sie dorthin geweht wird, wo sie neu ergrünen kann. So wird bald meine Überlebensstrategie aussehen. Jedes kleine Erlebnis der ersten Tage in Haft birgt ein Körnchen dieser Erkenntnis in sich.

Gerade beginne ich, mich etwas zu orientieren, da werde ich wieder in einen dieser Transporter gesteckt und durch die für mich unsichtbaren Straßen Berlins gefahren. Erneut die Angst: wohin? Diese Geräusche von rollenden Eisentoren und Kommandorufe, bis sich die Autotür öffnet und ich zu einem Eingang geführt werde. Ein dunkler Gang, eine Eisentür – wieder stehe ich allein in einer Zelle. Sie ist ähnlich karg ausgestattet wie die vorige, nur sieht man am alten Ölanstrich der Wände, an den engen hochgeklappten Betten, dem abgenutzten Waschbecken, dass hier schon Generationen von Gefangenen gesessen haben. Ich setze mich auf den Hocker und versuche, meine Unruhe zu beherrschen, mich auf die Realität einzustellen und die neue Umgebung als meine zukünftige Behausung zu akzeptieren.

Plötzlich ein klopfendes Geräusch neben mir. Jemand versucht, mir ein Lebenszeichen zu schicken. Es klopft mehrmals schnell hintereinander, dann Pause, dann beginnt das schnelle Klopfen wieder. Was soll das bedeuten? Ich klopfe zurück, einfach drauflos in meiner Euphorie, dass es da jemand Lebendigen neben mir gibt. Wieder eine Antwort – aber welches System steckt dahinter? Ich begreife, dass es ein System geben muss, nur verstehe ich es nicht. Plötzlich draußen auf dem Gang das laute Geräusch einer sich aufschiebenden Klappe, dann scharfe, befehlende Stimmen. Stille. Der Wachposten hat offensichtlich geschimpft, und ich ahne, dass es etwas mit dem Klopfen zu tun hat. Zaghaft versuche ich den Kontakt wieder aufzunehmen, es kommt keine Antwort mehr. Aber es ist ein Trost, dass es neben mir auch eine leidende Seele gibt. Denn die Einsamkeit macht mir allmählich zu schaffen.

Meine Gedanken drehen sich im Kreis, die Verhöre wirken nach. Ich will mich nicht brechen lassen, aber ich weiß nicht, was die Zukunft bringt, wie es meinen Eltern geht, was die Freunde denken, ob meine Geige in Sicherheit ist. Dann das Grübeln, wie ich am klügsten in den Vernehmungen reagiere, wie ich Dinge verschweigen kann, von denen ich weiß, dass sie andere gefährden könnten, wie ich mich so harmlos wie möglich gebe, damit das Strafmaß nicht gar zu hoch ausfällt.

Der nächste Tag bringt wieder Vernehmungen, und ich

muss immer mehr Boden preisgeben. Zu ungleich ist der Kampf. Diese Erkenntnis deprimiert mich zutiefst. Die Tatsache, allein und ausgeliefert zu sein, zermürbt mich. Das ist wohl auch beabsichtigt. Der Vernehmer appelliert sogar an mich, meine Schuld zu bekennen und nach verbüßter Strafe wieder in meine Heimat zurückzugehen. Doch da erwacht in mir neue Kraft. »Niemals! Niemals werde ich das tun!«, schleudere ich ihm ins Gesicht. Er reicht mir eine dreiseitige Liste mit Namen, alles Rechtsanwälte, ich solle mir einen Verteidiger heraussuchen. Ratlos blicke ich auf die Blätter. Welchen von den vielen Unbekannten soll ich benennen? Ich sehe den Vernehmer an, sein Blick ist undurchdringlich. Wie soll ich ahnen, dass es den Rechtsanwalt Wolfgang Vogel gibt, der die Gefangenen vertritt, die in den Westen wollen? Noch nie habe ich von ihm gehört. Wir wohnten doch in Dresden, im »Tal der Ahnungslosen«, wo kein Westfernsehen empfangen werden konnte. Er hütet sich, mir einen Tipp zu geben. Ich deute auf irgendeinen Namen, den ich gleich wieder vergesse. Der Vernehmer hat mir ohnehin gesagt, dass ein Besuch eines Verteidigers erst zu erwarten sei, wenn der Stand der Ermittlungen es zulasse. Dass das noch dreieinhalb Monate dauern wird, kann ich in diesem Moment natürlich nicht wissen.

Mit keinem kann ich darüber sprechen, was richtig und falsch ist. Naiv und wehrlos bin ich den Befragungen des Vernehmers ausgeliefert. Er ist geschult, jede kleine Unsicherheit, jede Unaufmerksamkeit auszunutzen und sofort nachzuhaken, um »dem Ziel der Ermittlungen« näherzukommen, das heißt, alle Verbindungen aufzudecken, Hintermänner und Mitwisser herauszufinden, meinen Bekanntenkreis auf potenzielle Dissidenten zu durchforsten. Ich weiß das und verstricke mich immer tiefer in das spinnwebartige Netz seiner Fragestellungen. Und ich weiß, dass es den anderen genauso ergeht, jedem in einem anderen Zusammenhang. Der Gedanke macht mich schier verrückt.

Ich bin an einem jämmerlichen Punkt angekommen, wahrscheinlich genau da, wo der Vernehmer mich haben wollte,

denn wie durch ein Wunder werde ich wieder verlegt, diesmal in eine Dreierzelle. Zwei junge Frauen schauen mich
an, als ich eintrete. Die eine hat eine kräftige Statur und ein
ziemlich grobes Gesicht, die andere ist ein Punkmädchen
von höchstens 18 Jahren, zierlich und trotz ihrer Frisur bild-
hübsch. Ihre großen dunklen Augen blicken fragend, spitz-
bübisch, neugierig. Dieses junge Mädchen wird ein großer
Glücksfall für mich sein in der nächsten Zeit. Ich nenne sie
»Schnüselchen« – wegen ihres Haarschwänzchens im Nacken bei sonst fast kahlem Schädel. Mit ihr werde ich entdecken, dass ich noch lachen kann, dass in mir genug Mut
steckt, um die strengen Vorschriften immer wieder zu umgehen. Das belebt meine Widerstandskraft und erinnert mich
an meine Zukunftsidee.

Durch Schnüselchens kleine »Frechheiten« stelle ich bei-
nah verwundert fest, dass ich ja auch noch jung bin. Irgendwie hatte ich das während meiner strengen Erziehung und
der disziplinierten Ausbildung vergessen. Ich hatte eigentlich nie über die Stränge geschlagen. Zu viel Verantwortung
lag auf mir. Mutter war zuletzt Internatsleiterin, sie arbeitete im Schichtdienst, die Wochenenden eingeschlossen. Als
meine große Schwester ausgezogen war, wurde es weitgehend meine Aufgabe, den Haushalt zu erledigen, einzukau-
fen, die Wäsche zur Wäscherei zu bringen, zu kochen und
außerdem natürlich meine schulischen Aufgaben zu erledigen – und zu üben. Da blieb keine Zeit zum Herumziehen
oder für jugendliche Vergnügungen. Meine Schulfreunde
und späteren Studienkollegen übten alle fleißig ihre Inst-
rumente; sie wohnten verstreut in der Stadt. Ich hatte eine
sehr gute Freundin, die in Radebeul in einem verwunsche-
nen alten Haus wohnte. Bei ihr war alles anders als bei uns
zu Hause. Dort spürte ich, dass es im Leben noch anderes
gibt als Pflicht und Disziplin.

Aber erst durch Schnüselchen in der Untersuchungshaft
in Berlin bekomme ich eine Ahnung davon, dass man sich
auch widersetzen kann, dass man ein Recht hat, die eigene Lebensform zu suchen, nach den Bindungen zu streben,
die einem Mut und Selbstbewusstsein geben und andere

Bindungen ebenso mutig zu kappen. Schnüsel mit ihren 18 Jahren hatte so viel mehr ausprobiert als ich, sie hatte sich Menschen angeschlossen, die »Nein« sagen wollten. Sie hatte Lieder gesungen gegen das herrschende politische System, gegen die menschliche Engstirnigkeit. Sie hatte in Kauf genommen, dass sie schließlich wegen »staatsfeindlicher Hetze« zu einer Haftstrafe verurteilt wurde, die sie dann auch mit mir gemeinsam in Hoheneck absaß. Aber im Unterschied zu mir wollte sie gar nicht in den Westen – obwohl man solche wie sie liebend gern abgeschoben hätte. Sie wollte in ihrer Heimat etwas verändern, die Leute wach rütteln, auf die Missstände aufmerksam machen.

Nun rüttelte sie mich wach. Es war für mich, als ob sich ein Fenster öffnete, durch das frische Luft hereinströmen kann – und das in der stickigen Zelle. Durch sie erfahre ich endlich, dass ich hier in Pankow in U-Haft sitze. Schnüsel hatte in der Nähe gewohnt, sie kennt die Glocken der Kirche, die regelmäßig läuten, sie kennt die Mauern dieses schrecklichen Ortes von außen, auch wenn ihr die Bestimmung dieses Komplexes nie ganz klar war. Pankow! Ausgerechnet dieser Name hat plötzlich etwas Tröstendes. Ich bin wenigstens nicht im Niemandsland. Um uns herum wohnen »normale« Menschen, die ihren täglichen Aufgaben nachgehen.

Mit Schnüsel werde ich basteln, aus allem, was uns zur Verfügung steht – Klopapier, Verpackungsreste von Süßigkeiten, Zahnpasta … Ein winzig kleines Bildchen werde ich auf einem Streifen aus Kaugummi-Papier zusammenkleben: Es ist ein Weihnachtsmann mit einem Schlitten voller Geschenke vor einem Häuschen. Winzige Schnipsel bunter Verpackungen habe ich mit den Fingern gerissen und mit Zahnpasta aufgeklebt. Trotz aller Kontrollen wird es mir gelingen, dieses Bildchen meiner Mutter beim nächsten »Sprecher« in die Hand zu drücken. Als es der Vernehmer merkt, ist es schon zu spät. Mutti hält das Bild in Händen. Zwar kontrolliert er es genau, wagt aber dann doch nicht, es ihr wegzunehmen. Ich habe mich widersetzt, indem ich verbotene Dinge tue, und nehme die Bestrafung lächelnd hin.

Wir lernen auch zusammen Französisch, nachdem bei einem Büchertausch ein Lehrbuch bei uns gelandet ist. Pro Woche werden drei Bücher wahllos zur Klappe hereingeschoben. Leider muss ich das Buch dann wieder zurückgeben, aber inzwischen hat man Schnüsel schon von mir getrennt. Wir haben uns einfach zu gut verstanden, zu viel miteinander gelacht und die Schließer geärgert. Das ist natürlich nicht im Sinne der »Strafe«. So wird nach viel zu kurzer Zeit Schnüsel aus der Zelle geholt und kommt nicht zurück. Sie ruft mich dann abends – auch wieder trotz strengstem Verbot. In der Freihofzelle hören wir uns manchmal auch und werfen uns sogar Bonbons über die Mauer zu, werden aber dabei erwischt. Das bringt mir eine sogenannte »Einkaufsreduzierung« ein. Das heißt, ich kann von dem Geld, das meine Eltern für mich hinterlegt haben – ich glaube, es waren 50 Mark –, keine Süßigkeiten und keinen Kaffee mehr bestellen. Sei's drum, sage ich mir.

Wie langsam vergeht so ein 24-Stunden-Tag, wie viel länger dauert eine Minute, wenn man abgeschnitten ist von der Welt, wie schleicht der Vormittag dahin, wenn wir nicht zum Vernehmer geholt werden, wie lange dauert ein Nachmittag. Eine »Kaffeepause« gliedert immerhin das Warten. Und Lesen hilft auch. Wir teilen uns die Lektüre ein, damit sie eine Woche reicht. Welch ein Glück, als Thomas Manns ›Zauberberg‹ in meiner Zelle auftaucht – 1014 Seiten. Jeden Satz werde ich genüsslich zwei bis drei Mal lesen. Solange Schnüsel da ist, lesen wir uns auch gegenseitig vor.

Die Dritte in unserer Zelle sitzt wegen eines kriminellen Deliktes. Sie hat auf dem Postamt gearbeitet und aus den Westbriefen durch Aufdampfen der Kuverts Geld entwendet. In der Stasi-U-Haft ist sie gelandet, weil es sich ja um Westgeld handelte. Wenn man in der Einzelhaft war und in eine Gemeinschaftszelle kommt, redet man erst einmal, wird womöglich leichtsinnig und erwähnt Dinge, die man eigentlich besser nicht erwähnen sollte. Natürlich haben wir nach den Verhören über das Erlebte miteinander gesprochen, obwohl wir vermuteten, dass wir abgehört wurden, oder jedenfalls das Gefühl nicht loswurden, dass das andere Mädchen uns sehr aufmerksam zuhörte. Auch dieses Mädchen treffe ich in Hoheneck wieder.

Als Musikstudentin hatte ich auf einer Art Insel gelebt. Nun werde ich »ins wahre Leben geworfen«. Menschen aus allen Schichten werden mir begegnen, auch solche, die schon mehrmals im Gefängnis saßen und immer wieder »einfahren« würden, weil sie sich dort sicherer und geborgener fühlen als draußen unter den misstrauischen Blicken der Leute, die Vorbestrafte von vornherein diskriminierend behandeln. Unter ihresgleichen fühlen sie sich wohler. Sie sind versorgt, sie sind in Strukturen eingebunden, die ihnen Halt geben und in denen sie sich im Gegensatz zu »draußen« akzeptiert fühlen. Für sie sind wir »Politischen« naturgemäß ein rotes Tuch, mit unserem Anspruch, »unschuldig« eingesperrt zu sein. Wir bringen Unruhe in ihre Welt. Deswegen werden wir, die »RF-ler« (Republikflüchtlinge), von ihnen schikaniert. Sie werden unterstützt von den »Erzieherinnen«, deren Aufgabe es ist, uns nie vergessen zu lassen, dass wir Verbrecher sind. Aber ich muss mich arrangieren. Ich muss mit allen Frauen, mit denen ich in den 16 Monaten eingesperrt sein werde, irgendwie auskommen. Wertungen gelten nicht, es geht um Toleranz und um den Schutz der eigenen Privatsphäre. Wie aber will man sich schützen, wenn man voreinander die Toilette benutzt, sich beim Waschen nackt auszieht, im Schlaf schnarcht und redet?

In dem neuen Zusammenleben in der Dreierzelle lerne ich noch zwei wichtige Dinge. Das Erste ist, endlich die Klopfsignale aus der Nachbarzelle zu verstehen und sie beantworten zu können. Dadurch »höre« ich von Rechtsanwalt Dr. Vogel. Nebenan sitzt eine Frau, die auch Republikflucht versucht hat. Sie sagt, dass Vogel den Gefangenenfreikauf organisiert. Glücklicherweise erfahre ich noch rechtzeitig davon, um ihn um seine Unterstützung zu bitten. Beim nächsten Verhör sage ich also, dass ich lieber Rechtsanwalt Vogel mit meiner Verteidigung betrauen will. Der Vernehmer schaut mich durchdringend an. Weiß er, aus welcher Quelle ich von

dieser Möglichkeit des Freikaufs erfuhr? Ist ihm die »Klop-
ferei« bekannt?

Die Wachposten sind natürlich scharf darauf, uns dabei
zu erwischen. Die Klappe fliegt auf und wir werden ange-
fahren, was uns aber nicht daran hindert, nach einer Pause des Lauschens wieder zu beginnen. Ich bin so froh über
diesen Kommunikations- und Informationszuwachs, auch
wenn man dafür wunde Knöchel in Kauf nehmen muss. Es
ist auch eine Art Spiel. Manchmal vertreibt man sich einfach die Zeit damit. Und noch etwas spielt man – das ist das
Zweite, was ich perfekt lerne – Halma. Es gibt sowohl ein
Halma als auch ein Schachspiel in der Zelle. Auch Schachspielen werde ich – mit meiner Zellengefährtin. Aber man
kann nur gut spielen, wenn der Gegner auch dazu bereit ist.
Bald verliert sie die Lust. Also bleibt uns Halma – es ist mit
weniger Nachdenken verbunden. Stundenlang sitzen wir
vor dem Brett. Beim Spiel herrscht auch sehr viel körperliche Nähe. Nach Schnüsels Weggehen merke ich, wie schwer
mir dies mit dem anderen Mädchen fällt.

Es kam auch wieder eine Neue in die Zelle. Sie war völlig verstört bei ihrem Eintreffen. Durch die Aufregung verstärkte sich ihr Sprachfehler. Sie stammte aus Dresden. An
einem Samstag war sie zu ihrem Frisör gegangen, der sein
Geschäft in der Nähe des »Rundkinos« auf der Pragerstraße
hatte. Dort versammelten sich an jenem Samstag schwei-
gend Menschen, die bekunden wollten, dass sie die Ausreise
in den Westen offiziell beantragt hatten und auf die Bearbeitung der Anträge warteten. Da sie von dem Augenblick an,
als sie ihre Absicht kundgetan hatten, diskriminiert wurden,
meist auch ihre Arbeit verloren und dann noch lange Zeit
auf die Bewilligung ihrer Anträge warten mussten, unter-
nahmen einige von ihnen den Versuch, auf sich aufmerksam
zu machen. Zum Beispiel mit solch einem schweigenden
Zusammentreffen. Das wurde aber als »Zusammenrottung«
betrachtet und von den stets präsenten »Ordnungshütern«
unterbunden. Ein Lastwagen fuhr vor, alle in der Nähe Stehenden wurden wahllos darauf gestoßen und zur Staatssicherheit abtransportiert. Dort wurden die Personalien über-

prüft und die Ausreisewilligen sofort inhaftiert. Da unsere neue Zellengenossin sich zum Zeitpunkt dieser Verhaftung genau vor dem Rundkino befunden hatte, wurde sie auch mit eingesperrt. Sie hatte zwar nicht an dem Treffen teilgenommen, aber im Zuge der Familienzusammenführung den Antrag auf Ausreise aus der DDR gestellt. Sie wird verurteilt und muss von einem Jahr und vier Monaten Haftstrafe immerhin sieben Monate absitzen.

Diese Frau bekam über ihre Westverwandten Kiwis mitgebracht, die sie in der Zelle verzehren durfte. Das war das erste Mal, dass ich von dieser Frucht kostete, und ich war der Spenderin sehr dankbar, dass sie diese Köstlichkeit mit uns teilte. Sie war eine freundliche Seele, obwohl sie sehr verzweifelt war wegen ihrer Verhaftung und kaum über etwas anderes als das Schicksal ihrer Kinder sprechen konnte.

Ich bin froh, als ich ein weiteres Mal verlegt werde. Diesmal wieder in eine Zweierzelle. In Zukunft würde es also heißen: »Rechts, komm' Se« oder »Links, komm' Se«, je nachdem, auf welcher Pritsche man »wohnt«. Namen haben wir schon lange keine mehr. Als ich in die Zelle komme, bin ich zunächst allein. Ich sitze auf dem Hocker und lese, da geht die Zellentür auf und eine kleine, drahtige und attraktive Frau kommt herein, hocherhobenen Hauptes. Aber ich sehe ihre Angst und ihre Fassungslosigkeit, als sie sich umsieht und ihr klar wird, dass diese Zelle nun für einige Zeit ein erzwungener Daueraufenthaltsort sein wird. Sie schaut mich an, lässt sich aufs Bett fallen und bricht in Tränen aus. Die Erschöpfung und tagelange Anspannung braucht ein Ventil. Kaum hat sich die Zellentür geschlossen, sind Mut und Durchhaltewillen erst einmal dahin. Die menschliche Vorstellungskraft reicht nicht so weit, dass man sich eine solche Realität wirklich gefühlsmäßig ausmalen kann, bevor man sie nicht am eigenen Leibe erfährt. Was es heißt, eingesperrt zu werden, begreift man erst, wenn sich die Zellentür hinter einem schließt. Dann kommt die Panik. Es gibt kein Entrinnen mehr. Bevor die alte Entschlossenheit wiederkehrt, muss man Ohnmacht und Verzweiflung durchleben.

Ich warte, bis sie wieder auftaucht, dann spreche ich sie an. Nachdem sie mich kurz gemustert hat, nennt sie mir ihren Namen und beginnt zu erzählen. Für wie viel weniger als eine selbstmörderische Republikflucht man schon eingesperrt wurde! Gudrun ist gerade 40 geworden. Sie hat zwei Kinder, Mädchen im Alter von zwölf und vierzehn Jahren (Wie traurig und verlassen sich heute meine Kinder fühlen würden, wenn ich für so lange Zeit fort und noch dazu hinter Gittern wäre!). Sie lebt getrennt vom Vater ihrer Kinder und hat sich in einen Mann aus Westberlin verliebt. Sie konnten sich nur tageweise in Ostberlin treffen. So stellte Gudrun offiziell den Antrag auf Ausreise aus der DDR, zwecks »Familienzusammenführung«, wie es genannt wurde. Wie in unzähligen anderen Fällen wurde dieser Antrag nicht bearbeitet, alle Anfragen wurden mit zynischen Bemerkungen abgewiesen. Irgendwann beschloss sie, etwas zu unternehmen. Mit dem Mut der Verzweiflung stellte sie sich auf den Alexanderplatz, mitten im Herzen von Berlin, schwarz gekleidet und mit einem zehn Zentimeter großen roten A auf der Brust. Das reichte, um den überall gegenwärtigen Polizisten, den »Abschnittsbevollmächtigten«, auf den Plan zu rufen. Er forderte Gudrun auf, sich zu entfernen, weil sie ein »öffentliches Ärgernis« darstelle. Sie hatte weder ein Plakat noch ein Spruchband bei sich, sie hatte sich nicht einmal geäußert. Allein der für DDR-Bürger sofort verständliche Hinweis auf »Ausreisewilligkeit« durch das kleine A genügte als Tatbestand. Sie weigerte sich, klein beizugeben und wegzugehen. So wurde sie aufs Polizeirevier mitgenommen und, nachdem sie dort ihren Ausreisewillen unmissverständlich kundgetan hatte, zur Stasi überführt und in Untersuchungshaft genommen.

Im Grunde, das wird mir nach und nach klar, hatte ich über die politischen Praktiken in meinem Vaterland überhaupt nichts gewusst. Erst allmählich erwacht ein politisches Bewusstsein in mir, ich erkenne, was für ein Regime dort wirklich herrscht. Die Gespräche mit Gudrun helfen mir, noch vieles mehr zu erfahren und zu begreifen. Sie ist aufgewachsen mit der Spaltung ihrer Heimatstadt Berlin, sie ist besser informiert, insbesondere durch die westlichen Medien. Sie ist ja auch fast doppelt so alt wie ich.

Die dreieinhalb Monate, in denen wir jede Minute des Tages und der Nacht – außer der Zeit bei den Vernehmungen – zusammen verbringen, sind eine wichtige Zeit für mich. Sie ist eine gute, lebhafte Erzählerin, hat Humor. Ihr Leben, das sich allmählich vor mir ausbreitet, hat sie bisher kompromisslos durchgestanden, alleinerziehend mit zwei Mädchen, berufstätig als Werbegrafikerin, anspruchsvoll trotz ihrer bescheidenen Mittel. Ebenso kompromisslos wird sie sich später, nach ihrer Freilassung in den Westen, wieder von ihrem Traummann trennen.

Sie kommt eines Tages aufgeregt vom Vernehmer zurück. Es geht um einen alten Freund von ihr. Er ist verschwunden und sie wurde befragt, ob sie etwas von seinem Aufenthaltsort wisse. Eine bange Ahnung erfüllt sie, gepaart mit unbändiger Hoffnung, es möge »geklappt« haben. Der Freund hatte seit einem Jahr wie ein Verrückter trainiert, und zwar Dauerschwimmen. Er wollte auch »abhauen«, durch die Ostsee nach Dänemark schwimmen. Gudrun wusste, dass er sich einen Neoprenanzug besorgt und die Flucht schon lange geplant hatte. Nun war er also verschwunden. In den nächsten Tagen wird Gudrun von ihrem Vernehmer bei den Befragungen durch ein Wechselbad von Hoffnung und Enttäuschung geschleift, bis er ihr schadenfroh grinsend die Mitteilung macht, dass der Freund ertrunken oder erfroren ist. Es war im Monat November. Erschüttert sitzen wir beide in der Zelle und versuchen uns vorzustellen, was geschehen ist. Ein Mensch begibt sich in ein tödliches Abenteuer, um in die Freiheit zu entfliehen. Er bezahlt seine Sehnsucht mit dem Leben.

Mir wird immer mehr bewusst, welches Risiko auch wir auf uns genommen hatten, wie naiv wir gewesen waren, wie unwissend. Alles nur um einer Idee willen, in der vagen Hoffnung auf ein freieres Leben. Wenn das nun alles nur Einbildung war, wenn unsere Hoffnungen sich in Nichts auflösten, falls wir überhaupt jemals im Westen ankommen sollten.

Diese Angst schnürt mir manchmal die Kehle zu. Mein Vernehmer nutzt jede Gelegenheit, um meine Unsicherheit zu verstärken. Als ob er meine Zweifel durchschaute, malt er mir lebhaft eine Zukunft unter einem Brückenbogen aus. Er meint, wer warte schon auf mich, eine kleine Geigerin aus dem Osten? Es gebe im Westen so viele Arbeitslose, und da meinte ich, ich käme einfach so daher und würde eine Stelle finden. Das trifft mich hart, erst recht, als ich weiß, dass meine Geige verloren ist. Denn womit will ich Geld verdienen, wenn ich kein Instrument habe, wovon ein neues Instrument kaufen? Damit wollten sie mir das Rückgrat brechen.

Mit Gudrun habe ich eine echte Partnerin an meiner Seite. Sie ist ganz anders als ich, kommt aus einer anderen »Ecke«, hat eine typische »Berliner Schnauze«, ist aufrecht und warmherzig, kann aber auch Distanz halten – eine Fähigkeit, die mir bis dahin fehlt. Ich muss ein Stück erwachsener werden, das merke ich immer mehr. Weltfremdheit und die Bereitschaft, in allem erst einmal das Gute zu sehen, sind hier nicht angebracht. Die Haftzeit lehrt mich, misstrauisch zu werden. Trotzdem gelingt es mir manchmal auch, durch Offenheit und Menschlichkeit zu entwaffnen. Es gibt kein Netz. Wenn man stürzt, fällt man hart. Das bleibt auch mir nicht erspart. Vor allem später im Strafvollzug.

Zunächst gilt es allerdings den Kampf gegen die Zeit zu gewinnen, das heißt die endlos langen Stunden des Wartens zu ertragen. Wir versuchen sogar, in der winzigen Zelle Gymnastik zu treiben, um nicht ganz zu »verrosten«. Am wichtigsten wird mir aber der »Denk- und Memoriersport«. Meiner Mutter gelingt es, mir eine Partitur vom Brahms'schen Violinkonzert und Bachs Sonaten und Partiten zu übergeben, und so vertiefe ich mich in die Noten. Als ich die erste Seite von Brahms aufschlage und mir das Thema entgegenklingt, gerate ich in eine Achterbahn von Gefühlen. Wenn ich mir das Hornthema vorstelle und dann die Kraft der einsetzenden Solo-Violine! Dieses Konzert habe ich noch nie gespielt, und ich nehme mir vor, hier den Solopart auswendig zu lernen. Eine einmalige Chance – ohne die Versuchung, ein Ins-

trument in die Hand zu nehmen – den Notentext im Innern
zum Klingen zu bringen und mir Fingersätze und Striche
auszudenken, die ich nicht praktisch ausprobieren kann. Als
ich eineinhalb Jahre später das Konzert wirklich studiere, ist
das eine großartige Erfahrung. Manches geht wie von selbst,
anderes muss ich praktisch neu lösen. Aber die Intensität
der musikalischen Vorstellungskraft ist gewaltig für mich.
Auch Bachs Solosonaten klingen mit diesem verinnerlich-
ten Hören ganz anders.

Kurz vor Weihnachten, irgendwann im Dezember, werden
wir wieder verlegt. Zunächst bleibt uns unser neuer »Aufenthaltsort« unbekannt, aber irgendwann sickert es selbst
durch die Betonwände bis zu uns: Wir sind in Hohenschönhausen gelandet, im Stasihauptquartier. Dort ist alles perfekt organisiert, alles riecht noch frisch gestrichen, offensichtlich hat ein Umbau stattgefunden. Hier dringt kein
Geräusch durch die Mauern, es gibt keine Möglichkeit zum
Klopfen oder Rufen, in den Freihofzellen weht ein eisiger
Wind. Die Mienen der Wärter sind noch unnahbarer, alles
ist sauber und untadelig. Man kann sich nicht das kleinste
Stückchen persönlichen Raum schaffen. Die braunen Holz-
pritschen sind hart – dagegen waren die »Kindersärge« genannten Klappbetten trotz ihrer schmalen Matratzen fast
komfortabel. Natürlich gibt es auch kein Kopfkissen, mein
Trainingsanzug muss als Ersatz dienen – der Hintern ist ja
schon an die harten Holzhocker gewöhnt.
   Wir sind wieder in einer Dreierzelle. Diesmal kommt eine
ältere Frau zu uns. Sie hat einen jüngeren Freund, ist Gold-
schmiedin, hat eine eigene Werkstatt und scheint jemandem
auf den Leim gegangen zu sein, der sie in den Westen locken
wollte. Vermutlich ist sie einem Betrüger zum Opfer gefallen.
Auf jeden Fall ist sie nun hier und kommt mit der Situation
überhaupt nicht zurecht. Manchmal wird mir richtig bange, ich habe Sorge, dass sie durchdreht. An diesem Ort hat
das Jammern verheerende Auswirkungen auf alle Insassen
einer Zelle. Und wir können ihr nicht helfen. Irgendwann
wird sie verlegt und wir atmen erleichtert auf.

Es gibt noch einen Sprecher mit meinen Eltern, das geschmuggelte Bildchen und dann, einen Tag vor Weihnachten – meine Geige! Ich komme zum Vernehmer und bleibe erschrocken stehen. Der Anblick trifft mich völlig unvorbereitet. Da liegt sie, meine geliebte Geige. Dunkel glänzt der Lack, der Anblick der geschwungenen f-Löcher ist so schmerzhaft vertraut. Ich zupfe mit den Fingern über die Saiten … Ein Blick auf den Vernehmer, und mir wird klar, was er mir verkünden wird. Höhnisch und triumphierend schaut er mich an. Ich sehe meine Geige zum letzten Mal.

Ich bin zurück in der Zelle, und die ganze Welt schwankt vor meinen Augen. Verloren, ich habe verloren, dröhnt es in meinem Hirn. Gudrun hat alle Hände voll zu tun, mich wieder aufzurichten. Ich muss mich damit abfinden. Ich muss mit der Gewissheit fertig werden, dass meine Geige für mich verloren ist. Aber ich lebe, und ich werde es auch ohne sie schaffen. Mit zusammengebissenen Zähnen beschließen wir, unser Weihnachten trotzdem zu feiern. Im Herzen wenigstens, und indem wir uns Nähe geben. Mutter hat tatsächlich einen kleinen geschnitzten Engel für mich abgegeben, und wie ein Wunder steht er auf unserem Tisch. Sogar ein Stück Stollen gibt es. Aber er will uns nicht recht schmecken. Mit Tränen in den Augen denken wir an unsere Familien, an die Lieben.

Es passiert nicht mehr viel im Gefäng-

Die Geige mit Zubehör wurde von der Beschuldigten in Realisierung des versuchten ungesetzlichen Verlassens der DDR nach Budapest ausgelagert und dort dem ungarischen Staatsbürger … mit dem Auftrag übergeben, das Instrument in die BRD zu verbringen. Aus diesem Grund dient das vorgenannte durch die ungarischen Strafverfolgungsorgane sichergestellte und an das Untersuchungsorgan übergebene Instrument einschließlich Zubehör als Beweismittel und wird beschlagnahmt.

*Aus dem Protokoll des Ministeriums für Staatssicherheit »über die Durchsicht und Einschätzung der Bedeutung der im Vorgang Irmgard Ebert beschlagnahmten und anderer vorliegenden Gegenstände und Unterlagen« vom 23.12.1983*

nisalltag. Alles scheint gesagt zu sein. Die Geige ist gefunden und verloren. Jetzt beginnt eine Zeit der Schlaflosigkeit. Ich warte auf den Prozess. Die Vorstellung des Strafvollzugs wird immer mächtiger. Die Kraft der Geduld scheint aufgebraucht; kein Lesen, kein Üben will mehr helfen. Die Gespräche mit Gudrun verstummen, es ist alles besprochen. Man kann sich nicht monatelang pausenlos etwas erzählen. Irgendwann stellt sich Erschöpfung, ja fast Überdruss ein. Obwohl man sich eigentlich sehr mag, geht man sich auf die Nerven – die Art, wie die andere isst, sich kratzt … Ständig quält mich die Frage, was auf mich zukommt. Entlassen sie mich zurück in die DDR – dann ist mein Leben zerstört. Komme ich in den Westen, erwartet mich ein Berg von Unbekanntem. Werde ich den Strafvollzug durchhalten? Werden mich die Kriminellen nicht fertigmachen?

Am 11. Januar wird die Zellentür aufgeschlossen. Wieder werde ich zu endlosem Warten in eine leere Zelle eingesperrt. Ich werde durchsucht. Dann muss ich die Treppen hinab und in einen Transporter steigen, diesmal in einen viel größeren. Ich bin fast erleichtert, dass endlich etwas geschieht. Im Tee, den ich vorher zu trinken bekommen hatte, waren vermutlich Beruhigungsmittel. Ich sitze in meinem Kabuff, und während das Fahrzeug über die DDR-Straßen holpert, döse ich immer wieder weg. Ich bemühe mich, zu erraten, wo man uns hinbringt, aber es ist unmöglich, bei diesem Gerüttel etwas auszumachen. Irgendwann spüre ich dann das für unsere Autobahnen so typische gleichmäßige Wummern. Inzwischen ist es mir egal, wohin man mich karrt, ich bin nur froh, als das Auto schließlich hält und ich meine eingeschlafenen Beine allmählich wieder spüre und ein paar Schritte laufen kann – in den nächsten Gefängnishof hinein.

Wieder graue Mauern, Eisengitter, eine kahle Zelle. Wie düster sie ist! Kalt und schmuddelig. In dieser Zelle wache ich am nächsten Morgen aus einem von Albträumen zerrissenen Schlaf auf und verbringe allein meinen Geburtstag. Nichts gibt es um mich herum, das auch nur ein Fünkchen

Wärme oder Nähe hätte erzeugen können. Alles fühlt sich fremd an, und keiner ist da, der ein Wort mit mir spricht. Der Tag vergeht, der Himmel über dem Freihof ist grau und kalt. Noch immer weiß ich nicht, wo ich bin.

Am nächsten Tag werde ich in einen anderen Trakt zu einem Rechtsanwalt geführt. Er stellt sich als Stellvertreter von Rechtsanwalt Vogel vor und informiert mich, dass ich in Dresden bin und zwar in der Bautzener Straße und dass hier in meiner Heimatstadt der Prozess stattfindet. Wie oft bin ich mit dem Fahrrad vorbeigefahren, als ich meinen ersten Freund besuchte. Der Anwalt sagt, es sei ja so weit alles klar, er könne leider nicht viel für mich tun, er werde die Staatsanwaltschaft jedoch ersuchen, meine Geige als unabhängig von der Straftat zu betrachten. Wie es weiterginge, könne er mir nicht mit Gewissheit sagen. Es bliebe mir nichts anderes übrig, als zu hoffen und Geduld zu haben. Kein Trost also, nichts Neues, außer der Gewissheit, dass ich mich jetzt in meiner Heimatstadt befinde. In den nächsten Tagen werde ich mich mit Erinnerungen quälen und mir vorstellen, wie nahe die Eltern und die Schwester sind. Auch dass Mathias, Gerd und Michael wieder im selben Gefängnis wie ich sind, wird mir schmerzhaft bewusst. Nahe und unerreichbar. Erst zum Prozess am 18. Januar werde ich sie wiedersehen – alle. Nur meine Mutter hatte man zur Kur in den Harz geschickt.

An diesem Morgen bekomme ich meine Privatsachen zum Anziehen in die Zelle. Es fühlt sich ganz merkwürdig an, in die Klamotten zu steigen, die ich am Tag unserer Flucht trug. Ein Kloß will im Hals hochsteigen . Ich würge ihn hinunter. Ich muss stark bleiben. Wieder werde ich in der gewohnten Weise transportiert. Als ich aussteige, erkenne ich, dass es der Innenhof des Gerichtsgebäudes ist. Ein paar Meter weiter befindet sich die Kunstakademie, wo mein Vater arbeitet und wo ich selbst verschiedene Lehrveranstaltungen gehört habe. Wieder muss ich in einer Zelle warten. Erinnerungen steigen auf. Dann werde ich in einen Gang hinausgeführt. Da steht meine Schwester. Sie läuft neben mir her, berührt kurz meine Hand. Sofort ermahnt man uns, das zu unterlassen. Man führt uns vor einen Gerichtssaal – und da stehen sie, der Vater, ein paar Freunde. Im Saal müssen wir auf Stühlen Platz nehmen, gegenüber der hoch aufragenden Richterbank. Kein Rechtsanwalt sitzt neben uns. Weit entfernt hat man ihn platziert. Das hohe Gericht tritt ein, der Prozess »Im Namen des Volkes« wird für eröffnet erklärt. Dann wird verfügt, dass er unter Ausschluss der Öffentlichkeit stattfindet. Das heißt, alle Verwandten und Freunde müssen den Saal verlassen. Nur keine Tränen jetzt! Ich versuche, zuversichtlich zu wirken. Nun erst nehme ich die »Mitangeklagten« neben mir wahr. Auch die anderen sehen sehr schmal aus. Ganz verloren wirken wir in diesem Saal – angeklagt wegen »Verbrechen in schwerem Falle«. Trotzdem fühle ich tief in mir eine vertraute Kraft aufsteigen. Es ist dieselbe, die ich brauche, wenn ich auf die Bühne trete, um ein Konzert zu spielen. Diese Vorstellung hilft mir. Ich versuche, das Ganze als Spektakel zu erleben. Dass es mich selbst betrifft, verdränge ich, konzentriere mich auf mein Auftreten und auf meine augenblickliche Präsenz und finde so zu meiner alten – oder neuen – Kraft, um unerschrocken vor diesen Richtern und Schöffen zu stehen.

Die mehrseitige Anklageschrift wird verlesen. Das dauert, jedes Detail unserer Flucht wird noch einmal heraufbeschworen, die Last der Beweise soll uns niederdrücken. Aber sie erfüllt mich ganz im Gegenteil mit Stolz – das also habe ich geschafft! Ich bin sechzehneinhalb Stunden unaufhörlich gelaufen, ich habe den Mut gehabt, »Nein« zu sagen und habe mich aufgemacht ins Unbekannte. Das soll ich jetzt bereuen? Niemals! Trotzdem will ich nicht zu forsch auftreten, um das Gericht nicht zu reizen und mir womöglich noch ein höheres Strafmaß einzuhandeln. Obwohl es wahrscheinlich längst feststeht. Aber ich bleibe meiner Überzeugung treu und spreche für mich als Mensch und Künstlerin. Allein die persönliche Freiheit ist mein Beweggrund. Und ich bleibe auch bei meinem Wunsch, die DDR zu verlassen.

Die langen Debatten, die jetzt geführt werden, kommen mir lächerlich vor. Alles ist längst gesagt und steht im Protokoll. Eines erfahre ich allerdings noch: Wer von unseren Kommilitonen bei der Stasi arbeitet. Es sind nämlich sogenannte »Kollektiv-Vertreter« anwesend – sie mussten den Saal nicht verlassen –, die eine Einschätzung von uns als Persönlichkeit geben. Für mich ist niemand persönlich anwesend. Das zuständige Kollektiv an der Musikhochschule hatte schon vorher kundgetan, wie mein Verhalten zu bewerten sei, in besonders kränkender Weise. Diesen Auslassungen zufolge war ich weder in der Lage, eine eigene Meinung unabhängig von meinem Mann zu entwickeln, noch meine Fähigkeiten als Musikerin richtig einzuschätzen. An den Mienen von Gerd und Michael kann ich den Hass auf die Verräter ablesen. Mathias betrachtet den ehemaligen Arbeitskollegen auch nicht gerade liebevoll, der über ihn aussagt. Das Ganze kommt mir wie ein abgekartetes Spiel vor und das ist es ja auch. Es gibt keine Überraschungen. Entsprechend devot und nichtssagend ist das Plädoyer unseres Verteidigers. Das Gerede dauert fast den ganzen Tag. Ich genieße es, die anderen neben mir zu haben. Ich weiß, dass wir uns lange nicht sehen werden.

Die Urteilsverkündung wird auf den übernächsten Tag festgesetzt.

*Unsicherheiten hinsichtlich ihrer Perspektive traten gehäuft auf, seit sie ihren Mann kennt. Das spricht dafür, daß sie ihm emotional voll verfallen war … Sie wollte solistisch arbeiten, überschätzt sich dabei aber.*

*Aus dem Protokoll der Hochschule für Musik Carl Maria von Weber über die »Durchführung einer kollektiven Beratung im Ermittlungsverfahren gegen die Beschuldigte Irmgard Dorothea Ebert« vom 19.10.1983*

Wir werden abgeführt. Draußen wieder meine Lieben. Mir tut das Herz weh. Und wieder heißt es warten. In der Einsamkeit der Zelle. Ein paar Tage vorher hatte ich um ein Schlafmittel gebeten. Seine Wirkung war derart verheerend, dass ich auf diese Möglichkeit der Beruhigung schnell wieder verzichtete. Ich war wie hinter einer Glasglocke. Der Gedanke, die Situation nicht mehr kontrollieren zu können, war mir unerträglich. Lieber schlaflos auf die Urteilsverkündung warten.

Zwei Tage später sitzen wir wieder im Gerichtssaal. Diesmal dürfen die Angehörigen im Saal bleiben. Im Namen des Volkes wird verkündet, dass wir eine Haftstrafe abzubüßen haben für den Versuch, die DDR rechtswidrig zu verlassen. Michael, Gerd und ich bekommen zwei Jahre und acht Monate. Mathias wegen der Geschichte mit dem Führerschein noch zwei Monate mehr. An die Reaktion meiner Familie kann ich mich nicht mehr erinnern. Ich weiß nur, dass die Höhe des Strafmaßes für die Eltern von Mathias besonders schrecklich war. Der junge Mann, der auf der Heimfahrt von der Disco fahrlässig den Tod ihrer 15-jährigen Tochter verursacht hatte, war zu einem Jahr auf Bewährung verurteilt worden.

Ich werde in eine neue Haftanstalt gebracht. Dort geht es ganz anders zu als bei der Stasi. Es ist sehr laut, das Zellenhaus ist überschaubar, es sind andere Gefangene. Bald erfahre ich, dass ich mich in der allgemeinen U-Haft in der Schießgasse befinde, nahe der Ruine der Frauenkirche und dem Kulturpalast, in dem ich meine ersten Orchesterkonzerte als Substitut der Dresdner Philharmonie gespielt habe. Jetzt bin ich eine verurteilte »Strafgefangene«. Dieses Wort höre ich hier zum ersten Mal ganz bewusst. Man bringt mich in einen »Verwahrraum« mit vielen fremden Frauen. Jetzt bin ich nicht mehr isoliert. Ich treffe »Politische« und »Kriminelle«. Sie alle warten. Dieses Mal auf den »Transport« in die verschiedenen Haftanstalten der DDR. Wo wir landen werden, das erfahren wir nicht. Ich höre nur, dass es einen Zug geben soll, der quer durch das Land fährt und oft tagelang unterwegs ist, um nach und nach die Gefangenen an die ihnen bestimmten Orte zu bringen.

Die U-Haft ist hoffnungslos überfüllt, sodass wir in der sogenannten »Nähstube« provisorisch untergebracht werden. Eng ist es da und stickig. Es gibt aber ein Oberlichtfenster, das man aufklappen kann, und wenn ich auf den Tisch und dann auf einen Stuhl steige, kann ich sogar einen Blick in den Freihof erhaschen, wo die Gefangenen im Karree herumgeführt werden, hintereinander in Reih und Glied, wie ich es schon in Filmen gesehen hatte. Man hört auch Gespräche, vereinzelte Rufe. Es ist nicht mehr so gespenstisch abgeschieden, sondern rauer und lebendiger. Ich hoffe, Gerd, Micha und Mathias zu sehen. Und tatsächlich sehe ich meinen Bruder und erlebe einen jähen Sturm an Gefühlen.

In der »Nähstube« lerne ich ein junges Mädchen kennen. Yvonne hat eine Erzieherinnenausbildung abgeschlossen. Sie arbeitete mit ihren 19 Jahren bereits als Kindergärtnerin, als sie den »Mann ihres Lebens« traf. Das »einzige« Problem war, dass er aus dem Westen stammte, das heißt, es war unmöglich, zusammenzukommen. Also planten die beiden eine Flucht, die aber bereits im Vorfeld entdeckt wurde. In Hoheneck in meinem Verwahrraum traf ich sie wieder. Sie war während der Haftzeit unglaublich aufgedunsen, litt unter starken Nierenbeschwerden. Wie leicht war ihr der Weg zu ihrem Geliebten anfangs vorgekommen, und durch welche Härten musste sie hindurch! Was wohl aus dieser großen Liebesbeziehung geworden sein mag? Wenn es ihr nach der Haft so erging wie mir, dann hat sie sicher lange gebraucht, ihre wahren Gefühle wiederzuentdecken und zu leben. Ob der Mann dafür Verständnis aufbrachte?

Ich hätte es diesem Paar gewünscht, wie so vielen anderen, die getrennt durch die Hölle der Gefängnisse gegangen sind und sich hinterher nicht mehr wiedergefunden haben, weil sie einander plötzlich als fremde Menschen erlebt haben. Und all die Kinder, die bei Verwandten oder gar im Kinderheim auf ihre Eltern gewartet hatten und nach der Ankunft im Westen und einer kurzen Zeit der Euphorie feststellen mussten, dass es keine familiäre Harmonie mehr gab. Es ist eine traurige Bilanz, dass 90 Prozent der Ehen, die durch so eine extreme Trennung gegangen sind, in der Folgezeit geschieden wurden. Auch meine Ehe gehört dazu.

Am frühen Morgen des 1. Februar 1984 werden wir, diesmal mit der »grünen Minna«, durch die Gefängnistore der Schießgasse hinausgebracht. Man karrt uns durch Dresdens Straßen und lädt uns hinter dem Hauptbahnhof ab – in Handschellen. Dann geht es durch unterirdische Gänge, die vermutlich kaum ein normaler Sterblicher jemals zu Gesicht bekommen hat. Es fühlt sich alles so grotesk an, als wir unter Heizungsrohren hindurchgeführt werden. Noch irrealer und beklemmender wird es, als wir durch eine Tür ins Freie kommen und uns plötzlich mitten auf einem Bahnsteig wiederfinden. Gegenüber stehen Reisende, die ablehnend zu uns herüberstarren. Sie denken sicher, dass da Verbrecher stehen, die zu Recht in Handschellen abgeführt werden. Dann werden wir in einen vergitterten Waggon mit undurchsichtigen Fenstern gesperrt. Stundenlang fahre ich durch die Heimat, die ich eigentlich verlassen wollte, weil ich das Gefühl hatte, keine andere Wahl zu haben. Das wird mir noch einmal bitter bewusst. Wie gern würde ich aus dem Fenster schauen! Wir haben relatives Glück: Nur einen Tag müssen wir dieses Fahren und Anhalten aushalten. Andere werden drei Tage lang in diesem Zug kreuz und quer durch das Land transportiert, bis sie an ihr »Ziel« kommen.

Es wird schon dunkel, als wir aus dem Zug steigen und wieder in einen Gefängniswagen klettern müssen, der uns zunächst zur U-Haft in Chemnitz und dann in den Strafvollzug Hoheneck bringt. Müde kommen wir dort an und müssen bei den »Effekten« unsere Privatsachen abgeben. Dann händigt man uns unsere »Straferkleidung« aus. Das sind ein Paar schwere Armeestiefel – ich habe sie etwas zu groß ausgewählt – und eine dunkel gefärbte ausrangierte Polizeiuniform. Wie das kratzt und wie widerlich die Sachen riechen – nach der dunkelblau-grünen Farbe, nach Schweiß. Die Unterwäsche ist der reinste Hohn, »Großmuttermodelle« und hellbraune Strümpfe, einen »Strumpfhaltergürtel«. Dazu müssen wir ein Kopftuch tragen, das uns endgültig zu Vogelscheuchen macht. So eingekleidet werden wir in die »Zugangszellen« geführt. Dort stehen immer sechs Betten in einem Verwahrraum. Es ist kalt da unten. Todmüde sinken wir in die Feldbetten, und weder die quietschenden Federn noch die kratzenden braunen Wolldecken, von denen jede ab sofort drei besitzt, können uns davon abhalten, in einen bleiernen Schlaf zu versinken. Wir sind alle erschöpft, verschreckt und fertig.

Am nächsten Morgen hat jede ein Gespräch mit einer Frau

Oberleutnant, in dem wir über die Erziehungsmaßnahmen belehrt werden, die man für uns vorgesehen hat, damit wir wieder in die Gesellschaft eingegliedert werden können. Wir bekommen Anweisungen, wie wir uns in Zukunft als Strafgefangene zu melden haben. Dann werden wir zum Feilen gebracht, eine Tätigkeit, die uns im »Zugang«- so werden die ersten Tage der Einweisung im Gefängnis bezeichnet – das Leben »versüßen« soll. Das heißt, wir müssen von grob gestanzten Plastikgehäusen die Grate abfeilen. Dabei entsteht Plastikstaub, den wir zwangsläufig einatmen, weil wir weder einen Mundschutz bekommen noch lüften dürfen. Abends schmerzen die Finger. Trotzdem ertrage ich das ziemlich gelassen. Wenigstens hat das endlose Warten ein Ende, ich kann mit Menschen reden und etwas mit meinen Händen tun. Ich stürze mich auf die Arbeit, in der Hoffnung, dass die Zeit dabei etwas schneller vergehen möge. Ich feile mir die Sorgen weg, die Frau Oberleutnant mit ihren Worten noch geschürt hat: Dass ich in die DDR zurückentlassen werde. Die Sorge über die Zukunft wird in den nächsten Monaten die Gespräche bestimmen. Bei den Kriminellen ist es die Hoffnung auf die »Amme« (wie sie die Amnestie nennen), bei uns »RF-lern« die Sehnsucht, endlich »auf Transport« zu gehen und von der Angst, die Strafe voll absitzen zu müssen, erlöst zu werden.

Aber zunächst nehme ich die neuen Haftbedingungen wahr. Das mehrstöckige, dunkle Zellenhaus, durch das alle Wege zurückgelegt werden müssen, scheint uns unentrinnbar zu umklammern. Zweimal täglich finden jeweils um 6 und 18 Uhr Zählappelle statt, bei denen wir alle vollständig angekleidet vor den Verwahrraum treten müssen, während die »Verwahrraum-Älteste« meldet: »Frau Oberleutnant, Verwahrraum 16 mit 6 Strafgefangenen zum Zählappell angetreten. Es meldet Strafgefangene so und so.« Anfangs kommt mir das schrecklich lächerlich vor, später denke ich gar nicht mehr darüber nach. Das stumpfe Absolvieren der regelmäßigen Abläufe kostet mit zunehmender Routine immer weniger Energie – dadurch entsteht Freiraum für die eigene Gedankenwelt.

Die »Freistunde«, die während der »Zugangszeit« im äußeren Bereich stattfindet, nehme ich als willkommene Abwechslung. Ich sehe winterlich kahle Wiesen und Wälder. Der scharfe Wind pfeift über die hoch auf dem Berg gelegene Burg Hoheneck und erinnert mich an die Winter im Erzgebirge in meiner Kindheit, in denen ich Schlitten fuhr oder auf Skiern unterwegs war. Tief atme ich die eiskalte Luft ein und lasse meinen Blick schweifen, so weit es eben geht. Natürlich bemerke ich die doppelten Stacheldrahtzäune, die hohen Mauern und das Gebell der uns bewachenden Hunde. Aber ich träume mich aus diesen bedrohlichen Begrenzungen hinaus in die Weite der hügeligen Landschaft, die in meinen Erinnerungen lebt. Die Sinne öffnen sich und lassen nur die lebendigen Eindrücke der Natur zu. Das Geschimpfe der »Wachteln«, die Kommandos, ferne Gespräche, das alles übergebe ich dem Wind, der es weit weg von mir trägt. Viel zu schnell ist die Zeit des Freigangs um, und wir werden wieder durch einen finsteren Gang zurückgeführt. Dort fällt mein Blick auf die entsetzliche Arrestzelle, ein schwarzes, modriges Loch. Niemals, so nehme ich mir fest vor, werde ich in diese Zelle eingesperrt werden.

Man lässt uns fünf Tage im »Zugang«, dann heißt es »Verlegung zu den anderen Strafgefangenen«. Ich werde in einen Trakt gebracht, von dem man mir sagt, dass dort ganz früher die Pferdeställe waren, bevor das Schloss zum Zuchthaus wurde. Als ich in einen großen Schlafsaal »geschlüsselt« werde – dieser Begriff wird hier statt »eingesperrt« oder »verwahrt werden« gebraucht –, schauen 24 Augenpaare mich abschätzend an. Die Verwahrraum-Älteste kommt auf mich zu – eine resolute Mittvierzigerin – nicht unfreundlich; sie zeigt mir meine zwei Spindfächer und ein winziges Fleckchen zur Aufbewahrung von Essen in einem offenen Regal. Dann führt sie mich zu meinem Bett. Es sind wieder die typischen Feldbetten, immer zwei als Doppelstockbetten, wie Ehebetten zusammengestellt. Manche sind sogar als Dreierturm übereinandergebaut. Später erfahre ich, dass auch Hoheneck total »überbelegt« ist – kein Wunder nach der Verhaftungswelle, die eingesetzt hat, seitdem man mit den von der Bundesdeutschen Regierung für den Freikauf von Gefangenen bezahlten Devisen versucht, das marode Wirtschaftssystem der DDR zu sanieren.

Ich bekomme ein oberes Doppelstockbett zugeteilt. Neben mir liegt eine rundliche Frau von vielleicht Mitte dreißig. Dumpf brütet sie vor sich hin und scheint mich gar nicht wahrzunehmen. Unter mir taucht eine junge Frau auf, die ich Anfang zwanzig schätze. Sie kommt freundlich an mein Bett und klärt mich flüsternd über einiges auf. Vor Aufregung kann ich gar nicht richtig zuhören, meine Sinne sind völlig verwirrt von den vielen Frauen. Diese vielen verschiedenen Menschen auf engstem Raum. Dem Gerede und den vielen widersprüchlichen Empfindungen, Bosheit, Trauer und Wut werde ich ausgeliefert sein. Es gibt kaum eine Möglichkeit, sich abzugrenzen. Keine hat ein angemessenes Ventil für ihre Gefühle, weder für die Sehnsucht nach Liebe noch für Wut und Verzweiflung.

Gabriele erzählt mir ihre Geschichte. Auch sie wollte fliehen, ist schon lange hier in Hoheneck und hofft, bald auf Transport zu gehen. Sie ist mir sehr sympathisch und wird mir in den nächsten Wochen zur Freundin. Sie warnt mich vor manchem, was ich als Neuling nicht wissen kann, vor allem vor zu viel Vertrauen. Sie hat die Erfahrung gemacht, dass die meisten Insassen falsch und zu fast allem bereit sind, um für sich einen Vorteil herauszuschlagen. Sie weist mich auch in die Regeln des Verwahrraums ein, zeigt mir kleine Tricks, wie man sich das Leben erleichtern kann. Sie ist es auch, die mir aus meinen zwei Paar Strümpfen bei »Esda« – einem Kommando, das Strumpfhosen nähen muss – eine richtige Strumpfhose fertigen lässt. Das muss heimlich geschehen, denn dass Häftlinge Arbeiten für Häftlinge ausführen, ist streng verboten. Diese Strumpfhose ist hier lebenswichtig, um sich vor der überall herrschenden beißenden Kälte zu schützen. Im Verwahrraum pfeift der Wind durch die undichten Fenster; die sogenannte Nasszelle ist eisig kalt (natürlich gibt es auch nur kaltes Wasser zum Waschen), und die drei kratzigen Wolldecken wärmen nachts kaum. Man wird entweder abgehärtet oder krank.

Trotz all der schwierigen Umstände gibt es auch Momente, in denen ich mich als Mensch fühlen kann. Dieser Verwahrraum hat immerhin Fenster, wenn auch vergitterte, die einen Ausblick auf die Umgebung ermöglichen. Ich sitze auf meinem Bett und halte meine Wange an die kühle Scheibe und mein Blick schweift zum Horizont. Dort drüben ist ein Wäldchen, und ich träume mich unter die Baumkronen, gehe in Gedanken über den moosigen Boden, springe über Wurzeln und Steine, atme die nach Farn und Fichte duftende Waldluft. Gabriele erzählt mir die Sage vom Burgfräulein, das als erste Bewohnerin mit ihrem strengen Gatten hier gelebt haben soll. Sie hat sich in den Priester des Ortes verliebt, und die beiden sollen sich in dem Wäldchen heimlich getroffen haben. Als sie ein Kind von ihm bekam, hat ihr Mann sie hier einmauern lassen. Sie soll das Haus noch verflucht haben: »Dieses Haus soll ein Haus der tausend Tränen werden.« Dieser Fluch hat sich erfüllt. Generationen von gefangenen Frauen haben ihre Tränen vergossen, seit das Haus 1862 als »Sächsisches Weiberzuchthaus« benutzt worden war. Die Sage erzählt auch, dass das Burgfräulein nachts durch die Säle geistert, um ihr Kind, ein blondes Mädchen, zu suchen. In einer grauen Winternacht, in der das Mondlicht gespenstische Schatten durch die Gitter wirft, sehe ich eine weiße verschleierte Gestalt am Fußende meines Bettes. Mir stellen sich die Nackenhaare auf, und ich wage nicht zu atmen. Trauer und Sehnsucht wehen über mich, dann verschwindet der Schemen. War es mein durch die ewige Schlaflosigkeit verwirrter Geist, der mir diese Gestalt vorgegaukelt hat? Hat mich meine Fantasie genarrt? Oder war es doch ein Besuch aus einer immateriellen Welt?

Ich denke auch über die vielen schlafenden Frauen nach. Jede trägt in sich ihr Geheimnis. Jede kämpft sich durch ihr Leben, doch jetzt, wo es sie in dieses Gefängnis verschlagen hat, gehen sie sehr unterschiedlich mit ihrem Schicksal um. Die eine wird äußerlich hart und hat nur noch ihren eigenen Vorteil im Auge, die andere redet unaufhörlich von Belanglosigkeiten, um ihren Gedanken zu entfliehen, wieder andere brüten stumm vor sich hin. Nur wenige versuchen, mit

Zuversicht und Freundlichkeit der tristen Stimmung entgegenzuwirken. Der Kummer um mich herum und die Unfähigkeit, etwas daran zu ändern, bedrücken mich schwer.

Als es sich schließlich ergibt, dass ich mit meinen Fähigkeiten und der Kraft der Musik dazu beitragen kann, an dieser Trostlosigkeit etwas zu ändern, ergreife ich die Chance. Die Momente, in denen ich für meine Mitgefangenen Geige spielen darf, sind für mich das eindrucksvollste und berührendste Erlebnis in meiner Laufbahn als Musikerin. Amnesty International hatte eine Kontrollkommission geschickt, um die Zustände in Hoheneck zu überprüfen. Durch die »freigekauften« Gefangenen hatte der Westen von den unglaublichen Haftbedingungen hier erfahren. Da die DDR nach außen ja immer als demokratischer Staat gelten wollte, in dem Recht und Humanität beachtet wurden, konnte sie einer solchen Delegation nicht einfach den Zutritt zu ihren Gefängnissen verweigern. Das hätte wie ein Schuldeingeständnis gewirkt. Also mussten einige Haftbedingungen verbessert werden, bevor die Kommission kam. Was ließ sich verändern? Ich hörte von einer extra eingerichteten Musterzelle, um die Unterbringung in ein besseres Licht zu rücken. Das wäre mit sechzehn Gefangenen in einem achtundzwanzig Quadratmeter »großen« Raum nicht möglich gewesen. Gesehen habe ich solch eine »Musterzelle« freilich nicht. Aber es dürfte nicht schwierig gewesen sein, zum Beispiel eine der Zugangszellen etwas wohnlicher einzurichten. Doch den Ablauf der alltäglichen Verrichtungen, wie sollte man den plötzlich ändern? Das ging nur, indem man für eine sinnvollere Freizeitgestaltung sorgte.

Wir waren jedoch vor allem da, um zu arbeiten, und zwar in den »ZW«, den »Zentralen Werkstätten«, wo Kleidung für die Strafgefangenen hergestellt wurde, und zwar für alle Haftanstalten der DDR. Hier wurde alles genäht oder geändert: vom Schlafanzug bis zu Hemden und Hosen ... Von den alten, umfunktionierten Polizeiuniformen mussten die Knöpfe abgetrennt und durch andere ersetzt werden, ebenso die Pailletten und Dienstgradzeichen. Oft war das Futter kaputt oder Reißverschlüsse fehlten. Diese Arbeit war wegen des harten Stoffes besonders mühsam. Die Sachen waren nachträglich gefärbt und die Hände waren am Ende eines Arbeitstages ganz dunkelblau oder grünschwarz. Bei der Männerkleidung mussten noch gelbe Streifen zur besseren Erkennung der Strafgefangenen aufgenäht werden. Damit man sie nicht abtrennen konnte, wurde darunter der Stoff aufgeschnitten und in einem genau vorgeschriebenen Verfahren wieder vernäht. Diese Arbeit war uns besonders zuwider.

Alle Sachen wurden natürlich auf fehlerlose Bearbeitung kontrolliert und mussten eventuell nachgebessert werden, was kostbare Arbeitszeit in Anspruch nahm. Wir arbeiteten nämlich im Akkord – schlechte »Prozente« bedeuteten: keine Möglichkeit zum Einkauf. Am Monatsende bekamen wir für die Leistung, die wir über die geforderte 100-Prozent-Norm hinaus erbrachten, ein wenig »Spielgeld«-Scheine, ähnlich wie wir sie früher beim Spielen mit dem Kaufmannsladen benutzten. Mit diesem Geld konnten wir während der Freistunde im Innenhof an einem Kioskfenster ein paar Lebensmittel extra kaufen. Das Essen war sehr minderwertig. Man wurde zwar satt, aber was man da zu sich nahm, war äußerst ungesund und oft widerlich in der Konsistenz. Irgendwann sickerte von Strafgefangenen, die in der Küche arbeiteten, auch die Information durch, dass säckeweise »Fettkristalle« zugesetzt wurden, um das Essen nahrhafter wirken zu lassen. Deswegen wurden auch manche Gefangene so aufgeschwemmt und dick. Seitdem ich das wusste, mied ich alles, worin dieses Fett versteckt sein konnte: Suppen, Soßen, sogar Gemüse und Quarkspeisen. Das reduzierte meinen Speiseplan natürlich erheblich und machte den Kauf etwa eines Apfels so wichtig. Ich leistete mir von dem verdienten Geld mal einen Apfel, mal ein Paket Knäckebrot oder einen Becher Quark. Für die Raucherinnen war das Geld lebenswichtig, um Zigaretten kaufen zu können. Die Norm war sehr hoch angesetzt. Um ein paar Prozent darüber zu schaffen, musste man sehr flott nähen.

Wenn man durch Arbeitsverweigerung protestieren wollte, dann schnitt man sich nur ins eigene Fleisch und bekam nicht mal die durch gute Arbeit verdienten fünf bis dreißig Mark im Monat.

Ich habe mich ziemlich schnell entschlossen, so gut wie möglich zu nähen. Erstens, weil ich sowieso gern nähe – ich hatte es an Mutters Nähmaschine gelernt –, und zweitens, weil ich das Geld unbedingt brauche, um möglichst gesund zu bleiben. Mit meinen Händen tätig zu sein, ist für mich zudem eine Übung für Geschicklichkeit und guten Rhythmus. Später, als ich an einer Spezialmaschine arbeite – einer »Safety«, die gleichzeitig näht, die Ränder versäubert und den überstehenden Rand abschneidet –, perfektioniere ich die Handgriffe so weit, dass ich sogar nebenbei Gedichte auswendig lernen kann. Die habe ich vorher auf winzige »Kassiber« aus Büchern abgeschrieben und in meinen Brustbeutel geschmuggelt. Wir dürfen höchstens einen Pulli und die Brille in unserem »Einkaufsnetz« mit zur Arbeit nehmen. Alles andere kann uns bei den regelmäßig stattfindenden Razzien weggenommen werden. Die Spezialmaschine reagiert sehr empfindlich auf hektische Bewegungen. Dann reißen ständig die Fäden der fünf Greifer oder sie blockiert, sodass ein Mechaniker kommen muss, was einen Zeitverlust bedeutet. Während ich versuche, so gleichmäßig wie möglich zu nähen, lege ich mir meinen Gedichtzettel aufs Bein. Ich lerne täglich zwei Gedichte auswendig. Damit will ich meinen Geist wachhalten.

Die Näherinnen im »Band« sitzen alle hintereinander über ihre Industrienähmaschinen gebeugt – daneben sind in Gegenrichtung genau so viele Maschinen angeordnet – und versuchen fieberhaft ihre Zehnerpakete mit Schlafanzug-Hosen oder Hemden abzuarbeiten. Dabei muss immer ein spezieller Arbeitsgang absolviert werden. Diese Aufgaben sind unterschiedlich schwer, sodass die Normerfüllung auch noch vom Arbeitsgang abhängt. »Einstreifen«, also den Hemdrücken aufschneiden, dann den gelben Streifen daraufnähen und den Schnitt wieder versäubern, ist einer der gefürchteten Arbeitsgänge. Wie oft höre ich die Frauen verzweifelt fluchen, die mit dieser Arbeit kämpfen!

Ab und zu geht die Frau Oberleutnant durch und kontrolliert, ob auch alle fleißig nähen. Dann verschwindet sie wieder in ihrem Raum hinter einer Glasscheibe, von wo aus sie auch einen guten Blick auf das Band hat, und liest unsere »Eingangspost«. Alle an uns gesandten Briefe werden daraufhin kontrolliert, ob Informationen enthalten sind, die wir nicht haben sollen – etwa, ob sich Rechtsanwalt Vogel gemeldet hat wegen unserer Haftentlassung in die Bundesrepublik. Dann werden sie mit einem Stempel versehen, und wir können sie lesen. Die von uns geschriebenen Briefe werden selbstverständlich auch kontrolliert. Briefe können auch verweigert werden, entweder zur Strafe oder eben, weil etwas »Unerlaubtes« darin steht. Wir dürfen selbstverständlich nichts über die Haftbedingungen oder die Anstalt schreiben. Damit sind inhaltlich enge Grenzen gesetzt. In einem ganzen Monat sind uns insgesamt nur drei Din-A4-Seiten zu schreiben erlaubt. Also schreibe ich einmal im Monat an die Eltern, zweimal an meinen Mann. Dabei füge ich die Buchstaben und Wörter so eng wie nur möglich aneinander und überlege mir lange, was ich schreiben will, damit ich möglichst viel Information, Trost und auch gedanklichen Austausch in einem solchen Brief unterbringe.

Wir arbeiten im Schichtbetrieb. Für die Frühschicht wird um 3 Uhr 15 nachts das Licht in der Zelle angemacht. Von außen, versteht sich, wir dürfen nicht darüber bestimmen. Nun ist ganz genau geregelt, wer wann zum Waschen geht. Es gibt ja insgesamt nur sechs Wasserhähne an den Waschtrögen, drei auf jeder Seite. Daran müssen sich aber 32 Frauen waschen, weil sich zwei Verwahrräume in der Mitte ein »Bad« teilen müssen. Also wird in drei Schichten gewaschen. Jede weiß, wann sie dran ist. Wenn man Pech hat, muss man sofort aufspringen und an den Hahn eilen, andernfalls – und ich habe das Glück – kann ich noch einen Augenblick vor mich hindämmern, darf aber den Moment nicht verpassen, an dem »mein« Hahn frei wird. Die zwei Klos, die sich am Ende des

Waschraums befinden – ohne Abtrennung, versteht sich –, sind auch ständig von zwei pinkelnden Frauen besetzt. Das »große Geschäft« muss ich mir aufheben für die Zeit in der »Produktion«. Da kann ich das Band verlassen und in einen abgetrennten Verschlag gehen, wo drei Klos nebeneinander sind. Dort habe ich sogar den Vorteil, dass es ein Fenster gibt, von dem aus ich einen sehnsüchtigen Blick in die Weite werfen kann. Unser ZW ist unter dem Dach. Dort hat man einen wunderschönen Blick über die erzgebirgische Landschaft. Nur geht mir diese Zeit leider von der Arbeitszeit ab, also entweder genießen oder verdienen! Manchmal brauche ich diese Zeit auf dem Klo aber auch, um nur mal einen Moment für mich zu sein.

Nach dem Waschen suche ich mir in dem unglaublichen Gewusel der sechzehn sich ankleidenden Frauen meine Sachen zum Anziehen zusammen – viel Auswahl gibt es ja nicht. In zwei Spindfächern ist mein ganzer Besitz übersichtlich verteilt. Stiefel oder Schuhe – je nach Jahreszeit. Kopftuch und Pulli ins Netz, Bett bauen, möglichst ordentlich, sonst riskiere ich, dass der ganze Verwahrraum verwüstet wird, weil die Erzieherin bei ihrer Kontrolle unzufrieden ist. Schnell noch die Sachen verstecken oder an mich nehmen, die ich nicht besitzen darf – wie etwa Kassiber mit Gedichten oder Amulette, die mir eine Freundin aus besticktem Wäscheband liebevoll angefertigt hat. Die Fotos muss ich auch wieder im Brustbeutel verstauen. Fünf davon darf ich besitzen. Ich habe sie während des Aufenthaltes im Verwahrraum immer an die ans Fußende des Betts grenzende Schrankseite mit Stecknadeln befestigt, damit ich einen lieben Gruß von daheim vor Augen habe. Alles das ist nicht erlaubt, aber lebenswichtig für mich.

Danach heißt es: »Raustreten!« – 3 Uhr 45, fix und fertig angekleidet – »Antreten zum Zählen!« Die Verwahrraum-Älteste macht Meldung, dann marschieren wir ab zum Frühstück. Unsere Schritte hallen durch das offene Zellenhaus. Von jeder Zelle hörst du, wann welches Kommando zur Arbeit, zum Freigang, zum Duschen aufgeschlossen wird. Um diese Zeit – noch nicht mal 4 Uhr morgens – bringe ich kaum einen Bissen runter, nur den lauwarmen Tee schlucke ich brav. Sind da wirklich Hormone drin, damit die Frauen »ruhig gestellt« werden? Ich habe jedenfalls ein ganzes Jahr lang keine Regel gehabt. Aber ich habe keine Wahl, etwas Warmes braucht man in den Bauch – auch später auf dem Freihof, wo ich mir die Finger an meiner Teetasse wärmen kann. Manches lässt sich einfach nicht umgehen, und deswegen trinke ich den Tee, wenn auch mit einem schlechten Gefühl.

Inzwischen bin ich verlegt worden. Unser ganzes »Kommando« musste in einen anderen Trakt umziehen. Das ist sehr hart, denn jetzt gibt es kein Fenster mehr mit Blick in die Landschaft. Die Luken sind hier mit schwarzer Gaze versperrt, kaum ein frischer Luftzug kommt durch, und auch das Licht fällt nur spärlich herein. Ohne künstliches Licht geht es jetzt nicht mehr. Außerdem liegen wir zum Freihof hin. Pausenlos hören wir die Nähmaschinen rattern, denn der Produktionstrakt ist direkt gegenüber. »Esda«, drei Kommandos, die Strumpfhosen fertigen, und »Planet«, drei Kommandos, die Bettwäsche produzieren, jeweils im Dreischichtsystem, und oben die ZW (Zentralen Werkstätten) im Zweischichtsystem, nähen hier. Die Maschinen rattern unaufhörlich, Tag und Nacht. Dazwischen hören wir die »Kommandos« über den Hof marschieren. Wir wissen auch bald, welches Kommando jetzt Freistunde hat, welches zur Arbeit oder zum wohlverdienten Schlaf abläuft. Kein Blick mehr ins Weite, weder während der Freistunde noch in der Freizeit vom Verwahrraum-Fenster aus, nur noch das kleine Geviert des Himmels über dem Karree der hohen Gefängnismauern während der Stunde auf dem Freihof. Im Winter ist es zu der Zeit meiner Freistunde oft noch völlig dunkel. Aber einmal im Monat werden »Decken geschüttelt« – ein ersehnter Moment für mich. Dazu gehen wir mit unseren Decken, unter denen schon wer weiß wie viele Generationen von Häftlingen geschlafen haben, ins Freie in den äußeren Hof, wo wir anfangs im Zugang unsere Freistunde hatten. Dort kann ich für einen Augenblick meine Lungen mit Sauerstoff, meine

Augen mit Weite und Natur füllen, bevor es wieder in den Mief unserer neuen dunklen Zelle geht, wo es noch enger als vorher ist.

In der Frühschicht arbeiten wir bis 13 Uhr, dann gibt es Mittagessen im Speisesaal und gleich danach werden wir zur »Freistunde« geführt. Dann kehren wir in unseren Verwahrraum zurück. Bis 17 Uhr 30 passiert nichts mehr. Erschöpft lassen wir uns auf die Betten fallen. Das magere oder zu fette Essen haben wir bei den endlosen Runden auf dem Freihof schon verdaut. Meistens gibt es irgendeinen Eintopf oder Kartoffeln, zerkochtes Gemüse und manchmal eine Scheibe Fleisch. Selten Kartoffelpuffer, die ich aber, seit ich eine Schabe auf meinem Teller fand, auch nicht mehr mag. Vielleicht auch Kartoffeln mit Quark oder etwas Ähnliches.

Im Freihof habe ich Gelegenheit, das eine oder andere ungestörte Gespräch mit Bekannten aus den mitlaufenden anderen Kommandos zu führen. Durch die unterschiedlich wechselnden drei Schichten treffe ich eigentlich alle, auch die, die ich seit der U-Haft nicht mehr gesehen habe – Schnüsel, Gudrun. Mit Yvonne bin ich sogar in derselben Zelle. Und ich lerne neue interessante Menschen kennen, besonders, nachdem der Musikzirkel angelaufen ist und mir wie ein Schlüssel die Menschenherzen öffnet. Da erfahre ich, mit welcher Macht die erklingenden Töne gerade unter dem Dach eines Gefängnisses in die Herzen eindringen und ein neues Lebensgefühl wecken können. Der Tag geht zu Ende mit dem Abendbrot, um 18 Uhr Raustreten zum Zählappell, danach Waschen. Um 19 Uhr 30 wird das Licht gelöscht und die Dunkelheit erlöst uns von der ermüdenden Eintönigkeit des Tages. Nun muss nur noch der Schlaf kommen.

Die Tage mit Spätschicht in den ZW laufen ähnlich ab. 5 Uhr 30 Wecken, 6 Uhr Zählappell, danach Frühstück, die Freistunde ist gleich im Anschluss. Im Winter ist es um diese Zeit noch dunkel. Dann tröstet nicht mal der Blick zum Himmel. Der kalte Wind dringt durch die Klamotten. Ich brauche alle Kraft, um die eisige Kälte nicht auch mein Inneres er-

252 • Dorothea Ebert

greifen zu lassen. Nach dem Mittagessen beginnt die Arbeit im Band, dazwischen Abendbrot. Der Zählappell findet im Band statt. Um halb zehn sind wir endlich fertig und derart ausgelaugt, dass das Eingeschlossenwerden wie eine Erlösung ist. Endlich erwartet niemand mehr etwas von uns

Am Wochenende passiert fast nichts. Es gibt nur öde Leere und Erschöpfung. Der einzige Lichtblick ist, dass am Sonntag zum Gottesdienst »geschlüsselt« wird. Obwohl ich nicht als »religiös« gemeldet bin, schließe ich mich einfach den Gläubigen an, da keine Listen geführt werden. Im »Kinosaal« ist es hell und die tröstlichen Worte des Pfarrers finden zu mir. Manchmal, wenn das Kommando sich »gut geführt« hat, werden wir am Samstagabend zum Fernsehen oder Kino in diesen Saal gebracht. Das ist das einzige kulturelle Angebot. Man muss sich das für die vielen Strafgefangenen vorstellen, die jahrelang in Hoheneck sitzen, die meisten zwischen acht Jahren und lebenslänglich. Außer einem nervtötenden Gedudel aus dem Lautsprecher am Nachmittag bekommen sie nichts als Nähmaschinengeratter und die hohen Frequenzen der Frauenstimmen zu hören. Durch das Auftauchen der »Amnesty«-Kommission wird sich tatsächlich einiges ändern.

Plötzlich wird ein Freizeitzentrum eingerichtet. Als Erstes werden die Räume dafür geschaffen. Unter dem Dachboden entstehen kleine »Zellen«, selbstverständlich abschließbar. Ein größerer Raum wird für einen Handarbeitszirkel eingerichtet. Dort sollen für »Solidaritäts«-Basare zum Beispiel Holzbrettchen bemalt oder Deckchen gehäkelt werden. Das ist eigentlich der schönste Raum. Darin dürfen später besondere Strafgefangene – natürlich nur Kriminelle – ständig arbeiten. Sie werden mir gern zuhören, wenn ich Geige spiele. Doch bis dahin vergeht Zeit. Ein Kabuff wird zum Malen eingerichtet. Eine Strafgefangene hat Malerei in Dresden studiert, sie kennt sogar meinen Vater. Warum sie einsaß, ist mir bis heute nicht recht klar. Was sie erzählte, war mit vielen Details ausgeschmückt. Sie wird den Malzirkel leiten und mir später Plakate entwerfen für meine »Plattenstunden«. Die das Freizeitzentrum leitende Frau Oberleutnant hat mich nämlich gefragt, ob ich Musikstunden abhalten würde, das heißt Schallplatten auflegen und ein paar Worte zur Musik sagen. Zunächst kommt mir das absurd vor, will ich doch diesen Staat verlassen und mich nicht noch in irgendeiner Weise für ihn nützlich machen. Aber sie meint, dass ich es doch ausschließlich für die Strafgefangenen täte, und mir wird schnell bewusst, dass das eine Chance ist, Musik wenigstens zu hören. Außerdem besteht dadurch die Möglichkeit, meiner Zelle mit all den schnatternden Frauen wenigstens für eine gewisse Zeit zu entkommen. Also sage ich zu.

Erstaunlicherweise hat Frau Oberleutnant auf irgendeinem Dachboden auch noch eine alte Geige gefunden. Die hat zwar keine Saiten und es ist auch kein Bogen dabei, aber meinen Eltern wird »gestattet«, mir Entsprechendes mitzubringen. So bekomme ich nach dem nächsten »Sprecher« tatsächlich die Möglichkeit, nach einem ganzen Jahr Pause wieder die ersten Geigentöne zu spielen. Die Geige klingt nicht besonders, aber ein Gefühl des Jubels durchströmt mich bis in die Fingerspitzen. Ich erfahre in dieser Zeit die Fülle der Musik ganz neu und so intensiv wie nie zuvor.

Zunächst kommen fünf, sechs Leute zur Plattenstunde. Später erscheinen immer mehr, angelockt durch Hörensagen. In einer der Stunden lege ich die Beethoven-Romanze F-Dur auf und spiele den Geigenpart dazu. Als ich erkenne, dass sich bei manchen Menschen durch den Klang der Töne plötzlich eine Tür zu ihrem Inneren öffnet, bin ich noch mehr davon überzeugt, dass ich spielen muss. Frauen, die sich schon eine ganz harte Schale zugelegt hatten, um in Hoheneck zu überleben, fangen plötzlich zu weinen an. Andere erzählen mir ihre Lebensgeschichte.

Die erste Plattenstunde kann ich noch gemeinsam mit Gabriele durchführen – der jungen Frau, die mich so freundlich begrüßt hat, als ich in die große Zelle kam. Sie kann Gitarre spielen und singt und rezitiert wunderschön. Wir stellen die erste Plattenstunde unter das Motto »Frühling«, denn inzwischen wird es draußen grün. Es macht Spaß, gemeinsam mit Gabriele darüber nachzudenken, welche aus den vielen Gedichten und Musikstücken, die es zu dem Thema gibt, wir auswählen. Plötzlich sind die freien Stunden erfüllt mit Licht und Fantasie. In der Gefängnisbibliothek finden wir viele Gedichtbände. Die Oberleutnant stellt uns einen Plattenspieler und eine Auswahl an Platten zur Verfügung. Später darf ich sogar Wünsche äußern. Die Gefangene, die in der Bibliothek arbeitet, liebt die Oper ganz besonders. Sie wird unsere begeisterte Zuhörerin, und ihr zuliebe lege ich ab und zu eine Arie aus einer berühmten Oper auf. Gabriele geht sehr bald auf den von ihr lang ersehnten Transport; sie hat eineinhalb Jahre gewartet, bis es soweit ist. Ich habe sie sehr vermisst. Ob sie wohl Schauspielerin oder Chansonsängerin geworden ist, wie sie es sich erträumte?

Es ist ein Privileg, am Nachmittag von den »Wachteln« hochgeschlossen zu werden. Das gibt Anlass zu Schikanen seitens der Schließerinnen. Da wir nur vollständig angezogen aus dem Verwahrraum treten dürfen, warte ich oft fertig angekleidet vergeblich darauf, hochgeschlossen zu werden, während sich die anderen auf dem Bett erholen. Die Plattenstunden werden so beliebt, dass bald das ganze Kommando hochgeschlossen werden will. Als die Wachteln das sehen, boykottieren sie es. So kommt es sonntags manchmal vor, dass entweder nur das Kommando »hochgeschlüsselt« wird und ich nicht oder umgekehrt. Das müssen wir dann hinnehmen.

Am schönsten sind die Nachmittage in der Woche, wo ich allein oben sein darf und spielen kann. Jetzt probiere ich aus, wie sich die stumm geübten Musikstücke klingend anhören und anfühlen. Ich fasse sogar den Mut, die Paganini-Capricen wieder anzugehen, vor denen ich im Studium immer so viel Respekt hatte. Sie bekommen plötzlich einen tieferen Sinn für mich – als Etüden, aber auch als kleine musikalische Kostbarkeiten. Die Frauen aus dem Handarbeitszirkel werden meine geduldigen Zuhörer. Vor ihnen kann ich ausprobieren, wie sich das Vorspielen ohne Perfektionszwang anfühlt und wie ich am besten die reine Freude am Musizieren vermittle. Sie stellen einfach ihre handwerklichen Dinge her und sind erfreut über die musikalische Bereicherung. Auch Werke von Bach kann ich probieren, die Chaconne eröffnet sich mir noch mal ganz neu als architektonisches Wunder; mit geschlossenen Augen verirre ich mich manchmal in diesen inneren Räumen und vergesse die Zuhörer. Dass der Klang meiner Geige die Menschen erreichen kann und eine Verbindung schafft, eine Brücke ohne Worte, rückt alle anderen Erfahrungen im Gefängnis nun in ein anderes Licht. Auch die Versuche des Wachpersonals, uns immer wieder zu schikanieren, lassen sich nun leichter ertragen. Eine neue Stärke kann ich fühlen.

Alle zwei Monate darf uns eine Person für eine Stunde im »Sprecherzimmer« besuchen. An der Toleranz der diensthabenden Erzieherin liegt es, ob noch eine zweite Person zugelassen wird. Schon Tage zuvor erfüllt uns eine große Spannung. Wie wird es sein, wenn wir »Besuch empfangen dürfen«? Wie stark kann ich bleiben? Wie kann ich die Gewissheit ausstrahlen, dass ich es schaffen werde? Worüber werden wir reden, was darf man überhaupt sagen, ohne zu riskieren, dass der »Sprecher« abgebrochen wird? Wer wird kommen? Endlich ist es soweit. Wir werden in einen extra Trakt »geschlüsselt«. Dort gibt es die sogenannte »Schleuse«, die Verbindung zur Außenwelt. Wir müssen in einem Raum warten, nachdem wir belehrt worden sind, dass wir nichts über den Strafvollzug, nichts über die Haftbedingungen und unsere Strafe oder die Ausreise sagen dürfen, dass wir nichts übergeben oder annehmen dürfen, dass wir uns nur mit Handschlag begrüßen dürfen. Später wird sogar das unterbunden, weil Gefangene bei der Übergabe von Kassibern erwischt wurden. Von da an trennt uns auf dem Tisch eine Scheibe, sodass jegliche Berührung unmöglich wird.

Dann werden wir in einen Raum gebracht, in dem schon die Angehörigen sitzen, an Tischen, an denen auch eine Bewacherin sitzen kann. Natürlich wollen die Tränen hochsteigen, als ich meine Eltern sehe, und auch, als mir einmal meine Schwester gegenübersitzt. Schuldgefühle steigen in mir hoch, ich habe den Impuls, sie zu trösten. Ich weiß, dass ich mich nicht rechtfertigen kann, aber ich habe das starke Bedürfnis dazu. Wie kann ich ihnen nur erklärlich machen, dass das alles für mich notwendig ist? Ich kann ihnen nur das Gefühl geben, dass ich mich durch nichts beugen lasse, dass ich erfüllt bin von Hoffnung und Vertrauen. Und dass ich trotz allem in Liebe mit ihnen verbunden bin und auch an ein Wiedersehen glaube. Damals mussten wir ja davon ausgehen, dass diese Besuche die letzten Gelegenheiten sind, bei denen wir uns sehen konnten. Denn wir dürfen nach dem Verlassen der DDR nicht mehr zurückkehren, auch nicht besuchsweise. Ob die Eltern jemals in den Westen reisen durften, stand in den Sternen oder besser in der Macht der DDR-Behörden. Keiner ahnte 1984, dass in absehbarer Zeit die Mauer zwischen den zwei deutschen Staaten fallen wird. Sonst hätten Tausende ihre riskanten und oft tödlich verlaufenden Fluchtversuche unterlassen.

Meine Mutter erzählt von der Familie, von meinen heranwachsenden Neffen und meiner Nichte, die schon auf der kleinen Geige spielt, die ich ihr noch aus Moskau besorgt hatte. Sogar ein Stück Kuchen hat sie mir mitgebracht, das ich aber in der Aufregung kaum hinunterkriege. Viel zu schnell vergeht die Zeit und schon mahnt die Aufseherin, dass wir uns verabschieden müssen. Nur nicht weinen! Ich habe doch extra mit Schuhcreme meine Wimpern getuscht, um ein bisschen gepflegter auszusehen. Rouge brauche ich nicht, die Aufregung färbt von ganz allein meine Wangen. Ganz schnell umarme ich die Mutter. Außer einem strengen Blick passiert glücklicherweise nichts. Das liegt an der Bewacherin, die sich offenbar ein Fünkchen Menschlichkeit bewahrt hat. Schon ist der Augenblick vorbei, wir werden zurückgeführt in unsere Zellen. Nun muss ich wieder zwei Monate von dieser Erinnerung leben. Immer wieder werde ich mir jeden einzelnen Moment ins Gedächtnis rufen, jedes Wort, das wir gesprochen haben, jedes Lächeln. Die innere Wärme ist es, die uns überleben lässt, die alle Dunkelheit und Kälte des Gefängnisalltages überstrahlt.

Wenn wir Glück haben, werden wir samstags für eine Stunde in einen Raum unter dem Dach geschlossen, wo wir vor dem Duschen Sport treiben können. Wir tragen unsere Unterwäsche und haben uns inzwischen an den lächerlichen Anblick gewöhnt, in weißen Schlüpfern und Unterhemden herumzuhüpfen. Wir laufen, immer im kleinen Kreis, sind bald völlig außer Puste, denn mit der Kondition ist es nicht weit her. Eine von uns ist dann die Vorturnerin, und wir machen gemeinsam Gymnastik. Da dies freiwillig geschieht, ermutigen wir uns auch gegenseitig und haben viel Spaß an unseren Verrenkungen. Am Ende sitzen wir alle wie die Hühner auf der Stange an den geöffneten Fenstern, sehen über die Gitter und träumen uns hinaus aus den Mauern in die Weite der Frühlings-, Sommer- und später wieder Herbst- und Wintertage. Der Duft der jeweiligen Jahreszeit erfüllt uns noch, wenn wir wieder hinabsteigen und in die muffigen Duschen geschlossen werden. Fast alle Duschköpfe sind defekt, ich habe Glück, wenn ich eine Dusche ergattere, aus der auch einigermaßen Wasser kommt. Schnell seife ich mich ein, um rechtzeitig wieder sauber zu sein, bevor das Duschen zu Ende ist und ich wieder »raustreten« muss. So viele Stunden ließ man uns warten und buchstäblich »sitzen«, um uns dann wieder bei allem, was eigentlich in Ruhe getan werden könnte, zur Eile anzutreiben. Auch das gehörte zum Alltag eines DDR-Gefängnisses.

Neben den Duschen hängt eine Wandzeitung, die von den Strafgefangenen gestaltet werden muss. Dazu werden wir extra in einen Raum geschlossen, wo auch regelmäßig Politschulungen stattfinden. Solche Wandzeitungen mussten wir schon seit der ersten Klasse in der Schule anfertigen – dies gehörte zur politischen Erziehung der sozialistischen Persönlichkeit. Die Erinnerung daran stellt sich ganz zögernd ein, weil ich mich aus diesen Stunden vollständig hinausgeträumt habe. Ich lernte perfekt, aus der Realität auszusteigen und mich in meine innere Welt zurückzuziehen. Auch wenn ich im Verwahrraum liege und alle um mich herum schwatzen, kann ich mich vollständig in der Handlung eines Buches verlieren, ohne von meiner Umgebung noch etwas mitzubekommen. Ein Schutzmechanismus, der mir aber später im »normalen« Leben manchmal zum Verhängnis wird.

Noch eine Erinnerung kommt mir – das sogenannte »Tortenklitschen«. Kaum zu glauben, aber es ist möglich, praktisch aus Nichts einen Kuchen für das sonntägliche Kaffeetrinken oder gar für eine illegale Geburtstagsparty zu zaubern. Das ging so: Man »tütet« bei den Mahlzeiten Marmelade, Butter oder Margarine in Gläsern, die man geschickt in Papiertüten – vom Einkauf auf dem Freihof – versteckt und in die Pullover einhüllt. Dann braucht man natürlich etwas Zwieback oder Knäckebrot, das jemand spendiert, der gerade ein bisschen verdient hat. Wenn es nun noch gelingt, irgendetwas Besonderes zu »tüten« – etwas Quark oder vielleicht Pudding –, kann man auf einem Schrankbrett die schönsten Torten »klitschen«. Dazu schichtet man Zwieback und streicht dazwischen Marmelade oder Butter. Das Wichtigste ist die liebevolle Verzierung, indem man mittels einer Plastiktüte Ornamente, Namen, Muster oder Ähnliches darauf spritzt. Es sollte rechtzeitig begonnen werden, damit es gut durchziehen kann. Wir durften kein Besteck in den Zellen haben, und Messer schon gar nicht. Deswegen hat jede ihre »Rühre«, den Stiel einer abgebrochenen Zahnbürste, mit dem man im Lauf der Zeit äußerst geschickt zu hantieren lernt. Mit der »Rühre« schmiert man die Butter und die Creme, teilt den Kuchen, rührt den Tee um. Also eines unserer wichtigsten Utensilien! Und wenn dann der »gemütliche« Teil des Wochenendes beginnt, wird die Klitschtorte angeschnitten und verteilt. Manchmal schmuggelt man dann auch ein Stück mit auf den Freihof, um es einer Freundin aus einem anderen Kommando zu schenken. Das alles muss natürlich heimlich geschehen, denn es ist streng verboten, Lebensmittel aus dem Speisesaal mit in den Verwahrraum zu nehmen.

Ständig besteht die Gefahr, »gerazzt« zu werden. Solche Razzien können durchaus in unserer Abwesenheit im Verwahrraum durchgeführt werden. Das bedeutet: Wir kommen von der Freistunde oder der Arbeit zurück und finden in der Zelle ein gnadenloses Durcheinander vor. Alles wurde aus den Schränken gezerrt und auf den Boden zwischen Matratzen und Wäsche geschmissen. Falls jemand ein Paket bekommen hat – alle drei Monate darf man bei guter Führung ein 2-Kilo-Paket von seinen Angehörigen in Empfang nehmen –, dann liegt dessen Inhalt auch unter all den anderen Sachen verstreut.

Bis alles wieder in Ordnung ist, dauert es seine Zeit. Alles Verbotene ist futsch, wie eben auch solche Gläser mit mühsam gesammelter Butter oder Geschenke, die mit Freundinnen ausgetauscht wurden – liebevoll Gebasteltes wie zum Beispiel eine Rose aus geschnitzter Seife, ein Amulett aus Wäscheband, bestickt mit bunten Fäden vom Nähen. Das fällt alles dem »Razz-Kommando« zum Opfer. Wir können aber auch gerazzt werden, wenn das Kommando »abläuft«, das heißt auf dem Weg zur Produktion oder zum Speisesaal. Dann wird alles, was wir nicht bei uns haben dürfen, aus dem Netz und aus den Brustbeuteln weggenommen. Falls wir Kassiber oder illegale Fotos dabeihaben, dann auch die. Wir dürfen nicht mehr als fünf Fotos haben. Sie sind auf der Rückseite mit einem O abgestempelt.

Die Razzien sind immer ein herber Einschnitt im Gefängnisleben. Sie verletzen das kleine bisschen Privatsphäre, das ich mir zu verschaffen suche. Sie zeigen mir meine Ohnmacht und nehmen mir auch Objekte, die ich zum Überleben brauche, wie zum Beispiel die Strumpfhosen, ohne die man hier bitterlich friert. Einmal hat eine Kriminelle uns verraten, sie hoffte, sich damit einen besseren Stand bei der Erzieherin zu verschaffen. Das hat mich so in Rage gebracht, dass ich sie im Waschraum fast verprügelt hätte. Meine Freundin hinderte mich vernünftigerweise daran. Es hätte mir Arrest oder gar »Nachschlag« (Erhöhung des Strafmaßes) einbringen können. Aber ich empfand eine ungeheure Wut über diesen Verrat. Wir hatten dann keine Strumpfhosen mehr, und es dauerte eine Weile, bis jede eine »Quelle« auftat, um sich eine neue Strumpfhose zu organisieren. Eine solche Quelle war es, wenn jemand plötzlich »auf Transport« ging. Dann blieben deren Sachen noch für kurze Zeit im Verwahrraum, bis sie von der Erzieherin geholt wurden. Wir mussten schnell sein, wenn wir noch etwas ergattern wollten, zum Beispiel wenn wir eines der Kleidungsstücke gegen ein besser passendes austauschen konnten. Das war dann echtes Glück.

Schon meine Freundin Gabriele hatte mir davon berichtet, dass solche Transporte in unregelmäßigen Abständen stattfinden und scheinbar willkürlich zusammengestellt werden. Keiner kann vorhersagen, wann, wer und wie viele herausgezogen und von einer Minute auf die nächste aus »unserem« Gefängnis verschwinden werden. Zumindest für uns, die zurückbleiben, ist es ein Rätsel. Da bleibt für Spekulationen viel Raum. Solche Momente waren für uns sehr gefühlsbeladen, es war jedes Mal ein tiefer Einschnitt für alle. Um diese Augenblicke, wenn es plötzlich hieß »Strafgefangene so und so heraustreten«, kreisten in all den Tagen und Monaten, die wir auf Hoheneck verbrachten, unsere Fantasie, Hoffnung und Verzweiflung. Für uns »RF«-ler war es der Zielpunkt allen Wartens, für die Kriminellen ein steter Dorn im Auge. Mussten sie doch miterleben, wie schnell – gemessen an ihren jahrelangen Haftstrafen – unsere Freilassung möglich war. Nicht nur, dass wir uns unschuldig fühlten – wer ist schon unschuldig in diesem Leben? –, zu ihrem Verdruss haben wir auch noch die Hoffnung auf ein besseres Leben. Dass sich diese Hoffnung auf eine Freilassung so bald erfüllte, war für sie angesichts der Länge ihrer eigenen Strafe und der Perspektivenlosigkeit danach Anlass zu Hass und Feindschaft. Wenn bei uns Euphorie ausbrach, weil wieder einige die Tür zur Schleuse nach draußen durchschreiten konnten, dann schlug uns von den »Langstrafern« eisiges Schweigen und Ablehnung entgegen.

Notgedrungen endete unsere Euphorie immer rasch. Wir waren ja noch da und mussten weiter ausharren und hoffen und bangen. Denn nicht für alle öffnet sich die Schleuse in den Westen. Einige müssen ihre Haftstrafe bis zum letzten Tag absitzen und werden dann in die DDR zurückentlassen.

Dann erwartet sie Diskriminierung bis zum bitteren Ende. Ich denke an Claudia, eine von uns, die über zwei Jahre vergeblich auf ihren Transport gewartet hatte und schließlich ganz regulär entlassen wurde. Wir haben ihr vom Klofenster in der Produktion aus hinterhergewinkt. Das Bild, wie sie einsam auf der Wiese jenseits der Mauern stand und zurückwinkte, hat sich mir tief eingeprägt. Was wird sie wohl noch erlebt haben, bis sich 1989 die Mauer und damit auch für sie die Möglichkeit öffnete, einen Weg in eine hoffnungsvollere Zukunft zu finden?! Diese Angst, in die DDR zurück zu müssen, gedemütigt und ohne Hoffnungen, jemals in die Freiheit gelangen zu können, wurde bei uns immer wieder geschürt, zum Beispiel durch regelmäßige »Gespräche« mit der Erzieherin, die uns mahnte, unsere Einstellung zum Staat zu ändern. Das habe ich auch getan, allerdings in die entgegengesetzte Richtung. War ich mir vorher noch unsicher gewesen, ob es richtig war, meine Heimat zu verlassen, so wurde mit jedem Tag meiner Haft die Gewissheit größer, dass nur dieser Weg für mich infrage kommt. Meine Kraft wuchs und wurde zum Reservoir für die kommende Zeit.

Ich hatte nach meiner Ankunft im Westen auch große Schwierigkeiten zu überwinden, und bis heute gibt es Augenblicke, wo Ratlosigkeit und Zweifel mich plagen, was der nächste richtige Schritt in meinem Leben sein könnte. Aber ich weiß seitdem, dass man so ziemlich alles aushalten kann, und dass Stagnation und ein scheinbares Auf-der-Stelle-Treten manchmal notwendig und gut sind, um Kraft für die nächste Aufgabe zu sammeln. Ich bin durch das Dunkle zum Licht gekommen. Wem das einmal gelang, der kann auch Tiefpunkte und Verzweiflung durchleben, ohne das ganz große Gefühl für die Freiheit und das Wunderbare unseres Lebens zu verlieren.

Wir entwickelten eine ganz spezielle Aufmerksamkeit für das Auftreten von Wachpersonal »außer der Reihe«, denn wenn jemand geholt wird, dann geht es rasend schnell. Es bleibt keine Zeit zum Abschied. Wenn man Glück hat, kann man Zurückbleibenden höchstens noch schnell das Gefängnisgeld zustecken, das man übrig hat. Eines Tages wird meine Freundin S. herausgerufen. Wir freuen uns natürlich, dass sie freikommt und bald ihren Sohn in die Arme schließen kann, der gerade drei Jahre alt war, als sie eingesperrt wurde. Ich habe sie nach meiner Freilassung in Westberlin wiedergetroffen. Bei dieser Gelegenheit konnte sie mir erzählen, was wirklich passiert war, nachdem sie abtransportiert worden war. Es ging nämlich bei uns auch das Gerücht um, dass solche Transporte nur eine Verlegung in einen anderen Strafvollzug bedeuteten. Die Befürchtung deprimierte uns zutiefst. Und so war es bei ihr auch tatsächlich gewesen. Sie kam nach Halle, in den sogenannten erleichterten Vollzug. Ihre Haftstrafe lag unter zwei Jahren, deshalb hatte sie Anspruch auf Hafterleichterung. Ihre Straftat galt nicht als »Verbrechen«, sondern nur als »Vergehen«. Deshalb wurde sie nach Halle verlegt. Sie musste sich also wieder an eine neue Umgebung, diesmal mit vorwiegend jungen Häftlingen, gewöhnen und weiter bangen.

Als ich dann endlich, nach so vielen Monaten, Tagen und Minuten des zermürbenden Wartens beim Ablaufen zur Produktion herausgezogen werde, sagt mir meine Erzieherin, dass ich nur verlegt werde, dass ich alles mitnehmen solle. Es ist der 6. Dezember 1984. Alles dreht sich plötzlich vor meinen Augen. Stimmt es, werde ich nur in einen anderen Strafvollzug gebracht? Soll ich wirklich die Sachen, die ich mir im Laufe des Jahres in Hoheneck von den »Abgängen« zusammengesammelt habe, das bisschen kostbares Essen, meine paar Geldscheine mitnehmen? Es geht alles so schnell, mir bleibt nicht viel Zeit zum Überlegen. Die Erzieherin geht mit mir in den Verwahrraum und steht neben mir, als ich meine Habseligkeiten in eine Decke wickle. Schnell gelingt es mir, das Geld unter eine andere Matratze zu stecken. Ob es jemand findet? Auch das Essen und die besseren Kleidungsstücke lasse ich dort. Sie nimmt mir das Bündel mit meinen Sachen weg und schließt mich in eine Toilette am Ende des Ganges ein. Dort stehe ich nun, zitternd vor Anspannung und Kälte. Es ist ein eisiger Wintertag. Was wird jetzt kommen? Zwischen Hoffen und Bangen geht mir jegliches Zeitgefühl verloren. Irgendwann wird die Tür aufgeschlossen, und ich werde die Gänge entlanggeführt. Mir kommt alles so fremd und unwirklich vor, ich verliere die Orientierung. Und dann finde ich mich in der Schleuse wieder – zusammen mit anderen. Teilweise sind es bekannte Gesichter. Auch das von Heidi. Heidi sitzt schon seit drei Jahren in Hoheneck. Sie hatte alle Hoffnung aufgegeben, jemals in den Westen zu kommen. Ihr Mann war »Geheimnisträger« in der DDR, das heißt, er hatte Zugang zu Informationen, die nicht in die Hände »des Feindes« gelangen sollten. H. glaubte, dass man sie die ganze Strafe absitzen lassen und dann in die DDR zurückschicken würde. Aber ihre Strafe war noch nicht um, das hieß, wenn sie nun doch vorzeitig entlassen wurde, ist es so gut wie sicher, dass dieser Transport in den Westen ging. Immer wieder muss sie mir das sagen, so recht will ich nicht daran glauben. Doch tatsächlich – wir werden in die »Minna« gebracht und fahren durch das Gefängnistor, das sich hinter uns krachend schließt, den Berg hinunter und aus der Stadt Stollberg hinaus auf die Autobahn. Ich will mich umdrehen und durch die vergitterten Stäbe einen Blick zurückwerfen auf das Gefängnis, da wird mir aber schnell geraten, das lieber nicht zu tun. Wenn du dich umdrehst, wirst du in dieses Gefängnis zurückkehren. Ich blicke nicht zurück, aber ich bin intensiv von dem Gefühl erfüllt, wie es ist, diesen Albtraum hinter sich zu lassen.

Wir werden nach Chemnitz in die dortige Stasi-U-Haft gebracht. Als wir in Chemnitz in die kleinen Zellen gesperrt werden, mutet das ganz seltsam an. Man versucht uns wieder mit den vertrauten Stasimethoden einzuschüchtern. Sie haben fast keine Wirkung mehr auf mich. Offensichtlich geht es allen anderen ebenso. Nach der Zeit in Hoheneck nehmen wir die Bewacher längst nicht mehr so ernst wie »einst« zu Beginn der Haft. Wie unendlich lange scheint das her zu sein, dass wir wirklich totenstill durch die Gänge zur Freistunde geführt wurden. Jetzt schert sich keine mehr darum, leise zu sein. Es wird auch gelacht, und wir hören sogar wieder Männerstimmen aus den Zellen. Das bedeutet, dass auch unsere Männer hier sind. Wie viel Aufregung und Vorfreude bringt das in unsere Unterhaltungen! Wir sind zu sechst oder zu acht in den winzigen Zellen, auch das ist eine gewaltige Veränderung. In den Freihofzellen hören wir Lachen und Unterhaltung von »nebenan«. Keiner schert sich mehr um das Schimpfen des Wachpersonals, irgendwie wissen wir ja, »die können uns nichts mehr anhaben«. Ungeduldig erwarten wir jeden neuen Morgen. Das Warten ist auch hier noch quälend. Aber eines Tages ist es plötzlich so weit. Etwas ist anders, und zwar etwas Entscheidendes: Wir werden zu den Effekten geführt und bekommen alle unsere eigenen Kleidungsstücke ausgehändigt.

Es sind die Sachen, die ich am Tage meiner Flucht anhatte. Die schwarze Jacke und Hose, frisch gereinigt. Die Turnschuhe, meine eigene Unterwäsche. Es ist mir alles ein wenig zu weit – ich bin sogar noch dünner als in der aufregenden Zeit vor der Flucht, wo ich schon so viel abgenommen hatte. Staunend betrachten wir uns gegenseitig – wir sehen in unseren eigenen Kleidern so anders aus als in den gleichmachenden Uniformen. Plötzlich kommt das Individuelle zum Vorschein. Mir wird bewusst, wie tief diese Gleichmacherei gewirkt hat. Und doch konnte sie unsere Persönlichkeit nicht auslöschen. Nur ein paar eigene Kleidungsstücke, und schon treten die Weiblichkeit, der Charme, die persönliche Ausstrahlung jeder Einzelnen deutlich hervor. Der Gedanke an unsere Männer lässt uns aufgeregt kichern. Allein diese tiefen Stimmen – wie wir sie vermisst haben in all der Zeit unter Frauen.

Wir werden einzeln noch einmal einem Vernehmer vorgeführt. Er befragt mich nach persönlichen Vermögensverhältnissen – als ob die Stasi das mittlerweile nicht längst wüsste. Ob ich noch Schulden offen hätte. Ich denke, wie gleichgültig mir das alles geworden ist, wie wenig mir Besitz bedeutet. Und dann der Augenblick, als der Vernehmer mich eine entsprechende Erklärung unterschreiben lässt. Dass ich keinerlei Rechts- und Besitzansprüche mehr in der DDR habe und endgültig aus der Staatsbürgerschaft der DDR entlassen werde. Diese kann ich nie mehr erwerben. Je nun, denke ich, das war ja der Sinn dieser ganzen Quälerei, dass ich endlich loskomme aus dem Land, das mich freiwillig nicht reisen lassen will. Innerlich jubelnd unterschreibe ich die Entlassungsurkunde aus der Staatsbürgerschaft der DDR. Ich bekomme den Entlassungsschein aus der Haft – sogar ein Foto ist dafür angefertigt worden. Ich betrachte mein Bild. Ich bin immer noch jung, 24 Jahre alt. Aber innerlich bin ich viel älter und reifer geworden.

Am 19. Dezember ist es dann endlich so weit. Wir werden durch eine Schleuse geführt. Mir ist sie als Röhre in Erinnerung, wie man sie auf Flughäfen beim Einsteigen ins Flugzeug kennt. Am Ende dieser Röhre steht ein Bus, ein Westbus, wie ich erstaunt feststelle. Da drin sitzen schon die Männer. Uns stockt der Atem. Ganz unwirklich ist mir der Moment, als ich auf den Platz neben Mathias zugehe und mich neben ihn setze, als wäre das ganz selbstverständlich. Schüchtern umarmen wir uns. Keiner wagt zu jubeln. Eine seltsame Befangenheit liegt über allen. Keiner traut sich laut zu reden. Sind wir jetzt frei, wirklich frei? Vorn im Bus steht plötzlich Rechtsanwalt Vogel. Er sagt ein paar Worte, die ich vor lauter Aufregung nicht verstehe. Es ist, als liefe ein Film vor mir ab und nicht mein eigenes Erleben. Wie in Trance nehme ich wahr, dass Dr. Vogel aussteigt und in einem luxuriösen Wagen vor uns durch die Gefängnistore hinausfährt.

Plötzlich öffnen sich diese Tore, die uns so lange isoliert haben. Wir rollen auf den ganz normalen Straßen zur Chemnitzer Autobahn. Kaum trauen wir uns, aus den nun nicht mehr vergitterten Fenstern zu schauen. Wir sitzen in einem komfortablen Reisebus und fahren auf die Grenze zu, die zu überschreiten nun plötzlich so einfach scheint. In Bad Hersfeld schert plötzlich der Wagen von Dr. Vogel seitlich weg, und wir fahren ohne anzuhalten durch die Grenzanlagen hindurch. Es scheint mir ganz und gar unbegreiflich.

Und plötzlich sagt der Busfahrer durchs Mikrofon, dass wir uns jetzt auf bundesdeutschem Gebiet befinden. Da brechen Jubel und Erschütterung aus. Stürmisch und hemmungslos umarmen die Menschen sich, sie schluchzen, Tränen laufen, und wir alle wagen zum ersten Mal, uns wieder frei umzuschauen. Seltsamerweise ist es in mir wie taub, ich nehme alles wie durch einen Nebel wahr. Meine Tränen wollen nicht fließen, im Hals steckt ein dicker Kloß, und als ich Mathias, meinen Mann, neben mir betrachte, kommt er mir so fremd vor. Da begreife ich endgültig, dass mich die Gefängniszeit sehr verändert hat. Ich schaue mit anderen Augen in die Welt. Ich komme mir vor wie ein Fisch im Aquarium. Nichts will mich erreichen. Die körperliche Berührung dringt nicht bis zu mir durch – ein Lebensgefühl, das mich noch lange begleiten wird.

# Erinnerung

Wir kamen zuerst ins »Auffanglager« Gießen. Dorthin hatte uns der Bus gebracht. Wir mussten uns rasch entscheiden, in welches Bundesland wir wollten. Schon vor der Flucht hatten wir alle vier an München gedacht. Für mich spielte dabei eine Rolle, dass Professor Nel in München lebte, aber es gab dort auch Christoph, einen Verwandten von uns, den ich von einem seiner Besuche in Dresden kannte. Er war 1956 nach dem Abitur mit einem Fahrrad als seinem einzigen Besitz nach Westdeutschland gegangen, weil er als Sohn eines Pfarrers in der DDR nicht studieren konnte. Er wusste, wie es ist, wenn man mittellos die Heimat verlässt. Bereits während unserer Haft hatte er Kontakt mit unseren Eltern aufgenommen und seine Unterstützung angeboten. Er und seine Lebensgefährtin Traudi luden uns zu sich nach München ein. In Gießen hatte man uns zwar davor gewarnt, zu schnell auf solche Angebote von Verwandten einzugehen, weil die Gefahr bestand, dass man nicht gleich Arbeit und Wohnung bekam und so aus einem Kurzbesuch ein ungewollter Dauerbesuch wurde. Doch es wäre Mathias und mir schwer gefallen, unmittelbar nach dem Gefängnisaufenthalt in ein sogenanntes »Übergangswohnheim« zu gehen. So nahmen wir diese Einladung dankbar an.

Am 23. Dezember abends standen wir vor Christophs Tür. Wir hatten kaum mehr als das, was wir am Leibe trugen. Einmal Kleidung zum Wechseln und einen Anorak von der Caritas. Und natürlich die Kleidung, die wir bei der Flucht getragen hatten. Wir wurden sehr herzlich empfangen und über die Feiertage von Christoph und Traudi verwöhnt, herumgeführt, bewirtet und beraten. Von seinem Balkon aus sahen wir zum ersten Mal die Alpen. Es war Fön und ein unwirklicher Anblick. Nach Weihnachten stellte uns Traudi ihre eigene Wohnung zur Verfügung. Zum ersten Mal überhaupt in unserem Leben genossen wir die Ruhe einer »eigenen Wohnung«. Mathias fand rasch eine Arbeit und auch eine Eineinhalb-Zimmer-Wohnung für uns. Dort konnten wir Michael und Gerd schon ein Quartier bieten, als sie Anfang Februar 1985 endlich auch in die Freiheit entlassen wurden. In dieser Wohnung haben wir ein paar Monate auf engstem Raum zusammengelebt, bis Michael und Gerd eine eigene Bleibe fanden. Ich habe also zu keinem Zeitpunkt unter dem Brückenbogen geschlafen, wie es mir mein Vernehmer prophezeit hatte.

Für mich persönlich war es ja eine große Sorge gewesen, wie ich ohne Geige meinen Beruf ausüben sollte. Davon befreite mich Professor Nel. Er lud mich einige Tage nach unserer Ankunft ein und stellte mir eine Geige zur Verfügung. Ich konnte wieder üben und später in Kammerensembles und zuerst aushilfsweise im Orchester spielen. Ich bekam zunächst Arbeitslosengeld. Später entschloss ich mich, an einem Kurs des Lockenhauser Kammermusikfestes teilzunehmen, das Gidon Kremer veranstaltete. Das war eine beglückende Erfahrung mit neuen Impulsen. Gidon Kremer unterstützte mich bei meinen ersten Gehversuchen in der westlichen Musikwelt auf vielfältige Weise. Ich konnte auf einer seiner Geigen spielen, einer modernen Bellini, er ermöglichte mir ein Studium bei Sandor Vegh in Salzburg und verhalf mir zu ersten Konzerten und Kontakten. Er war verständnisvoll und offen. Seine Ermutigung hat mir viel Kraft gegeben, wie überhaupt

Dorothea Ebert hat am Meisterkurs im Rahmen des V. Lockenhauser Kammermusikfest's teilgenommen und erwies sich als vielversprechende Künstlerin. Ihre weit überdurchschnittliche musikalische Begabung und persönliche Aufgeschlossenheit verdienen jedwede Unterstützung.

*Aus einem Schreiben von Gidon Kremer vom 19.7.1985*

all die Unterstützung, die wir bei unserem Neuanfang erhalten haben.

Wir waren fest entschlossen, alle Chancen der neuen Freiheit zu nutzen und unser Leben aktiv und selbstbestimmt zu gestalten. Wir hatten den Kopf voller Ideale und nicht viel Geld. Das spielte damals gar keine Rolle. Der Reichtum, der uns überall entgegenschwappte, die von Kaufangeboten überquellenden Kaufhäuser, der Konsum waren zunächst keine Verlockung. Wir hatten auch keinen Blick für die äußere Erscheinung, weder für unsere eigene noch für die unserer Mitmenschen. Als ich nach der Freilassung zum ersten Mal wieder auf das Podium trat, zum Beispiel bei einem Konzert im Wiener Konzerthaus gemeinsam mit Gidon Kremer als Solisten in einem Konzert für zwei Violinen von Arvo Pärt, machte ich mir über mein Aussehen wenig Gedanken. Ich trug mein einziges Konzertkleid. Darin hatte ich auch geheiratet. Außerdem hatte mir Mutter ein für DDR-Maßstäbe sündhaft teures weißes Kleid geschickt, das sie mir vor dem Konzert im Leipziger Gewandhaus gekauft hatte. Doch als ich dieses Kleid bei meinem ersten Besuch in der Münchner Oper trug, fühlte ich mich plötzlich unbehaglich und hatte wieder das Gefühl, nicht angemessen gekleidet zu sein. Auch im beruflichen Umfeld wurde mir erst allmählich klar, welche Bedeutung ein passendes Outfit hat.

In dieser Hinsicht waren wir also »anders«. Aber es betraf nicht nur das Auftreten. Jahrelang konnte man uns ehemalige »Ossis« noch an unserer Unsicherheit erkennen und daran, dass wir verhältnismäßig leicht einzuschüchtern waren. Wir waren in den ersten Jahren sehr damit beschäftigt, uns in dem neuen Umfeld zu behaupten und uns auf die neuen Umgangsformen einzustellen. Für Reflexionen, für eine intensive Auseinandersetzung mit der Vergangenheit war kein Raum. Wir mussten uns auf all das Neue einstellen.

Im Dezember 1989 war ich zum ersten Mal wieder in Dresden bei meiner Familie. Meine Mutter hatte schon lange vor den Ereignissen im November 1989 bei den DDR-Behörden ein Besuchervisum beantragt. Anlass war ihr 65. Geburtstag.

Dieses Visum war überraschenderweise bewilligt worden. Als ich 1987 zur Beerdigung meiner Großmutter kommen wollte, war das nicht zugelassen worden. Im Dezember 1989 war die Mauer dann ohnehin gefallen, und einem Besuch stand nichts mehr im Wege.

Als ich zum ersten Mal seit der Flucht 1983 wieder in die elterliche Wohnung kam, hatte ich eine abenteuerliche Fahrt im Schneetreiben hinter mir, auf einer Straße, die 40 Jahre lang quasi nicht existiert hatte. Vor meinem inneren Auge sah ich immer noch die einspurige, unbefestigte »Autobahn«, die uns durch verwahrloste Waldstücke und eine gespenstisch graue Landschaft geführt hatte, bis wir auf das majestätisch im Tal der Elbe liegende Dresden schauten. Ich registrierte den völlig ungewohnten freundlichen Ton, den die Grenzposten nun anschlugen, wenn sie mit »Einreisenden« kommunizierten, als ich mir von ihnen die Mitnahme meiner eigenen Geige im Pass vermerken ließ, weil ich fürchtete, man würde mir die Geige bei meiner Rückreise einfach wegnehmen. Ich war glücklich über das Ende der Diktatur. Ich hoffte auf eine rasche Annäherung der beiden Staaten. Aber ich war auch zutiefst verwirrt. Ich hatte all diese überwältigenden Ereignisse noch nicht verarbeitet.

Bei der Geburtstagsfeier traf ich Familienmitglieder, Arbeitskollegen und Freunde. Fast ausnahmslos sah ich in ihrem Blick die Frage: »Wie konntest du das alles deiner Mutter und der Familie antun?« Ich hatte das dringende Bedürfnis mich zu rechtfertigen, aber ich konnte es nicht. Ich konnte nicht schildern, was ich empfunden hatte, was mir im Kopf herumgegangen war. Was ich im Gefängnis erlebt hatte. Wir hatten alle noch nicht gelernt, uns offen zu äußern und zu unseren Überzeugungen zu stehen. Und es wäre mir auch sonst nicht gelungen, mit wenigen Worten und im Rahmen einer Geburtstagsfeier.

Das Unglaubliche war geschehen, was noch fünf Jahre vorher kein Mensch für möglich gehalten hätte. Die Grenze zum Westen hatte sich geöffnet. Hätte ich besser ausgeharrt und meine »luxuriösen« Selbstverwirklichungsträume vergessen? War es ein ganz unnötiges Opfer gewesen, sechzehn

Monate meiner Jugend herzuschenken, Familie und Freunde zu verlassen und eine schreckliche Zeit im Gefängnis zu verbringen? Es hat eine ganze Weile gedauert, bis ich die Überzeugung aufs Neue in mir verankern konnte, dass es richtig war, was ich getan hatte.

Dazu trug auch bei, dass ich die Erinnerung wieder zuließ. Den Anstoß gab eine 14-jährige Schülerin aus der Rudolf-Steiner-Schule. Sie wollte nach einem Besuch in der Gedenkstätte für die Stasi-Opfer in Hohenschönhausen ihre Jahresarbeit über das Thema schreiben und fragte mich nach meinen Erlebnissen. Angerührt von Tonis Interesse begann ich nach langer Zeit wieder über meine Geschichte nachzudenken, bis ich schließlich anfing sie aufzuschreiben. Ich will mein Schicksal nicht schwerer bewerten als das anderer Menschen. Viele hat es weit härter getroffen. Sie verloren Angehörige bei der Flucht, sie mussten zusehen, wie das eigene Kind dem Schießbefehl zum Opfer fiel, sie traten auf eine Mine, wurden verstümmelt und ins Gefängnis gesperrt, versehrt an Leib und Seele.

Aus diesem Grunde bin ich zutiefst dankbar, dass meine Kinder in einem Umfeld aufwachsen können, in dem die Freiheit, sich eine eigene Meinung zu bilden und diese ungestraft äußern zu dürfen, gefördert wird. Sie haben die Möglichkeiten, um die wir zunächst vergeblich gerungen haben: die Welt kennenzulernen und sich auf eigene Wege zu begeben, um nach der ihnen gemäßen Lebensform zu suchen. Der Vater meiner Kinder hat noch vor dem Bau der Mauer seiner Heimatstadt Leipzig den Rücken kehren müssen, weil es ihm als »Intelligenzler-Kind« verwehrt gewesen wäre, zu studieren. Hautnah hat er den Bau der Mauer miterlebt. Gemeinsam mit seinem Bruder schmuggelte er in einer mit großem Risiko verbundenen Befreiungsaktion seine damalige Freundin im Kofferraum seines VW-Käfers über die Grenze. Er war wohl einer der Ersten, dem es gelang, die äußerst scharfen Grenzkontrollen auf diese Weise zu umgehen.

Es ist heutzutage kaum noch zu erkennen, wo die Grenze

verlief. Zwar ist ein deutsch-deutscher Wanderweg entlang der Grenzanlagen, die ehemals das Land zerschnitten haben, geschaffen worden, doch die Natur bedeckt zunehmend die Narben. Auch die tatsächlichen Lebensumstände in der DDR geraten in Vergessenheit. Bald kann sich niemand mehr vorstellen, wie das ist, von Kindheit an nicht nur in der äußeren Freiheit und Entfaltungsmöglichkeit eingeschränkt zu sein, sondern auch einer ständigen, bis ins Innere wirkenden Kontrolle ausgesetzt zu sein, ohne sich wirklich dagegen wehren zu können.

Unsere Kinder wissen zwar um die Fluchtgeschichten in unserer Familie, können sich aber trotzdem unbeschwert ihrer Gegenwart zuwenden, in der die äußeren – und in zunehmendem Maße auch die inneren – Mauern zwischen den Menschen in Ost und West verschwinden. Ich bin sehr froh darüber und hoffe, dass es nie wieder eine Generation geben möge, in der die Familienbande solch extremen Belastungen ausgesetzt werden, wie wir es erleben mussten. Deshalb wünsche ich mir, dass unsere Geschichte dazu beiträgt, diese Zeiten nicht in Vergessenheit geraten zu lassen, damit die Menschen in Zukunft ähnlichen Entwicklungen von Anfang an bewusst entgegenwirken können.

# Gertrud Proksch

## Aus den Erinnerungen der Mutter

Dorothea und Mathias hatten im April 1983 geheiratet. Im August 1983 planten sie gemeinsam mit Michael und Gerd eine Urlaubsreise nach Ungarn. Wenige Tage vor ihrer Abfahrt besuchten sie uns im Erzgebirge, wo Kurt und ich uns von den Anstrengungen des letzten Schuljahres erholten. Sie kamen mit einem großen alten Auto, einem Moskwitsch, den Mathias zu einem Wucherpreis erstanden und noch einmal überholt hatte. Scheinbar unbeschwert plauderten sie über ihre Reiseziele, erwähnten ganz nebenbei, dass sie einige der Gemälde von Gerd gern vorübergehend in unserer Dresdner Wohnung deponieren wollten, weil in ihrer Wohnung in der Louisenstraße kürzlich eingebrochen worden und ein Bild von Gerd beschädigt worden war.

Als sie nach Dresden zurückfuhren, ahnte ich nicht, dass es ein Abschied für lange Zeit werden würde. Kurt traf sie dann noch einmal am 15. August am Neustädter Bahnhof, wohin er in unserem blauen Trabant etwas Gepäck für sie transportierte. Er erzählte mir, Dorothea habe sehr geweint.

In unserer Dresdner Wohnung fanden wir mehr Ölgemälde von Gerd vor, als wir vermutet hatten, und verstauten die Bilder hinter Betten und Schränken. Dass Michael in unserem Geldschrankfach einen verschlossenen Umschlag mit DDR-Geld hinterlegt hatte, erweckte in uns zunächst keinen Argwohn.

Bis zum Abend des 28. August 1983, als uns der anonyme Anruf der jungen Frau erreichte, die Dorothea im Untersuchungsgefängnis in Sofia getroffen hatte. Sie richtete Grüße von unserer Tochter aus und teilte uns in kurzen Sätzen mit, sie sei nur einen Tag mit Dorothea in einer Zelle gewesen, dann aber nach Berlin entlassen worden, weil ein Verdacht gegen sie sich nicht bestätigt habe. Sie nannte uns noch eine Telefonnummer, unter der wir sie am nächsten Tag erreichen konnten.

Nach einer schlaflosen Nacht erfuhr ich bei diesem Anruf folgendes: An der Grenze zwischen Bulgarien und Jugoslawien werde ein breiter Streifen von Sicherheitskräften bewacht. Nicht nur DDR-Bürger, die tatsächlich einen illegalen Grenzübertritt planten, sondern auch arglose Urlauber, die sich der Grenze unvorsichtig näherten, würden oft wahllos aufgegriffen und in Untersuchungshaft gebracht. Manche Einheimische würden durch Schmiergelder als Beobachter gewonnen.

Weitere Auskünfte konnte und wollte uns die Frau nicht geben.

Obwohl wir uns nach dem Anruf der fremden Frau mit der Mutmaßung beruhigen wollten, unsere Kinder könnten bei einer Wanderung im grenznahen Gebirge den »Fängern« in die Hände geraten sein, wurde es mir von Stunde zu Stunde klarer. Sie hatten die DDR verlassen wollen. Auch Gotthard Ebert, Mathias' Vater, den wir sofort verständigten, reagierte mit dem lakonischen Satz: »Die wollten rüber!« Uns fiel es wie Schuppen von den Augen. Die große Zahl von Gerds Gemälden und weitere verschnürte Kartons auf dem Speicher unserer Wohnung in der Burgsdorffstraße, der Geldumschlag von Michael – es waren Vorbereitungen für die geplante Flucht. Eine Äußerung unseres Sohnes fiel mir wieder ein: »Wenn ihr mal in Rente seid, geh' ich rüber!«. Das hatte er gesagt, als er berichtete, wie ein Sowjetsoldat kaltblütig niedergeschossen wurde, der aus einer Kaserne der Besatzungsmacht geflüchtet und in einer Kleingartenanlage gestellt worden war.

Und dann erinnerte ich mich daran, wie mir Dorothea schluchzend um den Hals fiel, nachdem sie im Sommer 1980 von einer kurzen Konzertreise mit dem Becher-Quartett aus Paris zurückgekehrt war, wo sie wenige Tage in vollen Zügen die Luft der Freiheit geatmet hatte. Später erzählte sie mir, wie sie mit einem anderen Mitglied des Quartetts auf einer Seine-Brücke gestanden und überlegt hatte, nicht hinter Grenze und Stacheldraht zurückzukehren. Nur die Liebe und die Rücksicht auf die Familie hatten sie daran gehindert, im »freien Westen« zu bleiben.

Es folgten Tage und quälende Nächte voller Ungewissheit. Dann wurde ich zum Rektor der Hochschule für Musik zitiert. Ihm war von der Stasizentrale in Berlin bereits gemeldet worden, dass eine Meisterklassenstudentin den Versuch einer »Republikflucht« unternommen hatte.

Kurz darauf hatten wir vom Generalstaatsanwalt der DDR zwei Schreiben in unserem Briefkasten.

So schockierend diese Nachricht für uns war und so unwiderruflich sie klang, es war doch auch eine Erleichterung, endlich zu wissen, wo sich unsere Kinder befanden. Nun überschlugen sich die Ereignisse.

Wir erhielten einen Anruf aus der Stasi-Zentrale Dresden, dass »morgen einige Leute von uns bei Ihnen vorsprechen werden«. Mit anderen Worten, dass eine Hausdurchsuchung stattfindet.

Die Zimmer von Michael und Dorothea wurden gründlich durchstöbert. Um nach außen hin den Anschein eines Rechtsstaates zu wahren, wurde aus einem gegenüberliegenden Haus eine ältere Frau als Zeugin hinzugezogen. Sie war gehbehindert, und ich hatte öfter für sie Lebensmitteleinkäufe erledigt und mich in die Schlange am Gemüseladen eingereiht, um die zu Festen wie Ostern, Weihnachten oder dem 1. Mai zugeteilten Bananen zu erstehen. So

...Ihr Sohn... (Ihre Tochter...) befindet sich in der Untersuchungshaftanstalt Berlin. Sie haben die Möglichkeit, monatlich 4 Briefe zu schreiben. Äußerungen über die Straftat sind darin nicht gestattet. Paketsendungen können nicht entgegengenommen werden. Geldsendungen von monatlich bis zu 50,– Mark sind zulässig. Wäsche und Bekleidung sind nur bei Anforderung zu überbringen. Für Briefe und Geldsendungen gilt folgende Adresse:
Vor- und Zuname
1040 Berlin
Postschließfach 84
Eine Sprecherlaubnis wird erteilt, sobald die Ermittlung es zuläßt ...

wird sie bei einer Befragung durch Beamte der Staatssicherheit gewiss nur Gutes über unsere Familie ausgesagt haben.

Uns war klar, dass in den folgenden Tagen die Mitbewohner in unserem Vier-Familien-Haus und andere Personen in der Nachbarschaft von Stasi-Beamten ausgehorcht werden würden. Niemand wagte es, eine Frage oder ein aufmunterndes Wort an uns zu richten. Sie mussten wohl alle schriftlich erklären, über diese Gespräche zu schweigen. Ihr Verständnis für unsere Sorgen drückten sie eher durch spontane Hilfeleistungen aus, indem zum Beispiel Herr M. meinen Mann aufforderte, die Kohleneimer an der Kellertür stehen zu lassen – er werde sie uns gern hochbringen. Es passierte auch, dass Frau Sch. plötzlich an der Wohnungstür klingelte und rief: »Machen Se schnell, im Konsum gibt's Apfelsinen!«

Einen Tag nach dem »Besuch« in der Burgsdorffstraße fand eine weit gründlichere Durchsuchung in der »Studentenbude« in der Louisenstraße statt. Sie lag im Dachgeschoss eines sanierungsbedürftigen Altbaus und war von Dorothea, Michael und Gerd gemeinsam bewohnt worden. Die Tür war bereits versiegelt. Freunde von Dorothea und Michael, die sie ahnungslos besuchen wollten, wurden von im Hausflur postierten Männern aufgehalten und ausgefragt. Als wir zum Termin bestellt waren, fehlte das amtliche Klebeband.

Wir warteten in der Wohnung über eine Stunde auf die Stasi-Leute. Das war beabsichtigt. Man hatte die Räume »verwanzt«, um unsere Gespräche abzuhören. Wir waren aber bereits genügend vorgewarnt und wechselten nur belanglose Worte. Zum Beispiel unterhielten wir uns darüber, dass Elektro-Bastelsachen auf Michaels Tisch standen.

Während der penetranten Suchaktion der mit einem sehr primitiven Umgangston auftretenden Stasi-Beamten hörte ich zufällig eine Bemerkung gegenüber einer Nachbarin, die auch hier wieder als Zeugin fungieren musste: »Die haben Republikflucht begangen, aber die Eltern haben es nicht gewusst.« Dass wir tatsächlich in die Fluchtpläne nicht eingeweiht worden waren, das war unsere Rettung.

Natürlich war anfangs für uns die Erkenntnis sehr bitter, dass wir von zwei unserer erwachsenen Kinder so plötzlich verlassen und arg getäuscht worden waren. Doch sie wussten, welche Konsequenzen eine Mitwisserschaft für uns gehabt hätte. Und sie mussten damit rechnen, dass wir versuchen würden, sie von dem lebensgefährlichen Vorhaben abzuhalten. Obwohl nie offiziell darüber berichtet wurde, war doch durchgesickert, dass viele den versuchten illegalen Grenzübertritt mit dem Leben bezahlt hatten.

In allen Befragungen und Gesprächen, die man mit uns führte, war unsere Ahnungslosigkeit echt, wir brauchten uns nicht zu verstellen. Am meisten half mir diese Tatsache, als ich einen ganzen Tag lang hinter den vergitterten Fenstern der Stasi-Zentrale in der Angelikastraße von einem Vernehmer, der sich unter irgendeinem Decknamen vorstellte, gründlich verhört wurde.

Ich hatte mir von der Hausärztin, der ich meine Not offenbarte, Beruhigungstabletten verschreiben lassen, die ich aber dann am Morgen des gefürchteten Tages nicht schluckte. Denn ich wollte einen klaren Kopf behalten. Vielmehr befolgte ich den klugen Rat einer Freundin, ich solle mit einer Thermoskanne voll Kaffee, einer sächsischen »Bemmen«-Büchse und einem Strickzeug bewaffnet zum Verhör erscheinen.

Den Verlauf der Befragung will ich nicht versuchen wiederzugeben – manche Einzelheiten sind mir inzwischen auch entfallen.

Eine »Mutspritze« war für mich die Erklärung des Vernehmers, dass mein Mann Kurt nicht vorgeladen würde, weil Dorothea ausgesagt habe, er sei durch seine Herzschwäche gesundheitlich nicht belastbar. Wie klug Dorothea das bedacht hatte. Sie wusste, es bestand die Gefahr, dass sich ihr Vater in seiner Verbitterung über persönlich erlebtes Unrecht hinreißen ließ, seine wahre Meinung über das diktatorische System zu äußern.

Nach etwa drei Stunden fragte ich, ob ich mal etwas essen und trinken dürfte. Ich holte umständlich meine alte Aluminiumbrotbüchse aus der Tasche und kaute absichtlich lange mein Brot. Zwischendurch erlaubte ich mir eine naiv gestellte, aber eigentlich provokative Frage: »Warum schreiben Sie denn alles mit der Hand auf? Sie könnten es doch einfacher auf Tonband aufnehmen!«

Er erklärte mir, er müsse am Schluss noch einmal alles durchlesen und mir eventuell Fragen stellen, was dann am Nachmittag geschah. Während dieser Prozedur entstanden lange Pausen und ich fragte, ob ich an meinem Pullover weiterstricken dürfe. Verwundert meinte er: »Sie haben wohl viel Arbeit?« Den weinroten Pullover habe ich später als Weihnachtsgeschenk fertig gestrickt und oft genug Tränen dabei vergossen.

Durch die Bewachung der versiegelten Wohnung in der Louisenstraße war einigen Freunden, die dort von fremden Männern aufgehalten und ausgefragt wurden, sofort klar, dass es hier um eine missglückte Flucht ging. Einige hatten den Mut, sich mit uns in Verbindung zu setzen. So lag eines Tages, als wir von einer Konsultation bei Rechtsanwalt K. zurückkehrten, vor unserer Tür ein Blumenstrauß, darunter versteckt ein Zettel: »Leider haben wir Sie nicht angetroffen. Herzliche Grüße – I. u. P.«

Unverhofft kam auch Dieter B. Er sagte uns unverblümt, er habe die Fluchtpläne seiner Freunde geahnt, als sie kurz vor der Ungarnreise eine große »Fete« in der »Louise« veranstalteten. Dieter half dann auch, einen Teil von Gerds bei uns versteckten Bildern in einer geheimen Aktion aus unserer Wohnung zu bringen.

Und dann war da vor allem noch Heidrun M., eine Freundin von Gerd. Sie hatte, wie viele andere auch, aus berechtigter Angst nicht gewagt bei uns anzurufen, weil unser Telefon vermutlich schon »angezapft« war. Sie hatte zunächst nur einen Zettel mit verstellter Schrift unter unserer Tür durchgesteckt. Bei ihren Besuchen unterhielt sie sich anfangs nur auf dem Küchenbalkon mit uns, weil sie dort keine »Wanzen« vermutete.

Die Stasi verfolgte jede Spur, die zu Mitwissern oder heimlichen Verbündeten der »Verbrecher« führte. Es war sehr mutig, schon fast leichtsinnig, dass eine Freundin Dorotheas, die ich nur mit Vornamen kannte, kurz nach Bekanntwerden der Verhaftung bei mir in der Küche des Internats auftauchte, wo ich als Erzieherin arbeitete, angeblich, um eine Tasse Kaffee zu trinken. Flüsternd erklärte sie mir, sie wolle den Fall an Amnesty International melden. Damit hätte sie riskiert, selbst ins Netz der Stasi zu geraten. Ich hoffe, sie hat es nicht getan.

Wir selbst waren misstrauisch, wenn sich Unbekannte mit uns in Verbindung setzen wollten. Zum Beispiel, als eine kleine Frau an unserer Wohnungstür klingelte. Kurt verwehrte ihr zunächst energisch den Eintritt.»Er stand da wie ein Berserker«, erzählte mir Lore später. Da war sie meine beste Freundin geworden.

Wir hatten beim Oberstaatsanwalt in Berlin um einen Termin angesucht, um Näheres über das Schicksal unserer Kinder zu erfahren. Wir erhielten diesen Termin Ende September. Nach unserem Gespräch mit einer Beauftragten des Oberstaatsanwaltes wurden wir darüber aufgeklärt, dass nach dem illegalen Grenzübertritt im Urlaub jetzt während der Untersuchungshaft der Fall genauestens aufgeklärt werden müsse. Danach erfolge die Gerichtsverhandlung, höchstwahrscheinlich mit einer Verurteilung nach Paragraf 213 des Strafgesetzbuches der DDR. Wegen der »Schwere des Verbrechens« (Republikflucht in einer Gruppe) sei mit einer Gefängnisstrafe von zwei bis drei Jahren zu rechnen. Dass dieses ganze Prozedere eine gängige Praxis der Staatsmacht zum Zwecke der Devisenbeschaffung durch »Häftlingsfreikauf« war, erfuhren wir erst allmählich durch »Eingeweihte«, die Informationen durch Westmedien oder über Schicksale von Familienangehörigen hatten.

Am 11. Oktober 1983, an Kurts Geburtstag und kurz vor Michaels 25. Geburtstag am 15. Oktober, erhielten wir die erste Besuchserlaubnis im »Stasiknast« in Berlin-Lichtenberg in der Magdalenenstraße. Dieses erste Wiedersehen war für uns alle eine unerhörte Belastung. Uns war klar, dass die kurzen Gespräche, die wir nacheinander mit den Kindern unter Aufsicht eines Beamten führten, hinter dessen Schreibtisch ein Tonband jedes unserer Worte aufzeichnete, vor allem eine Überprüfung von uns Eltern war. Denn die beiden »Republikflüchtigen« waren ja schon wochenlang tags und auch nachts zermürbenden Verhören unterzogen worden.

Michael wurde als Erster hereingeführt und konnte ein Zittern kaum unterdrücken. Auf unsere zaghaften Fragen hin erklärte er, dass er keinesfalls in die DDR zurückkehren wolle. Ich erläuterte ihm, dass wir inzwischen bei einem Dresdner Rechtsanwalt Rat gesucht und ihn beauftragt hatten, mit seinen Möglichkeiten auf einen bevorstehenden Strafprozess Einfluss zu nehmen. Zu unserer Verwunderung lehnte Michael das ab. Ein Berliner Rechtsanwalt, Herr Dr. Vogel, habe ihren Fall bereits übernommen.

Dorothea, die nach Michael hereingeführt wurde, versuchte mühsam, ihre Erregung und Verzweiflung zu unterdrücken, als sie uns die Beweggründe für ihren gemeinsamen Fluchtversuch erklären wollte. Beim Abschied schloss ich sie in die Arme, obwohl jede Berührung verboten war. Sie flüsterte mir ins Ohr, ihre Geige sei wohl schon in München. Leider war es den Stasi-Spitzeln aber doch gelungen, den Verbleib ihres wertvollen alten Instruments in Budapest auszukundschaften. A., ein Hornist und Freund Dorotheas, sollte die Geige zu einem Musikwettbewerb nach München mitnehmen, wagte es dann aber nicht und wurde von der Stasi zur Herausgabe gezwungen. So war die schöne alte Geige für immer verloren und konnte später trotz verschiedener Recherchen nicht wieder ausfindig gemacht werden.

Wir durften den Kindern nach den Besuchsterminen, den »Sprechern«, Tüten mit Lebensmitteln zurücklassen, wobei wir jedes Mal auch einen Beutel für Gerd abgaben, den wir aber nicht zu Gesicht bekamen. Dorothea konnten wir auf ihren Wunsch hin auch Geigennoten mitbringen, und sie hat während der langen Haftwochen die Sonaten und Partiten von Bach und das Brahms-Violinkonzert memoriert.

Beim zweiten Sprecher schenkte sie mir heimlich ein kleines Weihnachtsbildchen, das sie mithilfe von Zahnpasta aus Papierchen von Süßigkeiten und Kaugummis geklebt hatte – eines der rührendsten Geschenke, die ich je erhalten habe.

Zu diesem Sprecher war ich ohne Kurt gefahren. Da zeigte mir ein etwas freundlicherer Vernehmer ein Blatt handgeschriebener Noten. Dies sei eine Komposition seines Sohnes, der nämlich auch Geige spiele. Ich hatte nicht den Mut, ihm ins Gesicht zu schreien: »Wie können Sie bloß so einen Beruf ausüben!« Nachdem ich den Film ›Das Leben der anderen‹ gesehen habe, frage ich mich, ob nicht auch jener Vater eines Geige spielenden Jungen manchmal Skrupel empfunden haben mag.

Bei meinen Besuchen hatte ich es geschafft, meine Gefühle zu unterdrücken und beherrscht und sachlich aufzutreten. Nur beim letzten Sprecher in Berlin in der Adventszeit brach ich weinend zusammen. Der Vernehmer wollte mich mit der Bemerkung beruhigen: »Ihre Kinder werden wahrscheinlich mit eineinhalb bis zwei Jahren Haft davonkommen.« Am 12. Dezember 1983 zu meinem 59. Geburtstag schrieb unsere älteste Tochter mir einen liebevollen tröstenden Brief und einen Glückwunsch auch im Namen ihrer gefangenen Geschwister. Ohne ihre selbstlose, kluge und umsichtige Hilfe hätten wir die Zeit nicht überstanden. Wie schwer war es am Heiligen Abend 1983 mit der Familie unter dem Christbaum die alten Lieder zu singen und sich an den leuchtenden Augen der Enkelkinder zu erfreuen. Wir wollten uns die Traurigkeit nicht allzu sehr anmerken lassen.

Von Rechtsanwalt K. erhielten wir die Mitteilung, dass er unseren Fall nicht weiter vertreten könne, da ihn Dr. Vogel übernommen habe. Dass dieser Jurist der offizielle Beauftragte des staatlich sanktionierten Menschenhandels war, konnten wir zunächst kaum glauben. Doch jetzt wissen wir, dass auch Dorothea und Michael zu den 33 755 politischen Gefangenen der DDR gehörten, die durch die Vermittlung von Dr. Vogel von der Regierung der BRD freigekauft worden waren. Das bereicherte die Devisenkasse der DDR um fast dreieinhalb Milliarden DM. Im Januar 1984 kam auch ein Hinweis von Herrn K., dass der Strafprozess bevorstand. Ausgerechnet in diesem Monat hatte ich eine seit Langem beantragte Heilkur zur Behandlung meiner schon damals schmerzhaften Arthrose genehmigt bekommen.

Ich war Mitglied der SVK – der gesetzlichen Krankenversicherung in der DDR (private Krankenkassen gab es nicht). Die Verordnung einer Kur erfolgte nach strengen Kriterien, sie wurde dann allerdings auch vollständig von der SVK finanziert. Die Wahl des Kurortes oblag der Zulassungskommission. So landete ich also im winterlichen Bad Blankenburg im sogenannten »Teufelsbad«, das wegen seiner Mooranwendungen seit Langem bekannt war. Im »Kurheim«, einem Altbau mit einfacher Ausstattung, teilte ich mir ein enges Dreibettzimmer (ohne »Nasszelle«) mit zwei schwatzenden und schnarchenden Frauen. Zu den etwa acht Zimmern eines Stockwerks gehörte ein einziger Toilettenraum mit einer Dusche. Letztere durfte nicht benutzt werden, da man ja ohnehin viele Behandlungen im Wasser genoss. Die »Anwendungen« erfolgten in anderen Häusern. Manchmal reichte infolge veralteter Anlagen die Heizkapazität am Morgen nicht aus, um die Moorbäder rechtzeitig zu erwärmen, aber man fühlte sich auch in Kohlesäurebädern ganz wohl.

Fast täglich erhielt ich Briefe von meiner Familie in Dresden. Die Enkelkinder malten mir Bildchen, auf denen sie unter anderem Teufel skizzierten, wie sie nach ihrer Vorstellung im »Teufelsbad« herumsprangen. Kurt berichtete von den sich oft bis in die Nacht hinziehenden Vorbereitungen auf seine Kunstgeschichtsvorlesungen und den Ärger über zeitraubende Konferenzen. Da man ihm keine Mitschuld an dem unerlaubten Grenzübertritt, der Republikflucht von Dorothea und Michael nachweisen konnte, war ihm seine Stellung als Dozent für Kunstgeschichte an der Hochschule für Bildende Kunst in Dresden nicht gekündigt worden.

In meiner Freizeit spazierte ich allein durch kahlen Laubwald und hing meinen Gedanken über die Zukunft meiner Kinder nach.

Dann ein kurzer Anruf von Kurt. Der Strafprozess beginnt am 18. Januar. Der Vater und die älteste Schwester dürfen an der Eröffnung teilnehmen. Am Abend des 18. Januar wieder eine telefonische Mitteilung: Die Angehörigen und Freunde mussten den Saal zu Beginn des Strafprozesses verlassen. Sie durften zur Urteilsverkündung am 20. Januar noch einmal erscheinen. Wie wichtig war es gerade in diesen Tagen, dass wir einen eigenen Telefonanschluss hatten. Diesen Vorzug genoss nur ein kleiner Prozentsatz der DDR-Bevölkerung.

Am Abend des 20. Januar erfuhr ich von Kurt das Ergebnis des Prozesses – das Strafmaß: 2 Jahre und 8 Monate Haft für Dorothea, Michael und Gerd; 2 Jahre und 10 Monate Haft für Mathias (wahrscheinlich, weil er das Fluchtauto gefahren hatte).

Die Gefangenen waren in Handschellen hereingeführt worden. Sie versuchten wenigstens Blickkontakt zu ihren Angehörigen herzustellen. Während der Urteilsbegründung, der Stellungnahme der Angeklagten und dem Plädoyer des nur zum Schein agierenden »Verteidigers« Rechtsanwalt K. musste der Saal von den Zuhörern, Angehörigen, Freunden und Vertretern der Hochschule allerdings wieder geräumt werden.

In Kurts Stimme klang Traurigkeit und Erschöpfung mit. In zwei Briefen, die er noch am selben Abend an mich schrieb, gab er seiner Bitterkeit und Verzweiflung beredten Ausdruck.

Ich konnte mich nach der niederschmetternden Nachricht niemandem anvertrauen, da ich ja diese Ereignisse geheim halten musste. So schluckte ich am Abend die doppelte Portion Schlaftabletten und verkroch mich weinend unter der Bettdecke. Meine Mitpatientinnen glaubten vermutlich, ich hätte Eheprobleme, und verspürten wohl Mitleid. An einem der nächsten Tage forderten sie mich auf, doch mal mit ins Kino zu gehen. Nach dem Film, dessen Titel ich vergessen habe, der mich aber kurzzeitig sogar zum Lachen brachte, setzten wir uns noch in ein kleines gemütliches Café. Ich spendierte eine Flasche des begehrten Ungarnweines »Rosenthaler Kadarka«. Nach dem ungewohnten Alkoholgenuss fiel ich am Abend ohne Schlaftabletten ins Bett.

Nachdem ich von der Verurteilung erfahren hatte, schrieb ich einen Brief an Kurts Bruder Arthur in die BRD. Ich vermutete, dass von meinem Kurort im Harz ausgehende Post noch nicht kontrolliert wurde so wie unsere Korrespondenz in Dresden. Nach der Wende wurde mir klar, wie blauäugig diese Vermutung war. Arthur wandte sich sofort an bestimmte Instanzen in der BRD, konnte uns dadurch aber nur trösten, nicht helfen. Der Fall lag ja nun endgültig bei Rechtsanwalt Dr. Vogel. Trotzdem versuchte Arthur uns zu unterstützen. Er schickte uns in Paketen, die meistens auch vom Zoll kontrolliert wurden, außer Strumpfhosen, Schokolade, Marsriegeln und Kugelschreibern auch pflanzliche Medikamente gegen Kurts Herzschwäche. Diese versteckte er in Tüten voller Hülsenfrüchte oder Kaffeebohnen. In Extrabriefen schickte er die Gebrauchsanweisungen, welche Kurt exakt befolgte.

Dass wir »Westverwandtschaft« hatten, war auf jeden Fall der Staatssicherheit bekannt. Aber diese Beziehungen galten wahrscheinlich weniger staatsgefährdend. Kurts Bruder Arthur, die alte Tante Berta (eine Schwester von Kurts Mutter), mehrere Cousins und Cousinen, Nichten und Neffen kamen alle aus seiner alten Heimat, dem Sudetenland, aus dem die Deutschen nach Ende des Zweiten Weltkrieges ausgewiesen worden waren und wohin Kurt nach 4-jähriger Kriegsgefangenschaft nicht mehr zurückkehren konnte. Die gute Tante Berta hatte in Bodenmais eine kleine Wohnung gefunden. Von ihrer bescheidenen Rente erübrigte sie die Kosten für Päckchen an uns, deren wertvoller Inhalt Anoraks und Skihosen für die ganze Familie waren. Nach ihrem Tod 1975 verwaltete eine Cousine die Summe »Westgeld«, die Tante Berta für Kurt gespart hatte. Davon konnte zum Beispiel für Dorothea ein Satz Violinsaiten und für Kurt ein Rasierapparat gekauft werden.

Wir erhielten nach dem Strafprozess aus dem Büro von Rechtsanwalt Dr. Vogel in Berlin in der Reiler Straße die Mitteilung, dass er die weitere Bearbeitung des Falles übernommen habe und unser Ansprechpartner der von ihm beauftragte Rechtsanwalt St. sei. An ihn wandten wir uns mit der Bitte, einmal persönlich zur Klärung einiger Fragen vorsprechen zu dürfen.

Wieder reisten wir nach Berlin.

Mein Bruder, der in Berlin lebte, fuhr mich zu der komfortablen Villa, wo ich in einem vornehmen Empfangsraum neben offensichtlich gutbetuchten Klienten warten musste, bis mich Herr St. über eine steile Treppe in ein kleines Büro führte. Ich erfuhr, was ich schon wusste: dass Dorothea und Michael ihre Entlassung in die BRD beantragt hatten. Um zu zeigen, was wir für brave Bürger waren, betonte ich, dass wir alles tun würden, um unseren Kindern einen Neuanfang in der DDR zu ermöglichen. Da ließ der gute Mann die Katze aus dem Sack: Ich brauche ihn nicht zu agitieren. Wir sollten uns da nicht einmischen! Man würde versuchen, eventuell die Haftzeit etwas zu verkürzen. Weiteres erführen wir zu gegebener Zeit.

Nun war es klar, der Häftlingsfreikauf war beschlossene Sache.

Für die fünfminütige »Beratung« durfte ich bei der Sekretärin 300,00 Mark hinterlegen.


Gleich nach der Verurteilung der Kinder, die sich noch bis Anfang Februar in der U-Haft in der Schießgasse im Dresdner Polizeigefängnis befanden, beantragten wir eine Sprecherlaubnis. Das wurde abgelehnt, da in Kürze eine Verlegung in andere Haftanstalten erfolgen würde.

Wieder Ungewissheit und banges Warten! Obwohl nun seit dem Schreiben des Oberstaatsanwaltes der DDR fünf Monate verstrichen waren, erwachte ich jeden Morgen mit demselben Gedanken: Die Kinder sind im Gefängnis! Fünf Monate – also 20 Wochen oder 150 Tage – können einem so kurz erscheinen, wenn sie ausgefüllt sind mit befriedigender Arbeit und sinnvoll genutzter Freizeit, mit der Betreuung der Enkelkinder, der Versorgung meiner gehbehinderten Mutter, mit Lesen, Konzert- und Theaterbesuchen, Spaziergängen und Radausflügen. Aber mir waren die 20 Wochen endlos lang vorgekommen. Nun, nach dem Urteilsspruch, lagen ja noch einmal mindestens 550 Tage vor uns und vor allem vor den Inhaftierten.

Beim Gang durch unsere große und nun so leer erscheinende Wohnung kamen immer wieder die Erinnerungen. Im Zimmerchen neben der Küche stand Dorotheas Notenständer. Wie viele Stunden hatte sie dort geübt, während ich nebenan arbeitete. Nicht wenige der Etüden, Sonaten, Konzerte hatte ich so oft gehört, dass ich sie fast auswendig kannte. In Michaels Zimmer lagen noch Werkzeuge und verschiedenes Zubehör für seine elektronischen Basteleien. Mit Erfindergeist und wachsendem Geschick hatte er elektronische Geräte hergestellt, eine Alarmanlage für das Kinderzimmer, ein kleines Radio in eine Seifendose, sogar Lautsprecher, Verstärker und eine Lichtorgel. Wenn ich durch die geräumige Diele ging, dachte ich an Michaels elektrische Eisenbahn, die dort zur Weihnachtszeit immer aufgebaut worden war. Diesmal würden Dorothea und Michael Weinachten im Gefängnis zubringen müssen.

Zu den Gerichtsverhandlungen am 18. und 20. Januar waren auch Freunde von Michael, Mathias, Dorothea und Gerd erschienen. Allein durch ihre Anwesenheit bekundeten sie Solidarität mit den Gefangenen, obwohl sie ihnen nur durch Blickkontakt oder einen heimlichen Händedruck Mut machen konnten. Zu uns Eltern kamen sie dann aber ohne Vorsichtsmaßnahmen, wussten sie sich doch ohnehin im Visier der Stasi, die vermutlich längst alles Bemerkenswerte über sie herausgefunden hatte. Zu den »Getreuen« gehörten wieder Dieter B. und Heidrun M., aber auch andere Gefährten aus der Studienzeit, Freunde von gemeinsamen Tramptouren in die »sozialistischen Bruderländer«, einstige Klassenkameraden. Auf verschiedene Weise versuchten sie uns zu ermutigen, zu erfreuen, unsere Situation zu erleichtern. Ihnen allen bin ich noch heute dankbar dafür.

Auch die Solidarität von Mitbürgern zeigte sich bei ganz verschiedenen Anlässen. Zum Beispiel half ein Betriebsmechaniker aus dem Nachbarhaus meinem Mann, wenn unser Trabant mal wieder streikte (von Autoreparatur hatte Kurt wenig Ahnung). Als das Auto eines Tages mit gerissenem Keilriemen am Neustädter Bahnhof stehen blieb, schleppte uns der Autobesitzer von nebenan ohne Zögern ab. Seine halbwüchsigen Jungs holten Michaels Moped aus unserem Schuppen und reparierten es, damit der »Habicht« wieder startklar war, wenn Michael kam.

Die erste Nachricht aus dem »Knast« kam von Michael, der in der JVA Cottbus gelandet war. Wenige Tage später erreichte uns ein erster Brief von Dorothea aus dem gefürchteten Frauengefängnis Hoheneck in Stollberg. »Ich bin nun angekommen und muss mich einrichten«, schrieb sie am 1. Februar 1984. Von nun an wurden unser Briefverkehr und die Besuchserlaubnis, die »Sprecher«, streng geregelt. Die Inhaftierten durften alle zwei Wochen einen doppelseitigen Brief schreiben, die Anzahl unserer Briefe wurde nicht begrenzt. In den ersten Wochen schrieb ich fast täglich an Dorothea. Die Auslieferung der Briefe hing von der Willkür des Wachpersonals ab, konnte also z.B. wegen unzulässigen Inhalts oder als Strafmaßnahme verweigert werden. Ich hatte einmal einen Brief an Dorothea mit einer Notenzeile eines Motivs der 1. Sinfonie von César Franck begonnen. Diesen Brief erhielt sie nicht. Die Aufseherin

Man war aufeinander angewiesen: So lebten die privaten Beziehungen von Vertrauen und Vertrautheit, von Hilfe und Solidarität, durch gemeinsames Klagen und Protestieren, auch im Widerstehen und sich ermutigen. Die Alltagskultur war vielfach kreativ, einfallsreich, kommunikativ, hilfsbereit, gemeinschaftlich und subversiv. Etwas zu improvisieren, zu handeln, zu borgen, den Mangel zu kultivieren, das war spannendes, aktives lebenswertes Leben.

*Hans-Joachim Maaz,*
*Der bittere und*
*der süße Geschmack*
*der DDR,*
*Süddeutsche Zeitung,*
*10. Oktober 2008*

konnte sicher keine Noten lesen und vermutete eine geheime Botschaft.

Monatlich bei Michael und nur alle drei Monate bei Dorothea durfte ein Paket von zwei Kilogramm mit begrenztem Inhalt geschickt werden. Für die Sprecher gab es alle zwei Monate einen festgesetzten Termin, bei dem zum ersten Termin beide Eltern, in Stollberg zu den folgenden nur eine Person erscheinen durften. Der Inhalt der Gespräche war streng festgelegt. Über die Haftbedingungen durfte nichts berichtet werden, wie wir allerdings erst viel später von Dorothea und Michael erfuhren, als sie wieder frei waren. Die jeweils nur einstündigen Besuche in den Haftanstalten waren mit das Schlimmste, was ich in jenen Monaten ertragen musste, obwohl ich von Mal zu Mal deutlicher spürte, wie stark unsere Kinder trotz aller Schikanen waren.

Das erste Mal in Cottbus: Einlass durch ein großes eisernes Tor, Weg über einen kahlen Hof, wieder Hindurchschleusen durch vergitterte Türen und Gänge – einschließlich Röntgenkontrolle – bis ins Besucherwartezimmer. Aufruf in den Sprecher-Raum, wo wir Michael zum ersten Mal wieder gegenübersaßen, natürlich beaufsichtigt von einem Strafvollzugsangestellten. Es gehe ihm gut, sagte er, er habe zu essen, dürfe arbeiten, wir sollten uns nicht sorgen. Wenn wir ein Paket schicken dürften, dann bitte Getränkepulver (das es damals nur im Delikat-Laden gab), Knoblauch, aber keinen Kuchen (der wurde zerschnitten wegen eventuell eingeschmuggelter Dinge). Kurt und ich erzählten umso mehr – von der ältesten Schwester und den Enkelkindern, von unserer Arbeit, vom Erzgebirge. Wir durften auch ein paar Fotos zeigen, die ich sorgfältig ausgesucht hatte. Zum Schluss erhielten wir die Genehmigung für den nächsten Sprecher.

Bis dieser herangerückt war, passierte etwas ganz Unerwartetes: Es war ein schöner Morgen im Mai. Kurt hatte erst nachmittags Vorlesung. Als ich vom Brötchenholen nach Hause kam, saß eine kleine, ein wenig schüchterne Frau im Wohnzimmer und Kurt erklärte mir: »Das ist Frau Schumann, sie hat eine Nachricht von unserem Michael.« Auf dem Tisch lag ein winziger Zettel, ein »Knastgeld« für den

Einkauf in der Gefängniskantine, auf dessen Rückseite uns Michael in ganz kleiner Schrift geschrieben hatte.

Diesen sogenannten Kassiber hatte Olaf, der Sohn von Lore und Winfried Schumann, beim letzten Sprecher seiner Mutter heimlich zugesteckt. Von diesem Tag an begann für uns eine neue Freundschaft.

Wenig später hatten wir zufällig am gleichen Tag, am 4. Juni 1984, eine Besuchserlaubnis für unsere Söhne erhalten. Wir vereinbarten, so zu tun, als ob wir uns nicht kennen. Ich fuhr allein, benutzte im selben Zug nach Cottbus ein anderes Abteil als Schumanns, saß Lore im Wartezimmer gegenüber und wagte kaum einen verstohlenen Blick zu ihr. Nach dem Sprecher gingen wir auf getrennten Wegen zum Bahnhof, immer darauf achtend, dass uns keine Person verfolgte. Unser Treffen in einem kleinen Café blieb unbeobachtet. Wie befreiend war es, endlich zu Menschen, die dasselbe Schicksal teilten, volles Vertrauen zu haben.

Die Familie Schumann hatte noch kein Telefon. In unserem nun folgenden lebhaften Briefwechsel beschränkten Lore und ich uns auf verschlüsselte Informationen über unsere »Gefangenen«. Sie hatten uns inzwischen anvertraut, dass nicht nur Olaf, sondern auch sein jüngerer Bruder Axel wegen angeblicher Vorbereitung einer Republikflucht zu einer mehrjährigen Haftstrafen verurteilt war.

Michaels Behauptung auf dem Kassiber, dass er bald herauskäme, bewahrheitete sich plötzlich, aber auf ganz unerwartete Weise. Er wurde nicht in die Freiheit entlassen, sondern in das Zuchthaus Brandenburg verlegt. Dorthin also,

Ich hoffe, Ihr versteht Euch gut mit den Schumanns – Ihr könnt Ihnen voll vertrauen. Ich hoffe sehr, dass ich nach ungefähr der Hälfte der Zeit in die BRD entlassen werde. In diesem Land könnte ich nicht einen Tag mehr leben, nachdem ich so vieles erlebt habe. Es ist unvorstellbar, Ihr seid draußen vollkommen ahnungslos. Seid Euch sicher, dass ich durchhalte und drüben studieren werde.

*Aus dem Kassiber*
*Michaels an*
*seine Eltern*

wo auch Genosse Erich Honecker, der letzte Staatsratsvorsitzende der DDR, in jungen Jahren eingesessen hatte. Axel Schumann war schon in Brandenburg, als Michael dort in eine Zelle gemeinsam mit Mördern eingesperrt wurde. Es war eine der Schikanen, die »Politischen« mit wirklichen Verbrechern zusammenzulegen.

Für Kurt und mich waren die Besuchsfahrten in das verkehrstechnisch ungünstig gelegene Zuchthaus am Rande von Brandenburg anstrengend. Sie hatten aber im Hinblick auf die Kontakte zu unserem Sohn einige Vorteile gegenüber Cottbus. Wir saßen uns zwar durch eine Glasscheibe getrennt gegenüber, allerdings an einem langen Tisch, an dem gleichzeitig mehrere Häftlinge und deren Besucher abgefertigt wurden. Die Mikrofone an jedem Platz wurden nur von einem einzigen Aufseher abgehört. So konnte uns Michael gleich beim ersten Besuch versichern: »Ihr braucht euch keine Sorgen zu machen. Ein Glück, dass ich bei der NVA Kraftsport gemacht habe. Da wagt sich nicht jeder an mich ran. Wer hier wieder rauskommt, hat vor nichts mehr Angst!«

Bei einem späteren Sprecher erfuhren wir, dass die zwar oft gewalttätigen, aber im Allgemeinen geistig wenig beweglichen Häftlinge bald seine »Dienste« in Anspruch nahmen, ihn zum Beispiel baten, ihnen beim Verfassen von Briefen zu helfen, außerdem auf seine Zigarettenrationen spekulierten, die der Nichtraucher in Lebensmittel umtauschte. Eine »Vergünstigung« in Brandenburg war auch die Erlaubnis, für den Häftling und seine Besucher in der Kantine etwas zum Verzehr zu bestellen. Ich werde nie vergessen, wie Michael einmal zwei Bockwürste, ein anderes Mal zwei Stück Torte während des Gesprächs hinunterschlang. Uns hingegen blieb der Bissen fast im Halse stecken.

Im Dezember erhielten wir plötzlich die Nachricht, dass der nächste Sprechtermin ausfallen müsse, da Michael in eine andere Haftanstalt verlegt würde. Schon Ende August hatten wir aus dem Büro von Dr. Vogel die Aufforderung erhalten, die persönlichen Dokumente von Michael, Mathias und Dorothea (z.B. Geburtsurkunde und Zeugnisse) zu übermitteln. Das bestärkte uns in der Hoffnung auf eine vorzeitige Entlassung. Wir hatten inzwischen von Eingeweihten erfahren, dass die Höhe der Summe für den Freikauf politischer Gefangener mit abhängig war von der Qualifikation der Betreffenden. Deshalb wahrscheinlich die Anforderung von Zeugnissen. Die Summen für den Häftlingsfreikauf stiegen bis 1983 kontinuierlich an.

Auf die Nachricht der Befreiung Michaels mussten wir noch einen Monat länger warten als auf Dorotheas Entlassung. In Stollberg war Dorothea zunächst zusammen mit 25 Strafgefangenen in ehemaligen Stallungen untergebracht, die wenigstens einen Blick in die Natur zuließen (was sie in ihrem ersten Brief erwähnte). Es herrschte dort »eisige Kälte im Winter, aber eben doch etwas Frischluft«. Bald wurden sie jedoch in den Innentrakt verlegt. In zwei Räumen mit je 15 Frauen, die sich eine »Nasszelle« teilen mussten (zwei Toiletten für 30 Frauen, 2 x 3 Kaltwasserhähne), gab es weder Luft noch Licht. Die Fensteröffnungen waren durch schwarze Gaze versperrt.

Als wir uns mit unserem Trabi auf dem Abzweig von der Autobahn zum ersten Mal der Burg Hoheneck näherten, überfiel mich lähmende Angst. Wir parkten auf dem Marktplatz von Stollberg und fragten einen Anwohner nach dem Weg zur Burg. Seine Antwort: »Da wollen Sie 'nauf? Da ist die Welt zu Ende!« Auf holprigen Pfaden rings um den Berg herum näherten wir uns den steilen, mit hohen Stacheldrahtgittern bewehrten Mauern, sahen die vielen Reihen der Fenster in dieser Burg, die schon seit Kaisers Zeiten als Gefängnis diente. Atemlos und ziemlich erschöpft landeten wir schließlich vor dem riesigen Eisentor. Dass man mit dem Auto bis zum Parkplatz in der Nähe des Eingangs fahren konnte, erfuhren wir erst oben.

Nach Anmeldung in der Wachstube führte uns eine dicke, unsympathische Frau, eine sogenannte Erzieherin, durch lange, dunkle, feuchtkalte Gänge zum Besucherraum. Wieder nahmen wir an einem langen Tisch vor einer dicken Glasscheibe neben weiteren Angehörigen Platz und schauten zu der Tür, durch welche die Gefangenen hereingeführt wurden. Was mich am Anblick Dorotheas am meisten erschütterte, war nicht die graue, grobe, viel zu weite Häftlingskleidung, nicht das blasse, schmal gewordene Gesicht, sondern das Lächeln in ihren Augen, mit dem sie uns Mut machen wollte. Was wir schon aus ihren wenigen, mit viel Liebe, Bedacht und Klugheit geschriebenen Briefen wussten, das leuchtete uns aus Dorotheas Augen entgegen. Sie ließ sich die Würde nicht nehmen. Sie war stark genug, diese schwere Prüfung zu bestehen.

> Manchmal gibt es Dinge, die sind kaum erklärlich, da zählt nur eine innere Vorstellung (die als richtig oder falsch nicht einfach einzuschätzen ist). Ich hoffe sehr, daß Ihr begreift, daß Ihr mit Eurer Erziehung uns zu wahrheitsliebenden, selbstständig denkenden Menschen *trotz allem* gebildet habt.
>
> *Aus einem Brief von Dorothea an ihre Eltern vom 9.9.1983*

Dorothea durfte im Monat drei Briefe schreiben, wovon sie zwei an ihren Mann im »Zuchthaus« Brandenburg und einen an uns schickte. Sie schrieb auf den zwei Seiten des ihr zugeteilten Blattes so eng wie möglich. Den Inhalt hatte sie sich in den Wochen davor bis in alle Einzelheiten überlegt – so erzählte sie es mir später. Sie knüpfte an die Beantwortung unserer Briefe viele Erinnerungen an unser Familienleben, an ihr Verhältnis zu ihren Geschwistern, an gemeinsame Urlaubsreisen, an eigene Tramptouren durch das »sozialistische« Ausland an. Für alle Familienmitglieder fand sie teilnehmende und liebevolle Worte. Sie legte uns dar, zu welchen Erkenntnissen sie bei der Lektüre von Thomas Manns »Zauberberg« gelangt war. Das Buch hatte sie aus der Gefängnisbibliothek erhalten. Sie philosophierte darüber, welche Erkenntnisse, neue Wertungen und Ziele sie sich als Basis für ein neues Leben nach dieser schweren Zeit allmählich erarbeiten möchte. Aus allem sprachen seelische Stärke und Zuversicht. Auch war sie voller Hoffnung auf einen »Sprecher« mit ihrem Bruder (den sie aber nie erhielt).

Ihre übergroße Freude über Pakete mit Keksen, Backpflaumen, Wurst und Schinken verriet uns viel über die Gefängniskost. Es war ja verboten, über Haftbedingungen zu sprechen. Mir wurde klar, dass ich alle mir verfügbaren Mittel ergreifen musste, um Dorothea den Gefängnisalltag etwas zu erleichtern. Das war nur in kleinen Schritten und mit viel Diplomatie möglich. Mein Mann beriet mich bei der Formulierung von Schreiben an den Leiter der Haftanstalt. Zunächst baten wir um die Genehmigung, für Dorothea eine Brille anfertigen zu lassen, die sie für ihre Arbeit in der Nähstube dringend brauchte. Sie musste unter anderem alte, umgefärbte Uniformen als Strafgefangenenkleidung herrichten oder neue Jacken und Hosen nähen. Es kam ihr dabei zugute, dass sie sehr geschickt im Umgang mit der Nähmaschine war. Ein Dresdener Optiker, der noch Dorotheas Sehtest in seinen Akten hatte, konnte die Brille anfertigen.

Danach wagten wir die Bitte, ob wir Dorothea eine alte Geige zum »stummen Üben« in ihrer Freizeit, also zum Bewegen der Finger, mitbringen dürften. Erst erfolgte eine Ablehnung. Aber dann schrieb der Leiter der Haftanstalt erstaunlicherweise, man habe noch eine alte Geige im Archiv gefunden, und wir sollten einen Bogen und Noten mitbringen. Den Beweggrund für diese plötzliche positive Entscheidung erfuhren wir erst später. Bei einem Besuch auf Hoheneck hatten Vertreter von Amnesty International durchgesetzt, dass auch kulturelle Veranstaltungen im Gefängnis stattfanden. Da entdeckte man in Dorotheas Qualifikation die Möglichkeit, einen musikalischen Zirkel aufzubauen, was sie dann auch mit viel Engagement und Einfallsreichtum tat. Ihr Wirken wurde sogar durch »Buschfunk« über Gefängnismauern hinweg bekannt. Im Männerknast in Brandenburg erzählte man sich: »In Hoheneck, da ist eine, die darf sogar Geige spielen.« Dorothea konnte nun ihre Freizeit zum Üben nutzen, und das hat ihr gewiss den Start in eine neue Musikerlaufbahn erst möglich gemacht.

Beim zweiten Besuchstag durfte ich eigentlich nicht mitkommen. Ich ließ aber Kurt nicht allein in unserem Trabi nach Stollberg fahren. Wir hatten genügend Zeit eingeplant und waren früh auf dem Marktplatz. Dort lockte ein Schild an der Gaststätte »Ratskeller«: Heute fangfrische Forelle! Nach langem Zögern beschlossen wir, uns diesen seltenen Leckerbissen zu gönnen. Eine erstaunlich gastliche Atmosphäre, wie wir sie in den grauen Stollberger Mauern gar nicht vermutet hatten, eine umgängliche Bedienung und vor allem das vorzügliche Essen ließen uns für kurze Zeit den Anlass unserer Fahrt beinahe vergessen. Doch mit jedem Bissen beschlich mich wieder der Gedanke, was wohl Dorothea zu gleicher Zeit für armselige Gefängniskost bekam, und am Ende fiel es mir schwer, meinen Teller leer zu essen. Seitdem meide ich in Gaststätten Forellen. Später allerdings – seit Dorothea wieder in Kammerkonzerten spielte – hörte ich mit Vergnügen das ›Forellenquintett‹. Auch an dem Schubertlied »An einem Bächlein helle, da schoss mit froher Eil die launische Forelle vorüber wie ein Pfeil« kann ich mich ergötzen ohne sofort wieder an das Forellenessen im Stollberger Ratskeller zu denken.

Da ich für diesen zweiten Besuchstag keine Genehmigung hatte, begleitete ich Kurt nur bis in den Anmelderaum, als die Erzieherin überraschend zu mir sagte:»Sie dürfen ausnahmsweise mitkommen, wegen guter Führung von Frau Ebert.« Dorothea war dieses Mal besonders schön frisiert, sie hatte sogar die Wimpern mit etwas schwarzer Schuhcreme getuscht. Sie schenkte mir ein selbst gebasteltes Holzpüppchen und ein Fläschchen Kosmetik, das sie vom kargen Taschengeld erstanden hatte.

Wieder versicherte sie uns, sie werde durchhalten.

Beim nächsten Sprecher durfte ich als Belohnung Dorothea etwas Essbares mitbringen, das sie aber vor den Augen der Mithäftlinge verzehren musste, die eine solche Vergünstigung nicht erhalten hatten. Eine fein ausgeknobelte psychische Schikane.

Einmal in der ganzen Haftzeit durften die Frauen ihre Männer sehen. In einem dunklen Wagen fuhr Dorothea mit anderen Ehefrauen nach Brandenburg, wo sie Mathias wiedersah. Bei der Fahrt mitten durch Leipzig erkannte sie durch vergitterte Fenster die Straßen, auf denen sie als Studentin gegangen war, und bei einem kurzen Halt vor den

Toren von Dresden konnte sie einen Blick auf das Elbtal und ihre Heimatstadt werfen.

Es heißt immer, der Mensch gewöhnt sich an alles.

Auf uns traf das nicht zu. Wir konnten uns einfach nicht damit abfinden, dass zwei unserer Kinder wegen eines »Verbrechens«, das doch keines war, in Justizstrafvollzugsanstalten der DDR eingesperrt waren. Ein Verwandter von Kurt, dem wir uns schon kurz nach der Festnahme anvertraut hatten, meinte: »Das haben sie sich selbst eingebrockt, sie hätten wissen müssen, was ihnen eventuell blüht. Nun müssen sie es auch ausbaden. Sie kommen ja auch wieder raus. Aber euch geht es doch sonst ganz gut. Ihr durftet in eurem Beruf bleiben, kriegt weiter euer Gehalt, bekommt später die ›Intelligenz-Rente‹!« Aus dem Blickwinkel eines Bürgers, der sich mit den realen Verhältnissen des Sozialismus in der DDR und den totalitären Machtansprüchen dieses Staates irgendwie arrangiert hatte (und das traf ja großenteils auch auf uns zu), mussten wir eigentlich zufrieden sein.

Aber was half mir das Bewusstsein, durch meine Tätigkeit als Lehrerin für Biologie in der Oberstufe und Erzieherin im Internat der Spezialschule für Musik ein für damalige DDR-Verhältnisse gutes Gehalt zu verdienen und die Gewissheit, mit 60 Jahren ins Rentenalter eintreten zu können. Ich musste ja damit rechnen, dass wir auch nach der Freilassung der »Republikflüchtlinge« durch Mauer und Stacheldraht von Dorothea und Michael getrennt bleiben würden. Ob wir unter diesen Umständen später als Rentner die Genehmigung zu Besuchen in der Bundesrepublik Deutschland erhielten, war ungewiss.

Diese quälenden Gedanken verfolgten mich auch in der Arbeit, die ohnehin kräftezehrend war. Da die Stundenzahl des Biologieunterrichts, den ich in den Oberklassen der Spezialschule für Musik erteilte, für eine Vollbeschäftigung nicht ausreichte, leistete ich an mehreren Tagen der Woche Dienste als »Erzieherin« im Internat. Diese Dienste erfolgten im Dreischichtsystem, das heißt, Früh-, Spät- und Nachtdienst wechselten innerhalb eines Monats in unregelmäßiger Folge ab. Dabei konnte es durchaus vorkommen, dass ich zum Beispiel bei einer Krankheitsvertretung vom Nachtdienst im Hause an der Mendelssohnallee, der Rothermund-Villa, gleich mit der Straßenbahn zu meinem Biologieunterricht in der Schule am damaligen Fucik-Platz fuhr. Einmal war ich so gestresst, dass es mir vor der Wandtafel schlecht wurde und ich mich gerade noch ins »Vorbereitungszimmer« retten konnte. Bei diesem Vorfall zeigte sich auch die Solidarität von Schülern. Einer von ihnen – ein Pianist, der später eine großartige Solistenlaufbahn antrat – kümmerte sich um mich und meinte: »Nicht wahr, es ist wegen Dorothea! Wir können uns in Ihre Lage versetzen.«

Dass sich einige der Schüler insgeheim mit Dorothea solidarisierten, konnte ich verstehen. Für die Schüler der Oberklassen war die »sozialistische Wehrerziehung« ein Teil der Ausbildung. Das brachte vor allem die Jugendlichen, die in einem christlichen Elternhaus erzogen wurden, in Gewissenskonflikte. Ich erinnere mich noch an eine Lehrerkonferenz, in der nach längerer Diskussion beschlossen wurde, einen Pfarrerssohn, der sich weigerte, eine Waffe in die Hand zu nehmen, von den Schießübungen zu befreien. Es gab auch Auseinandersetzungen zwischen Klassenleitern und Schülern, die von ihren Jacken die Aufnäher mit dem Emblem »Schwerter zu Pflugscharen« nicht entfernen wollten.

Meine Kolleginnen und Kollegen in der Schule und im Internat waren natürlich über die Republikflucht informiert. Die meisten von ihnen zeigten offen oder versteckt Verständnis und Mitgefühl. Einige wenige distanzierten sich oder lehnten sogar den »Verrat an unserem Staat« ab, der schließlich den Schülern und Studenten eine solide Ausbildung und sichere Berufschancen ermöglicht hatte.

In unserem Erzieher-Kollektiv halfen mir einige Kolleginnen über die ersten harten Wochen hinweg. Ich erinnere mich noch an eine ältere Frau, die selbst schon erwachsene Kinder hatte. Bei der »Wachablösung« erwartete sie mich öfter mit einem Teller schön zubereiteter Pampelmusenscheiben (eine für uns damals seltene Frucht), einer halben Kiwi (die ich erst durch sie kennenlernte) und Schokolade aus einem Westpaket. Ein großer Trost war mir ihre mit Überzeugung vorgetragene Meinung: »Mach dir mal nicht allzu viele Sorgen! Die Kinder werden freigekauft, und drüben geht es ihnen dann besser! Das weiß ich aus sicherer Quelle.«

Einmal im Sommer besuchten wir auch die Eltern von Mathias in Leutersdorf, einem kleinen Dorf in der Oberlausitz, wo wir die Hochzeit von Dorothea und Mathias gefeiert hatten. Die Mutter von Mathias litt besonders schwer unter der Situation und musste sogar einige Zeit in einer Nervenklinik behandelt werden. Später brach unsere Verbindung nach Leutersdorf ab. Michael und Mathias sind aber noch immer gute Freunde.

Unsere Freundschaft mit Lore und Winfried Schumann hatte sich immer mehr gefestigt. Wir teilten Freud und Leid mit ihnen. Lore war sofort nach der Inhaftierung ihrer Söhne aus dem Kreisbauamt im Rathaus der Stadt Dresden entlassen worden. Trotz aller Bemühungen bekam sie keinen neuen Job. Auch ihre Anträge für verschiedene Formen der Weiterbildung wurden abgelehnt. Winfried wurde in eine schlechter bezahlte Stellung zurückgestuft. Als Trost für das Fehlen ihrer Söhne hatten sie sich einen Hund angeschafft, den ich oft mit Fleischresten und Knochen von unserem Fleischer versorgte. Wie sehr haben wir uns mitgefreut, als Ende November und Anfang Dezember 1984 ihre beiden Söhne kurz nacheinander aus der Haft in die BRD entlassen wurden. Sie hatten die gesamte Zeit seit ihrer Verurteilung am 10.9.1982 absitzen müssen.

Mein 60. Geburtstag rückte heran. Damit war auch der Eintritt in die Rente verbunden. Die Familie dichtete und bastelte an Überraschungen für mich. Da kamen plötzlich kurz hintereinander zwei an Dorothea adressierte Briefe mit dem Vermerk zurück: »Neue Anschrift abwarten.« Von gut informierten Bekannten hörten wir: »Jetzt kommen sie nach Karl-Marx-Stadt (heute wieder Chemnitz) und von dort schafft sie der Vogel rüber!«

Also hofften wir weiter. Ich bereitete die Bewirtung für den Geburtstag vor und verlebte die Feier mit Familie, Kollegen und Freunden nun doch schon mit etwas mehr Zuversicht. Auch an diesem Tag habe ich noch einmal die Freundschaft meines »Kollektivs« erfahren. Sie hatten meinen Geburtstagstisch nicht nur mit einem Buch, Schallplatten und Konfekt bereichert, sondern sogar einen Klappliegestuhl angeschleppt, auf dem ich im Garten das Rentnerdasein genießen sollte.

Am 19. Dezember klingelte abends das Telefon: Dorothea und Mathias meldeten sich aus dem Auffanglager Gießen als freie Menschen. Mein Mann und ich haben geweint und uns lange in die Arme geschlossen. Nun konnten wir am Heiligabend schon etwas fröhlicher mitsingen. Aber noch immer wussten wir nicht, ob Michael in Chemnitz ebenfalls auf seinen Abtransport wartete. Erst fünf Wochen später, nach quälender Ungewissheit, stieg auch er in den Reisebus, der ihn und viele seiner Leidensgenossen über die deutsch-deutsche Grenze brachte, wo sie von Rechtsanwalt Vogel aus der Staatsbürgerschaft der DDR entlassen wurden und nach einigen Kilometern Fahrt endlich ihrer Freude über die Freiheit ungehemmten Lauf lassen konnten.

Viele versuchten, die Grenze illegal zu überwinden, und bezahlten es mit ihrem Leben. Auch unsere Kinder hätte es im August 1983 treffen können, hätten die bulgarischen Grenzer nicht in die Luft geschossen. Gerd hat die neu gewonnene Freiheit nur noch einige Jahre genießen können. Bei meinem ersten »Rentner-Besuch« in München führte er mich im Lenbach-Haus in die Welt des Blauen Reiters ein. Er malte ausdrucksstarke, oft düstere Bilder und setzte sein Studium an der Kunstakademie fort. Doch dann raffte ihn eine unheilbare, schmerzhafte Krebserkrankung dahin. Dorothea und Michael haben sich ein neues Leben aufgebaut. Aber die seelischen Wunden aus jener Zeit werden wohl nie ganz vernarben – bei ihnen nicht und auch nicht bei uns Eltern.

**Ina-Maria Martens**

# Nachwort

Im Oktober 2006 fragte ich unseren langjährigen Freund Michael Proksch, ob er bereit sei, mir im Rahmen eines Biografieprojekts des Münchner Bildungswerks über die gescheiterte Republikflucht mit seiner Schwester Dorothea im Jahre 1983 und seine Zeit im Gefängnis bis zum Freikauf zu erzählen. Michael sprach zum ersten Mal seit über 20 Jahren ausführlich über diese Erfahrungen. Die per Tonband aufgenommene und transkribierte Schilderung wurde von mir entsprechend der vorgegebenen Thematik bearbeitet und gemeinsam mit den Biografiearbeiten der anderen 20 Teilnehmer im Rahmen des Projekts »Lebensmomente« vorgestellt.

Während heute größtenteils über 80-jährige Väter, Mütter und andere den Interviewern nahestehende Personen oft erstmals von ihren traumatischen und prägenden Kriegserlebnissen und Begebenheiten aus der Zeit des Nationalsozialismus berichten, hatte ich es hier mit dem DDR-Regime in den Jahren von 1983 bis 1985 zu tun. Die erzählten Erlebnisse machten mir die Parallelen zwischen beiden Systemen bewusst sowie die Gründe dafür, dass manche der Betroffenen trotz der vielen seitdem vergangenen Jahre bis heute nicht in der Lage sind, über das Erlebte zu sprechen, sondern dies trotz liebevollem Nachfragen von Angehörigen manchmal sogar verweigern.

Was Michael Proksch zu diesem Zeitpunkt nicht wusste: Seine Schwester Dorothea Ebert, Geigerin beim Orchester der Münchener Staatsoper, hatte einige Monate vorher auch begonnen, ihre Erlebnisse und Gedanken schriftlich festzuhalten. Die brütende Hitze in diesem Sommer 2006, unter anderem während einer Europa-Tournee, weckte die Erinnerungen an den besonders heißen Sommer 1983. Die Mutter Gertrud Proksch wiederum hatte ebenfalls ihre Lebenserinnerungen niedergeschrieben, in denen die Flucht ihrer Kinder und die Zeit ihres Gefängnisaufenthalts nicht fehlten. Es lag nahe, sich an sie zu wenden.

So entstand das Projekt der Geschichte einer Republikflucht aus den drei Perspektiven von Bruder, Schwester und Mutter. Zwischen den Tonbandaufnahmen bzw. der ersten Niederschrift und der nun vorliegenden Buchform liegt eine lange Zeit, in der alle Beteiligten sich erneut intensiv mit dem Geschehen befassten. Sie haben über ihre Motive, Handlungen und Gefühle nachgedacht und die schönen und bitteren Erfahrungen noch einmal durchlebt, durchlitten und reflektiert, im gegenseitigen Austausch. Es wurden Briefe, Gedichte, Tagebuchaufzeichnungen, Prozessakten und andere Dokumente der Staatssicherheit herangezogen, aus denen unter anderem hervorging, dass Michael Proksch noch im März 1989 im Westen observiert wurde. »Unser Arm reicht weit!«

Diese Aufarbeitung war zwangsläufig auch ein schmerzhafter Prozess. Das Ost-West-Thema ist nach wie vor problematisch. Es gibt Vorbehalte und Ablehnung. Auch diese Vergangenheit ist noch nicht »bewältigt«. Solche Erfahrungen hinterlassen bei allen Betroffenen seelische Wunden, die nie ganz vernarben, wie Gertrud Proksch sagt. Zunächst hatte keiner der Autoren an eine Veröffentlichung gedacht. Nun mussten die im Text erwähnten Personen gefragt werden, ob sie mit einer Veröffentlichung einverstanden sind. Dorothea und Mathias Ebert, kurz nach der Entlassung in die Bundesrepublik geschieden, nahmen erstmals wieder Kontakt auf. Der »Rucksack«, den die Familie über 20 Jahre verschlossen mit sich herumgeschleppt hatte, wurde geöffnet, sein Inhalt gemeinsam betrachtet. Es wurde gelacht und geweint und manche verborgene Wunde vielleicht doch geheilt.

Es ist also nicht nur die Geschichte einer gescheiterten Flucht, sondern es ist auch eine Familiengeschichte in der DDR und in dieser Verbindung ein außergewöhnliches Zeugnis für die Zeit, in der Deutschland durch eine Mauer getrennt war, die für mindestens 100 Jahre stehen sollte, wie Erich Honecker meinte.

An dieser Stelle möchte ich denjenigen danken, die zur Veröffentlichung dieses Buches beigetragen haben: Sabine Sautter und Karin Wimmer vom Münchner Bildungswerk, die mit professioneller und sensibler Leitung durch die immer bewegenden »Lebensmomente« führten und den Stein ins Rollen brachten; meinem Mann, der es möglich machte, dass seine Mitarbeiterinnen mich unterstützten; Barbara Tegtmeyer, die selbst in ihrer Freizeit den Inhalt der Tonbänder abschrieb sowie die handschriftlich verfassten Manuskripte entzifferte; Janet Reinhold, die Dateien anlegte, Kopien ordnete und bei PC-Nöten immer Rat wusste; Sigrid Bubolz-Friesenhahn für ihre Unterstützung bei der Aufgabe, einen Verlag für die Veröffentlichung zu finden; Dr. Andrea Wörle vom Deutschen Taschenbuch Verlag, die das Projekt kompetent und einfühlsam betreute; aber insbesondere Michael Proksch, der den Mut hatte, das Projekt mit mir ins Leben zu rufen und sich auf den steinigen Weg zu begeben, ohne den es dieses Buch nicht gäbe.

## Danksagung

Mit großer Dankbarkeit denken wir an unseren verstorbenen
Freund Gerd Hortsch. Seine Entschlossenheit hat uns in der
Zeit vor der Flucht oft ermutigt, wenn Zweifel und Ängste
aufkamen. In München beendete er erfolgreich sein Studium
der Malerei und konnte danach mit seinen ausdrucksstarken
Bildern in zahlreichen Ausstellungen auf sich aufmerksam
machen. Gerade als ihn der Ruf für eine Professur an der
Kunstakademie erreichte, erkrankte er an einem unheilbaren
Krebsleiden. Nur fünf Jahre Freiheit waren ihm beschieden.
Wir vermissen ihn.

Mein herzlicher Dank geht an Michael Verleih, der mit seinen genauen Erinnerungen und Analysen die Zeit in der DDR
durchleuchtete; meine Schwester Dorothea, die mich auch
während des Schreibprozesses aufmerksam begleitete; meine
Mutter, die unermüdlich an Verbesserungen des Textes mitar-
beitete; Beate Kilian, deren wache Fragen zur Verständlichkeit
für die nicht in der DDR aufgewachsenen Leser beitrugen;
Jürgen Werner für viele wichtige und bereichernde Rückmel-
dungen, Olaf Schumann für die Präzisierung mancher Details
aus der Haftzeit; Andreas Ehrlich, der wesentliche Gedanken über die Abiturzeit beisteuerte; Ina-Maria Martens, die
mit einfühlsamem Interesse auf mich zukam und voller Elan
dieses Projekt initiierte, Sigrid Bubolz-Friesenhahn, die uns
beriet und den Kontakt zum Deutschen Taschenbuch Verlag
herstellte, und vor allem meine Lektorin Dr. Andrea Wörle, die
mit großer Übersicht und Klarheit meinen Text verdichtete
und zur endgültigen Form brachte.

*Michael Proksch*

Auch ich möchte Dr. Andrea Wörle danken, die uns durch den spannenden, zum Teil schmerzlichen, jedoch letztendlich heilsamen Prozess der Bearbeitung unserer Geschichte half und unsere Texte klärte und konkretisierte. Meinem Bruder Michael danke ich, dass er durch seine Verbindungen die Entstehung dieser Aufzeichnung initiierte, meiner Mutter für ihre Tapferkeit und dass sie es auf sich genommen hat, ihre Erinnerungen aufzuschreiben und zu bearbeiten. Ina-Maria Martens danke ich für ihr Engagement. Urs hat meine Bemühungen, das Wesentliche herauszuarbeiten, begleitet und unterstützt, Toni und Hannes brachten mich auf die Idee, meine Geschichte aufzuschreiben. Werner hat mich in die Welt der elektronischen Textverarbeitung eingeführt und Ruth Daigeler half beim Entwirren der Fäden. Allen Freunden, insbesondere Antonia, Traudi, Christoph und Barbara danke ich für die erhellenden Gespräche und Ermutigungen.

*Dorothea Ebert*